G000255913

Italia

Italien · Italy · Itália
Italie · Italië · Włochy
Itálie · Olaszország

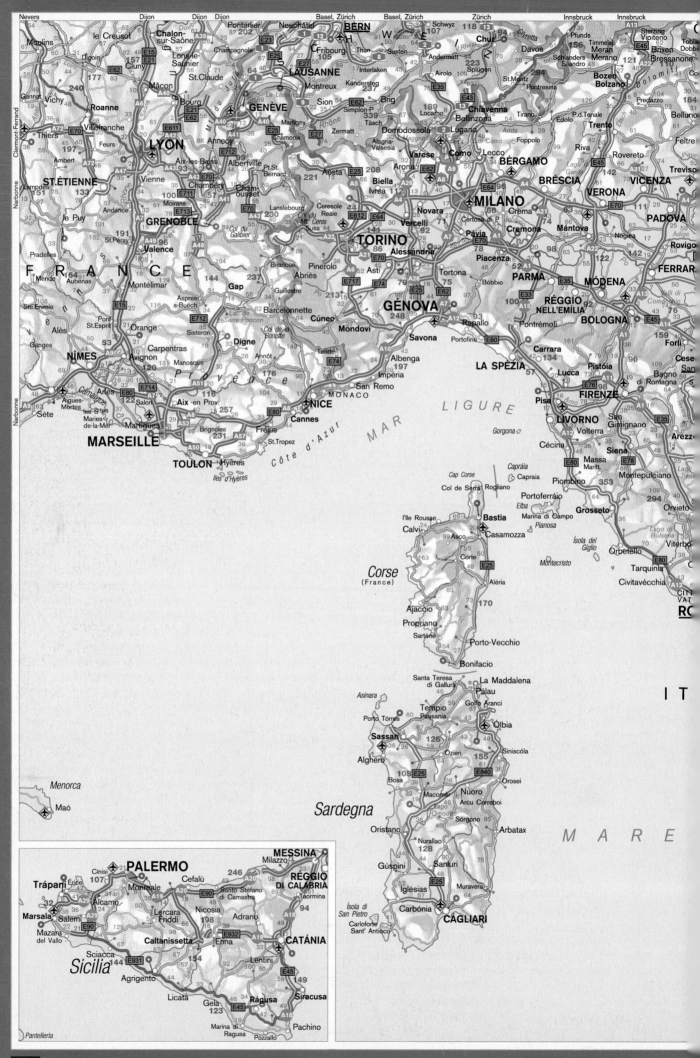

Segni convenzionali · Zeichenerklärung
Legend · Signos convencionales
1:300.000

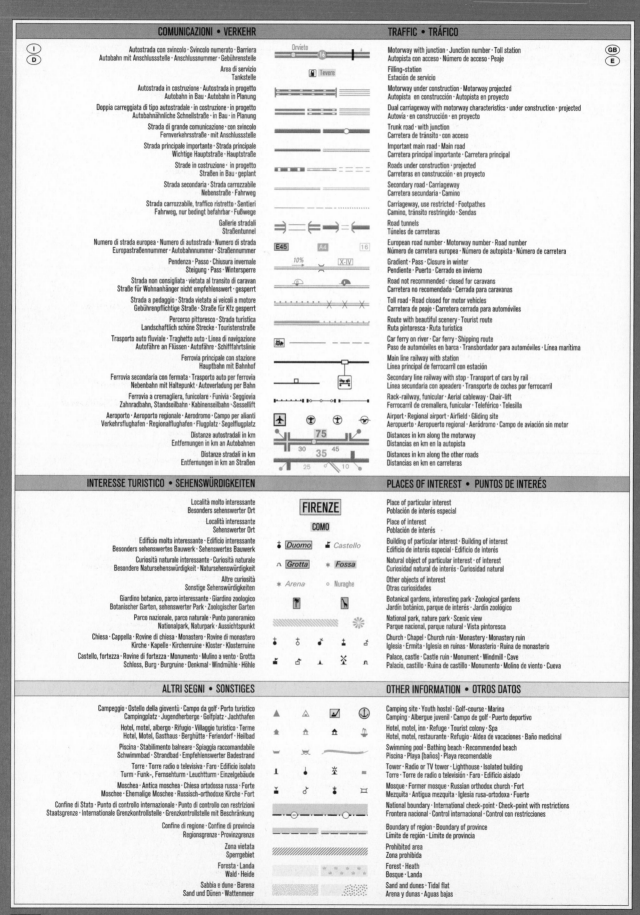

COMUNICAZIONI · VERKEHR	TRAFFIC · TRÁFICO

(I) (D) · (GB) (E)

Autostrada con svincolo · Svincolo numerato · Barriera / Autobahn mit Anschlussstelle · Anschlussnummer · Gebührenstelle	Motorway with junction · Junction number · Toll station / Autopista con acceso · Número de acceso · Peaje
Area di servizio / Tankstelle	Filling-station / Estación de servicio
Autostrada in costruzione · Autostrada in progetto / Autobahn in Bau · Autobahn in Planung	Motorway under construction · Motorway projected / Autopista en construcción · Autopista en proyecto
Doppia carreggiata di tipo autostradale · in costruzione · in progetto / Autobahnähnliche Schnellstraße in Bau · in Planung	Dual carriageway with motorway characteristics · under construction · projected / Autovía · en construcción · en proyecto
Strada di grande comunicazione · con svincolo / Fernverkehrsstraße · mit Anschlussstelle	Trunk road · with junction / Carretera de tránsito · con acceso
Strada principale importante · Strada principale / Wichtige Hauptstraße · Hauptstraße	Important main road · Main road / Carretera principal importante · Carretera principal
Strade in costruzione · in progetto / Straßen in Bau · geplant	Roads under construction · projected / Carreteras en construcción · en proyecto
Strada secondaria · Strada carrozzabile / Nebenstraße · Fahrweg	Secondary road · Carriageway / Carretera secundaria · Camino
Strada carrozzabile, traffico ristretto · Sentieri / Fahrweg, nur bedingt befahrbar · Fußwege	Carriageway, use restricted · Footpaths / Camino, tránsito restringido · Sendas
Gallerie stradali / Straßentunnel	Road tunnels / Túneles de carreteras
Numero di strada europea · Numero di autostrada · Numero di strada / Europastraßennummer · Autobahnnummer · Straßennummer	European road number · Motorway number · Road number / Número de carretera europea · Número de autopista · Número de carretera
Pendenza · Passo · Chiusura invernale / Steigung · Pass · Wintersperre	Gradient · Pass · Closure in winter / Pendiente · Puerto · Cerrado en invierno
Strada non consigliata · vietata al transito di caravan / Straße für Wohnanhänger nicht empfehlenswert · gesperrt	Road not recommended · closed for caravans / Carretera no recomendada · Cerrada para caravanas
Strada a pedaggio · Strada vietata ai veicoli a motore / Gebührenpflichtige Straße · Straße für Kfz gesperrt	Toll road · Road closed for motor vehicles / Carretera de peaje · Carretera cerrada para automóviles
Percorso pittoresco · Strada turistica / Landschaftlich schöne Strecke · Touristenstraße	Route with beautiful scenery · Tourist route / Ruta pintoresca · Ruta turística
Trasporto auto fluviale · Traghetto auto · Linea di navigazione / Autofähre an Flüssen · Autofähre · Schifffahrtslinie	Car ferry on river · Car ferry · Shipping route / Paso de automóviles en barca · Transbordador para automóviles · Línea marítima
Ferrovia principale con stazione / Hauptbahn mit Bahnhof	Main line railway with station / Línea principal de ferrocarril con estación
Ferrovia secondaria con fermata · Trasporto auto per ferrovia / Nebenbahn mit Haltepunkt · Autoverladung per Bahn	Secondary line railway with stop · Transport of cars by rail / Línea secundaria con apeadero · Transporte de coches por ferrocarril
Ferrovia a cremagliera, funicolare · Funivia · Seggiovia / Zahnradbahn, Standseilbahn · Kabinenseilbahn · Sessellift	Rack-railway, funicular · Aerial cableway · Chair-lift / Ferrocarril de cremallera, funicular · Teleférico · Telesilla
Aeroporto · Aeroporto regionale · Aerodromo · Campo per alianti / Verkehrsflughafen · Regionalflughafen · Flugplatz · Segelflugplatz	Airport · Regional airport · Airfield · Gliding site / Aeropuerto · Aeropuerto regional · Aeródromo · Campo de aviación sin motor
Distanze autostradali in km / Entfernungen in km an Autobahnen	Distances in km along the motorway / Distancias en km en la autopista
Distanze stradali in km / Entfernungen in km an Straßen	Distances in km along the other roads / Distancias en km en carreteras

Orvieto · 16 · Tevere · E45 · A4 · 16 · 10% · X-IV · 75 · 30 · 35 · 45 · 25 · 10

INTERESSE TURISTICO · SEHENSWÜRDIGKEITEN	PLACES OF INTEREST · PUNTOS DE INTERÉS
Località molto interessante / Besonders sehenswerter Ort	Place of particular interest / Población de interés especial
Località interessante / Sehenswerter Ort	Place of interest / Población de interés
Edificio molto interessante · Edificio interessante / Besonders sehenswertes Bauwerk · Sehenswertes Bauwerk	Building of particular interest · Building of interest / Edificio de interés especial · Edificio de interés
Curiosità naturale interessante · Curiosità naturale / Besondere Natursehenswürdigkeit · Natursehenswürdigkeit	Natural object of particular interest · of interest / Curiosidad natural de interés · Curiosidad natural
Altre curiosità / Sonstige Sehenswürdigkeiten	Other objects of interest / Otras curiosidades
Giardino botanico, parco interessante · Giardino zoologico / Botanischer Garten, sehenswerter Park · Zoologischer Garten	Botanical gardens, interesting park · Zoological gardens / Jardín botánico, parque de interés · Jardín zoológico
Parco nazionale, parco naturale · Punto panoramico / Nationalpark, Naturpark · Aussichtspunkt	National park, nature park · Scenic view / Parque nacional, parque natural · Vista pintoresca
Chiesa · Cappella · Rovine di chiesa · Monastero · Rovine di monastero / Kirche · Kapelle · Kirchenruine · Kloster · Klosterruine	Church · Chapel · Church ruin · Monastery · Monastery ruin / Iglesia · Ermita · Iglesia en ruinas · Monasterio · Ruina de monasterio
Castello, fortezza · Rovine di fortezza · Monumento · Mulino a vento · Grotta / Schloss, Burg · Burgruine · Denkmal · Windmühle · Höhle	Palace, castle · Castle ruin · Monument · Windmill · Cave / Palacio, castillo · Ruina de castillo · Monumento · Molino de viento · Cueva

FIRENZE · COMO · Duomo · Castello · Grotta · Fossa · Arena · Nuraghe

ALTRI SEGNI · SONSTIGES	OTHER INFORMATION · OTROS DATOS
Campeggio · Ostello della gioventù · Campo da golf · Porto turistico / Campingplatz · Jugendherberge · Golfplatz · Jachthafen	Camping site · Youth hostel · Golf-course · Marina / Camping · Albergue juvenil · Campo de golf · Puerto deportivo
Hotel, motel, albergo · Rifugio · Villaggio turistico · Terme / Hotel, Motel, Gasthaus · Berghütte · Feriendorf · Heilbad	Hotel, motel, inn · Refuge · Tourist colony · Spa / Hotel, motel, restaurante · Refugio · Aldea de vacaciones · Baño medicinal
Piscina · Stabilimento balneare · Spiaggia raccomandabile / Schwimmbad · Strandbad · Empfehlenswerter Badestrand	Swimming pool · Bathing beach · Recommended beach / Piscina · Playa (baños) · Playa recomendable
Torre · Torre radio e televisiva · Faro · Edificio isolato / Turm · Funk-, Fernsehturm · Leuchtturm · Einzelgebäude	Tower · Radio or TV tower · Lighthouse · Isolated building / Torre · Torre de radio o televisión · Faro · Edificio aislado
Moschea · Antica moschea · Chiesa ortodossa russa · Forte / Moschee · Ehemalige Moschee · Russisch-orthodoxe Kirche · Fort	Mosque · Former mosque · Russian orthodox church · Fort / Mezquita · Antigua mezquita · Iglesia rusa-ortodoxa · Fuerte
Confine di Stato · Punto di controllo internazionale · Punto di controllo con restrizioni / Staatsgrenze · Internationale Grenzkontrollstelle · Grenzkontrollstelle mit Beschränkung	National boundary · International check-point · Check-point with restrictions / Frontera nacional · Control internacional · Control con restricciones
Confine di regione · Confine di provincia / Regionsgrenze · Provinzgrenze	Boundary of region · Boundary of province / Límite de región · Límite de provincia
Zona vietata / Sperrgebiet	Prohibited area / Zona prohibida
Foresta · Landa / Wald · Heide	Forest · Heath / Bosque · Landa
Sabbia e dune · Barena / Sand und Dünen · Wattenmeer	Sand and dunes · Tidal flat / Arena y dunas · Aguas bajas

Sinais convencionais · Légende
Legenda · Objaśnienia znaków
1:300.000

TRÂNSITO · CIRCULATION

	VERKEER · KOMUNIKACJA

P
F

Auto-estrada com ramal de acesso · Número de acesso · Portagem
Autoroute avec point de jonction · Numéro de point de jonction · Gare de péage
→ *Orvieto* · 16
Autosnelweg met aansluiting · Aansluiting met nummer · Tolkantoor
Autostrada z węzłem · Węzeł z numerem · Płatna rogatka

NL
PL

Posto de abastecimento
Poste d'essence
Tevere
Benzinestation
Stacja benzynowa

Auto-estrada em construção · Auto-estrada em projecto
Autoroute en construction · Autoroute en projet
Autosnelweg in aanleg · Autosnelweg in ontwerp
Autostrada w budowie · Autostrada projektowana

Vía rápida de faixas separadas · em construção · em projecto
Double chaussée de type autoroutier · en construction · en projet
Autoweg met gescheiden rijbanen · in aanleg · in ontwerp
Autostradopodobna droga szybkiego ruchu · w budowie · projektowana

Itinerário principal · com ramal de acesso
Route de grand trafic · avec point de jonction
Weg voor doorgaand verkeer · met aansluiting
Droga przelotowa · z węzłem

Estrada de ligação principal · Estrada regional
Route principale importante · Route principale
Belangrijke hoofdweg · Hoofdweg
Ważna droga główna · Droga główna

Estradas em construção · em projecto
Routes en construction · en projet
Wegen in aanleg · in ontwerp
Drogi w budowie · Drogi projektowane

Estrada secundária · Calçada
Route secondaire · Chemin carrossable
Secundaire weg · Rijweg
Droga drugorzędna · Droga bita

Calçada a trânsito limitado · Atalhos
Chemin carrossable, praticabilité non assurée · Sentiers
Rijweg, beperkt berijdbaar · Voetpaden
Droga bita, o ograniczonej przejezdności · Drogi dla pieszych

Túnels de estrada
Tunnels routiers
Wegtunnels
Tunele drogowe

Número de estrada europeia · Número de auto-estrada · Número de estrada
Numéro de route européenne · Numéro d'autoroute · Numéro de route
E45 · A4 · 16
Europees wegnummer · Nummer van autosnelweg · Wegnummer
Numer drogi europejskiej · Numer autostrady · Numer drogi

Subida · Passagem · Estrada fechada ao trânsito no inverno
Montée · Col · Fermeture en hiver
10% · X-IV
Stijging · Bergpas · Winterafsluiting
Stromy podjazd · Przełęcz · Zamknięcie w zimie

Estrada não recomendável · proibida para autocaravanas
Route non recommandée · interdite pour caravanes
Voor caravans niet aan te bevelen · verboden
Wjazd z przyczepą kempingową niezalecany · zakazany

Estrada com portagem · Estrada fechada ao trânsito
Route à péage · Route interdite aux véhicules à moteur
X X X
Tolweg · Gesloten voor motorvoertuigen
Droga przejezdna za opłatą · Droga zamknięta dla ruchu samochodowego

Itinerário pintoresco · Rota turística
Parcours pittoresque · Route touristique
Landschappelijk mooie route · Toeristische route
Droga widokowa · Droga turystyczna

Bateläos para viaturas nos rios · Barca para viaturas · Linha de navegação
Bac fluvial pour automobiles · Bac pour automobiles · Ligne de navigation
Autoveer over rivieren · Autoveer · Scheepvaartroute
Prom rzeczny · Prom samochodowy · Linia okrętowa

Linha ferroviária principal com estação
Chemin de fer principal avec gare
Hoofdspoorlijn met station
Kolej główna ze stacją

Linha secundária com apeadeiro · Linha ferroviária com transporte de viaturas
Chemin de fer secondaire avec halte · Transport de voitures par chemin de fer
Spoorlijn met halte · Autotransport met spoorweg
Kolej drugorzędna z przystankiem · Przewóz samachodów wagonami

Via férrea de cremalheira, funicular · Teleférico · Teleassento
Chemin de fer à crémaillière, funiculaire · Téléférique · Télésiège
Tandradbaan, kabelspoorweg · Kabelbaan · Stoeltjeslift
Kolej zębata, kolej linowa szynowa · Kolej linowa (wagonik) · Wyciąg krzesełkowy

Aeroporto · Aeroporto regional · Aeródromo · Aeródromo para planadores
Aéroport · Aéroport régional · Aérodrome · Terrain de vol à voile
Luchthaven · Regionaal vliegveld · Vliegveld · Zweefvliegveld
Port lotniczy · Lotnisko regionalne · Lotnisko · Teren dla szybowców

Distâncias em quilómetros na auto-estrada
Distances en km sur autoroutes
75
Afstanden in km aan autosnelwegen
Odległości w kilometrach na autostradach

Distâncias em quilómetros na estrada
Distances en km sur routes
30 · 35 · 45
25 · 10
Afstanden in km aan wegen
Odległości w kilometrach na innych drogach

PONTOS DE INTERESSE · CURIOSITÉS

	BEZIENSWAARDIGHEDEN · INTERESUJĄCE OBIEKTY

Pavoação de interesse especial
Localité très intéressante
FIRENZE
Zeer bezienswaardige plaats
Miejscowość szczególnie interesująca

Pavoação interessante
Localité intéressante
COMO
Bezienswaardige plaats
Miejscowość interesująca

Edifício de interesse especial · Edifício interessante
Bâtiment très intéressant · Bâtiment intéressant
Duomo · *Castello*
Zeer bezienswaardig gebouw · Bezienswaardig gebouw
Budowla szczególnie interesująca · Budowla interesująca

Curiosidade natural interessante · Curiosidade natural
Curiosité naturelle intéressante · Curiosité naturelle
Grotta · *Fossa*
Zeer bezienswaardig natuurschoon · Bezienswaardig natuurschoon
Szczególnie interesujący obiekt naturalny · Interesujący obiekt naturalny

Outros pontos de interesse
Autres curiosités
Areña · Nuraghe
Overige bezienswaardigheden
Inne interesujące obiekty

Jardim botânico, parque interessante · Jardim zoológico
Jardin botanique, parc intéressant · Jardin zoologique
Botanische tuin, bezienswaardig park · Dierentuin
Ogród botaniczny, interesujący park · Ogród zoologiczny

Parque nacional, parque natural · Vista panorâmica
Parc national, parc naturel · Point de vue
Nationaal park, natuurpark · Mooi uitzicht
Park narodowy, park krajobrazowy · Punkt widokowy

Igreja · Capela · Ruína de igreja · Mosteiro · Ruína de mosteiro
Église · Chapelle · Église en ruines · Monastère · Monastère en ruines
Kerk · Kapel · Kerkruïne · Klooster · Kloosterruïne
Kościół · Kaplica · Ruiny kościoła · Klasztor · Ruiny klasztoru

Palácio, castelo · Ruínas castelo · Monumento · Moinho de vento · Gruta
Château, château fort · Château fort en ruines · Monument · Moulin à vent · Grotte
Kasteel, burcht · Burchtruïne · Monument · Windmolen · Grot
Pałac, zamek · Ruiny zamku · Pomnik · Wiatrak · Jaskinia

DIVERSOS · AUTRES INDICATIONS

	OVERIGE INFORMATIE · INNE INFORMACJE

Parque de campismo · Pousada da juventude · Área de golfe · Porto de abrigo
Terrain de camping · Auberge de jeunesse · Terrain de golf · Marina
Kampeerterrein · Jeugdherberg · Golfterrein · Jachthaven
Kemping · Schronisko młodzieżowe · Plac golfowy · Port jachtowy

Hotel, motel, restaurante · Abrigo de montanha · Aldeia turística · Termas
Hôtel, motel, auberge · Refuge · Village touristique · Station balnéaire
Hotel, motel, restaurant · Berghut · Vakantiekolonie · Badplaats
Hotel, motel, gospoda · Schronisko górskie · Wieś letniskowa · Uzdrowisko

Piscina · Praia com balneários · Praia recomendável
Piscine · Baignade · Plage recommandée
Zwembad · Strandbad · Mooi badstrand
Pływalnia · Kąpielisko · Plaża zalecona

Torre · Torre de telecomunicação · Farol · Edifício isolado
Tour · Tour radio, tour de télévision · Phare · Bâtiment isolé
Toren · Radio of T.V. mast · Vuurtoren · Geïsoleerd gebouw
Wieża · Wieża stacji radiowej, telewizyjna · Latarnia morska · Budynek odosobniony

Mesquita · Mesquita antiga · Igreja russa ortodoxa · Forte
Mosquée · Ancienne mosquée · Église russe orthodoxe · Fort
Moskee · Voormalig moskee · Russisch orthodox kerk · Fort
Meczet · Były meczet · Cerkiew prawosławna · Forteca

Fronteira nacional · Ponto de controlo internacional · Ponto de controlo com restrição
Frontière d'État · Point de contrôle international · Point de contrôle avec restrictions
Rijksgrens · Internationaal grenspost · Grenspost met restrictie
Granica państwa · Przejście graniczne międzynarodowe · z ograniczeniami

Limite de região · Limite de província
Limite de région · Limite de province
Gewestgrens · Provinciegrens
Granica regionu · Granica prowincji

Área proibida
Zone interdite
Afgesloten gebied
Obszar zamknięty

Floresta · Charneca
Forêt · Lande
Bos · Heide
Las · Wrzosowisko

Areia e dunas · Baixio
Sable et dunes · Mer recouvrant les hauts-fonds
Zand en duinen · Bij eb droogvallende gronden
Piasek i wydmy · Watty

V

Vysvětlivky · Jelmagyarázat
Tegnforklaring · Teckenförklaring
1:300.000

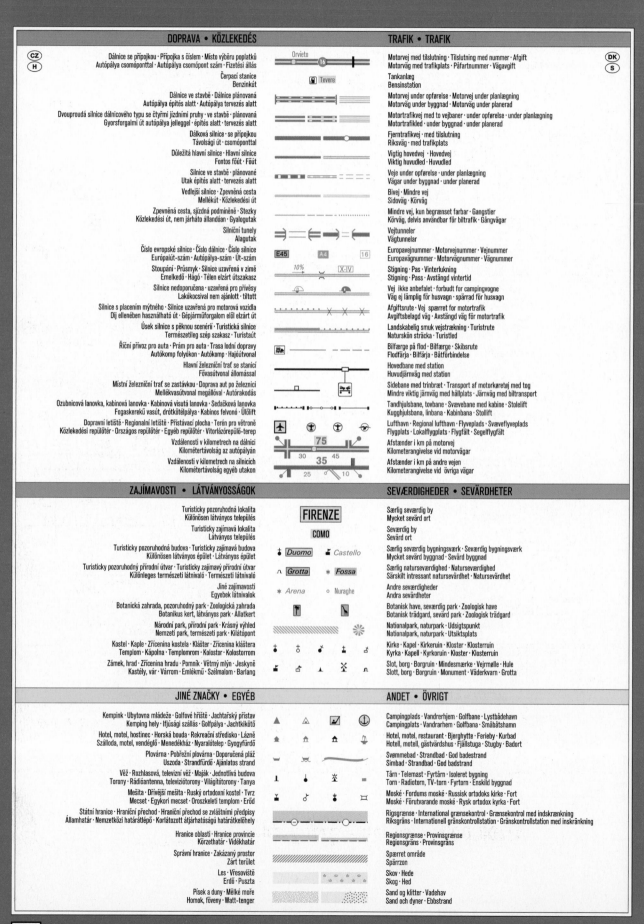

CZ / H — **DK / S**

DOPRAVA · KÖZLEKEDÉS | TRAFIK · TRAFIK

Dálnice se přípojkou · Přípojka s číslem · Místo výběru poplatků
Autópálya csomóponttal · Autópálya csomópont szám · Fizetési állás
— Motorvej med tilslutning · Tilslutning med nummer · Afgift
Motorväg med trafikplats · Påfartnummer · Vägavgift

Čerpací stanice
Benzinkút
— Tankanlæg
Bensinstation

Dálnice ve stavbě · Dálnice plánovaná
Autópálya épités alatt · Autópálya tervezés alatt
— Motorvej under opførelse · Motorvej under planlægning
Motorväg under byggnad · Motorväg under planerad

Dvouproudá silnice dálnicového typu se čtyřmi jízdními pruhy · ve stavbě · plánovaná
Gyorsforgalmi út autópálya jelleggel · épités alatt · tervezés alatt
— Motortrafikvej med to vejbaner · under opførelse · under planlægning
Motortrafikled · under byggnad · under planerad

Dálková silnice · se přípojkou
Távolsági út · csomóponttal
— Fjerntrafikvej · med tilslutning
Riksväg · med trafikplats

Důležitá hlavní silnice · Hlavní silnice
Fontos főút · Főút
— Vigtig hovedvej · Hovedvej
Viktig huvudled · Huvudled

Silnice ve stavbě · plánovaná
Utak épités alatt · tervezés alatt
— Veje under opførelse · under planlægning
Vägar under byggnad · under planerad

Vedlejší silnice · Zpevněná cesta
Mellékút · Közlekedési út
— Bivej · Mindre vej
Sidoväg · Körväg

Zpevněná cesta, sjízdná podmíněně · Stezky
Közlekedési út, nem járható állandóan · Gyalogutak
— Mindre vej, kun begrænset farbar · Gangstier
Körväg, delvis användbar för biltrafik · Gångvägar

Silniční tunely
Alagutak
— Vejtunneler
Vägtunnelar

Číslo evropské silnice · Číslo dálnice · Číslo silnice
Európaiút-szám · Autópálya-szám · Út-szám
E45 **A4** **16**
— Europavejnummer · Motorvejnummer · Vejnummer
Europavägnummer · Motorvägnummer · Vägnummer

Stoupání · Průsmyk · Silnice uzavřená v zimě
Emelkedő · Hágó · Télen elzárt útszakasz
10% **X-IV**
— Stigning · Pas · Vinterlukning
Stigning · Pass · Avstängd vintertid

Silnice nedoporučena · uzavřená pro přívěsy
Lakókocsival nem ajánlott · tiltott
— Vej ikke anbefalet · forbudt for campingvogne
Väg ej lämplig för husvagn · spärrad för husvagn

Silnice s placením mýtného · Silnice uzavřená pro motorová vozidla
Díj ellenében használható út · Gépjárműforgalom elől elzárt út
— Afgiftsrute · Vej spærret for motortrafik
Avgiftsbelagd väg · Avstängd väg för motortrafik

Úsek silnice s pěknou scenérií · Turistická silnice
Természetileg szép szakasz · Turistaút
— Landskabelig smuk vejstrækning · Turistrute
Naturskön sträcka · Turistled

Říční přívoz pro auta · Prám pro auta · Trasa lodní dopravy
Autókomp folyókon · Autókomp · Hajóútvonal
— Bilfærge på flod · Bilfærge · Skibsrute
Flodfärja · Bilfärja · Båtförbindelse

Hlavní železniční trať se stanicí
Fővasútvonal állomással
— Hovedbane med station
Huvudjärnväg med station

Místní železniční trať se zastávkou · Doprava aut po železnici
Mellékvasútvonal megállóval · Autórakodás
— Sidebane med trinbræt · Transport af motorkøretøj med tog
Mindre viktig järnväg med hållplats · Järnväg med biltransport

Ozubnicová lanovka, kabinová lanovka · Kabinová visutá lanovka · Sedačková lanovka
Fogaskerekű vasút, drótkötélpálya · Kabinos felvonó · Ülőlift
— Tandhjulsbane, tovbane · Svævebane med kabine · Stolelift
Kugghjulsbana, linbana · Kabinbana · Stollift

Dopravní letiště · Regionální letiště · Přistávací plocha · Terén pro větroně
Közlekedési repülőtér · Országos repülőtér · Egyéb repülőtér · Vitorlázórepülő-terep
— Lufthavn · Regional lufthavn · Flyveplads · Svæveflyveplads
Flygplats · Lokalflygplats · Flygfält · Segelflygfält

Vzdálenosti v kilometrech na dálnici
Kilométertávolság az autópályán
75
— Afstænder i km på motorvej
Kilometerangivelse vid motorvägar

Vzdálenosti v kilometrech na silnicích
Kilométertávolság egyéb utakon
30 **35** 45 · 25 · 10
— Afstænder i km på andre vejen
Kilometerangivelse vid övriga vägar

ZAJÍMAVOSTI · LÁTVÁNYOSSÁGOK | SEVÆRDIGHEDER · SEVÄRDHETER

Turisticky pozoruhodná lokalita
Különösen látványos település
FIRENZE
— Særlig seværdig by
Mycket sevärd ort

Turisticky zajímavá lokalita
Látványos település
COMO
— Seværdig by
Sevärd ort

Turisticky pozoruhodná budova · Turisticky zajímavá budova
Különösen látványos épület · Látványos épület
Duomo · *Castello*
— Særlig seværdig bygningsværk · Seværdig bygningsværk
Mycket sevärd byggnad · Sevärd byggnad

Turisticky pozoruhodný přírodní útvar · Turisticky zajímavý přírodní útvar
Különleges természeti látnivaló · Természeti látnivaló
Grotta · *Fossa*
— Særlig natursseværdighed · Natursseværdighed
Särskilt intressant natursevärdhet · Naturvärdhet

Jiné zajímavosti
Egyebek látnivalok
Arena · Nuraghe
— Andre seværdheter
Andra sevärdheter

Botanická zahrada, pozoruhodný park · Zoologická zahrada
Botanikus kert, látványos park · Állatkert
— Botanisk have, seværdig park · Zoologisk have
Botanisk trädgard, sevärd park · Zoologisk trädgard

Národní park, přírodní park · Krásný výhled
Nemzeti park, természeti park · Kilátópont
— Nationalpark, naturpark · Udsigtspunkt
Nationalpark, naturpark · Utsiktsplats

Kostel · Kaple · Zřicenina kostela · Klášter · Zřicenina kláštera
Templom · Kápolna · Templomrom · Kolostor · Kolostorrom
— Kirke · Kapel · Kirkeruin · Kloster · Klosterruin
Kyrka · Kapell · Kyrkoruin · Kloster · Klosterruin

Zámek, hrad · Zřicenina hradu · Pomník · Větrný mlýn · Jeskyně
Kastély, vár · Várrom · Emlékmű · Szélmalom · Barlang
— Slot, borg · Borgruin · Mindesmærke · Vejrmølle · Hule
Slott, borg · Borgruin · Monument · Väderkvarn · Grotta

JINÉ ZNAČKY · EGYÉB | ANDET · ÖVRIGT

Kempink · Ubytovna mládeže · Golfové hřiště · Jachtařský přístav
Kemping hely · Ifjúsági szállás · Golfpálya · Jachtkikötő
— Campingplads · Vandrerhjem · Golfbane · Lystbådehavn
Campingplats · Vandrarhem · Golfbana · Småbåtshamn

Hotel, motel, hostinec · Horská bouda · Rekreační středisko · Lázně
Szálloda, motel, vendéglő · Menedékház · Nyaralótelep · Gyogyfürdő
— Hotel, motel, restaurant · Bjerghytte · Ferieby · Kurbad
Hotell, motell, gästvärdshus · Fjällstuga · Stugby · Badort

Plovárna · Pobřežní plovárna · Doporučená pláž
Uszoda · Strandfürdő · Ajánlatos strand
— Svømmebad · Strandbad · God badestrand
Simbad · Strandbad · God badstrand

Věž · Rozhlasová, televizní věž · Maják · Jednotlivá budova
Torony · Rádióantenna, televíziótorony · Világítótorony · Tanya
— Tårn · Telemast · Fyrtårn · Isoleret bygning
Torn · Radiotorn, TV-torn · Fyrtorn · Enskild byggnad

Mešita · Dřivější mešita · Ruský ortodoxní kostel · Tvrz
Mecset · Egykori mecset · Oroszkeleti templom · Erőd
— Moské · Fordums moské · Russisk ortodoks kirke · Fort
Moské · Förutvarande moské · Rysk ortodox kyrka · Fort

Státní hranice · Hraniční přechod · Hraniční přechod se zvláštními předpisy
Államhatár · Nemzetközi határátlépő · Korlátozott átjárhatóságú határátkelőhely
— Rigsgrænse · International grænsekontrol · Grænsekontrol med indskrænkning
Riksgräns · Internationell gränskontrollstation · Gränskontrollstation med inskränkning

Hranice oblasti · Hranice provincie
Körzethatár · Vidékhatár
— Regionsgrænse · Provinsgrænse
Regionsgräns · Provinsgräns

Správní hranice · Zakázaný prostor
Zárt terület
— Spærret område
Spärrzon

Les · Vřesoviště
Erdő · Puszta
— Skov · Hede
Skog · Hed

Písek a duny · Mělké moře
Homok, fövény · Watt-tenger
— Sand og klitter · Vadehav
Sand och dyner · Ebbstrand

VI

Quadro d'unione · Kartenübersicht · Key map · Mapa índice
Corte dos mapas · Carte d'assemblage · Overzichtskaart · Skorowidz arkuszy
Klad mapových listů · Áttekintő térkép · Oversigtskort · Kartöversikt
1:300.000

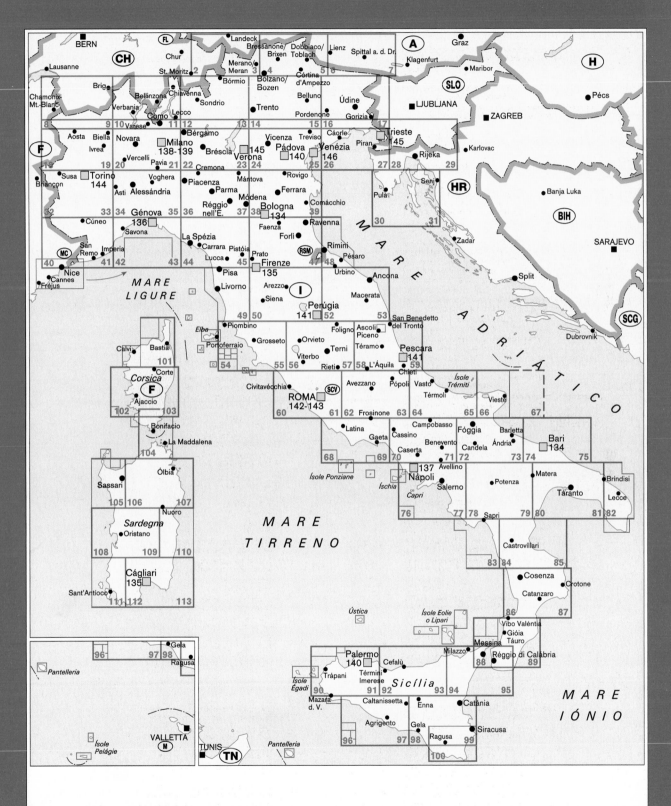

1:300.000

0 2 4 6 8 10 12 km

0 2 4 6 8 10 12 statute miles

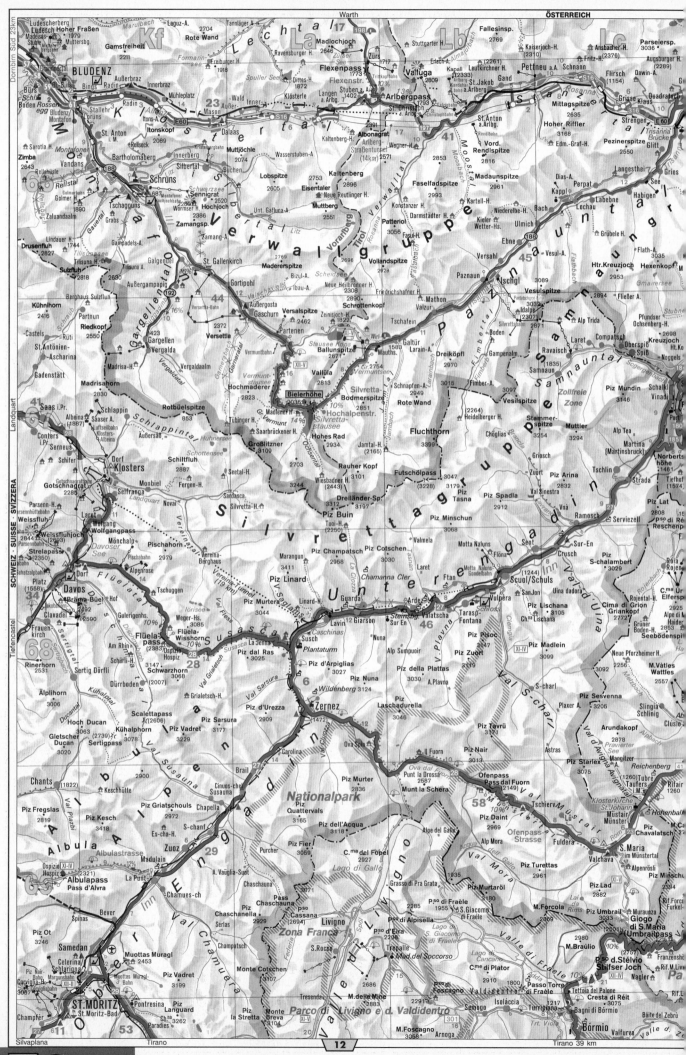

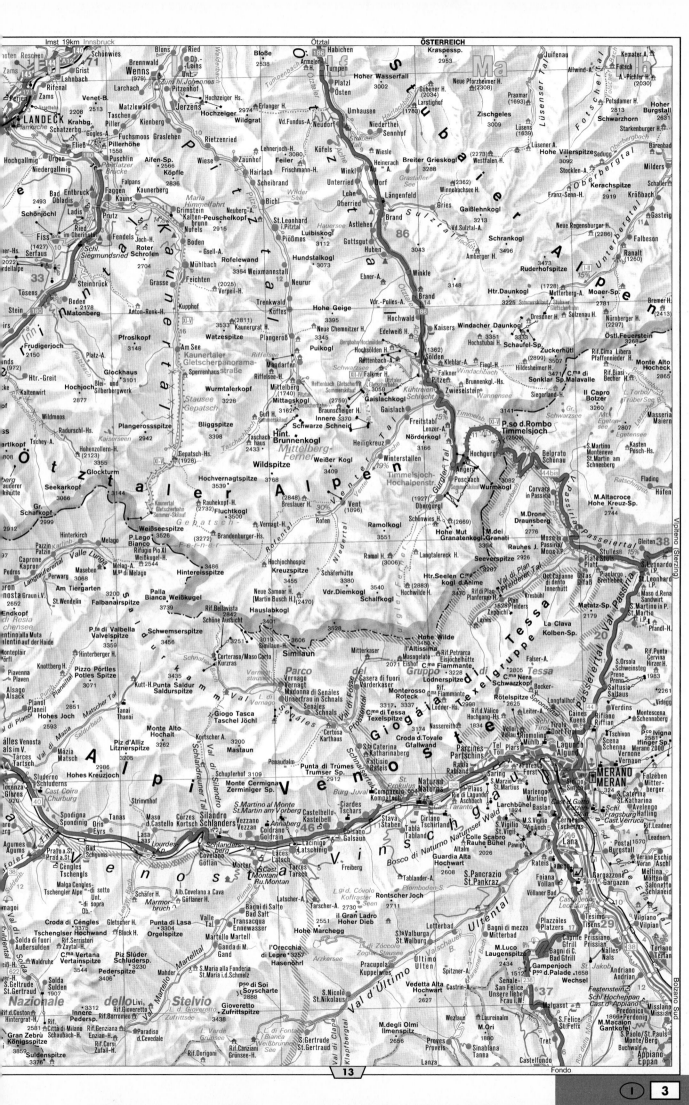

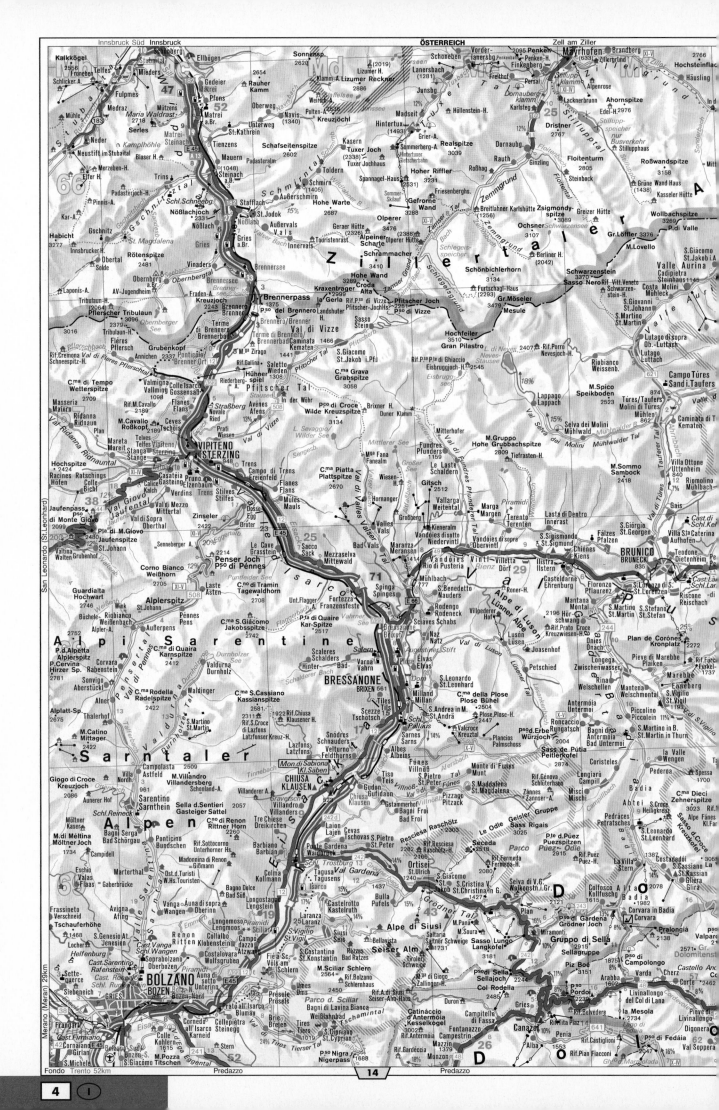

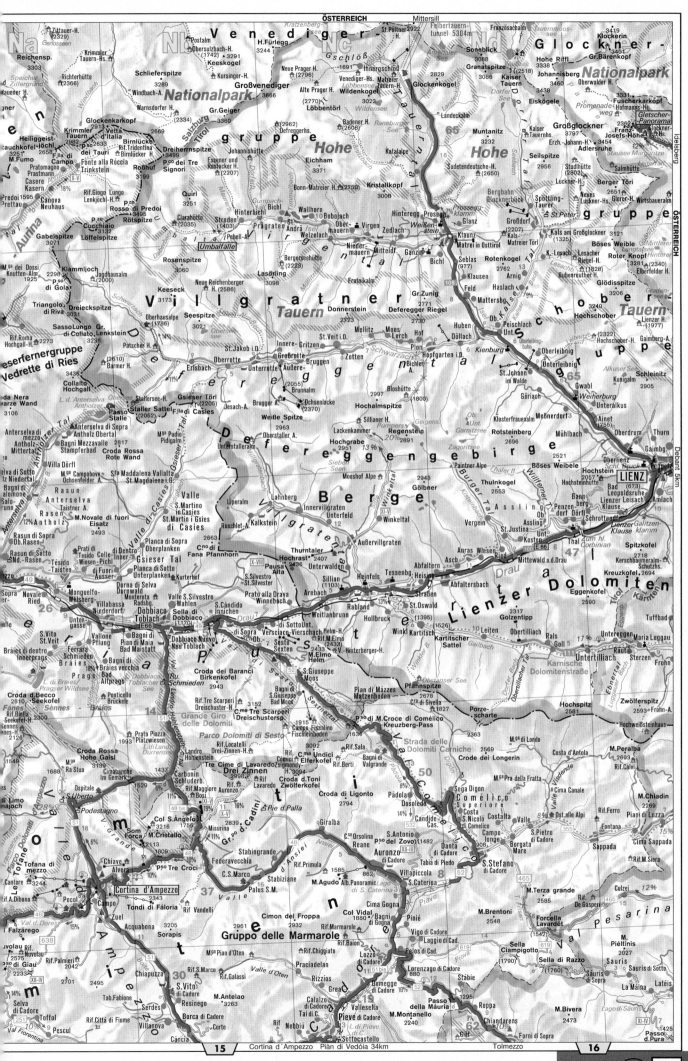

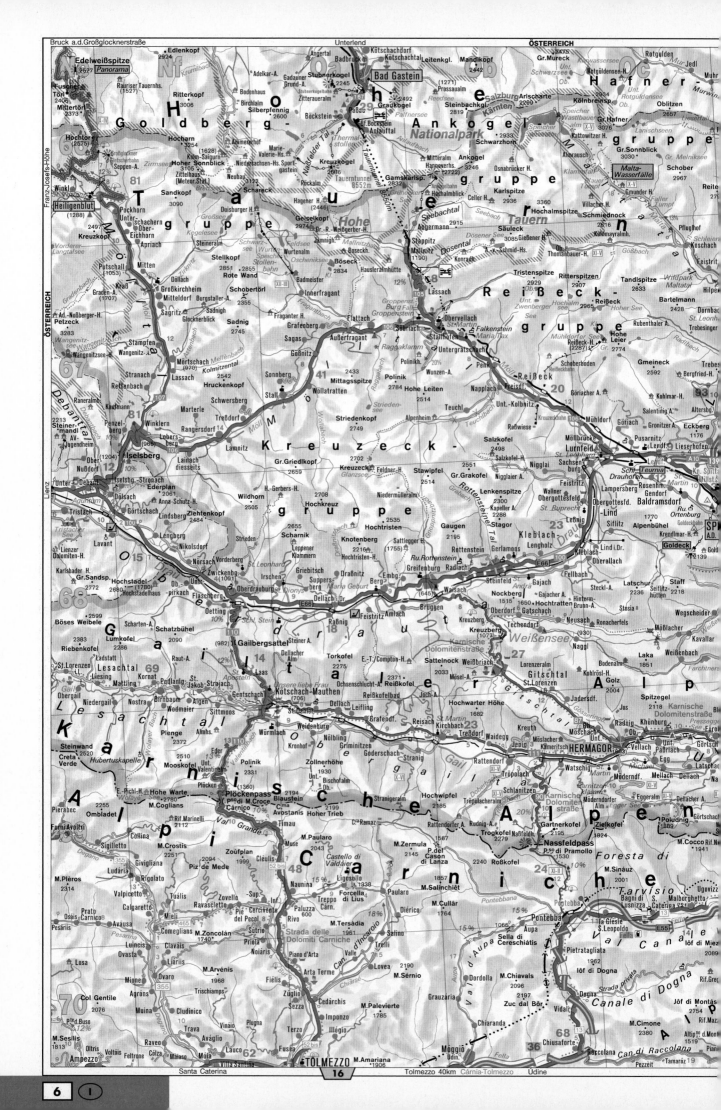

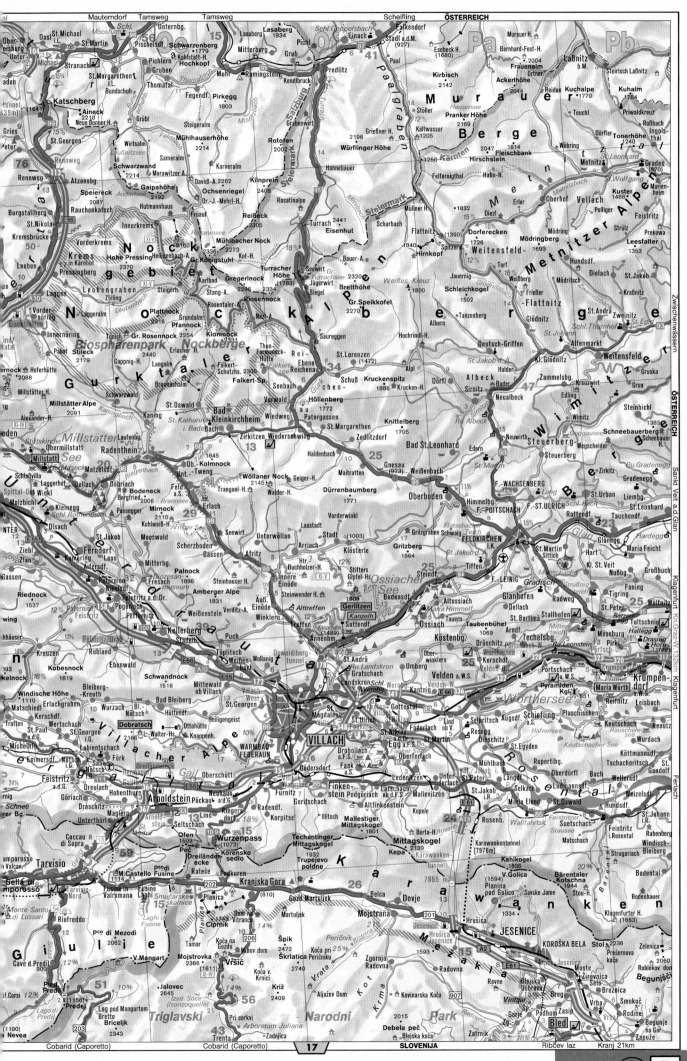

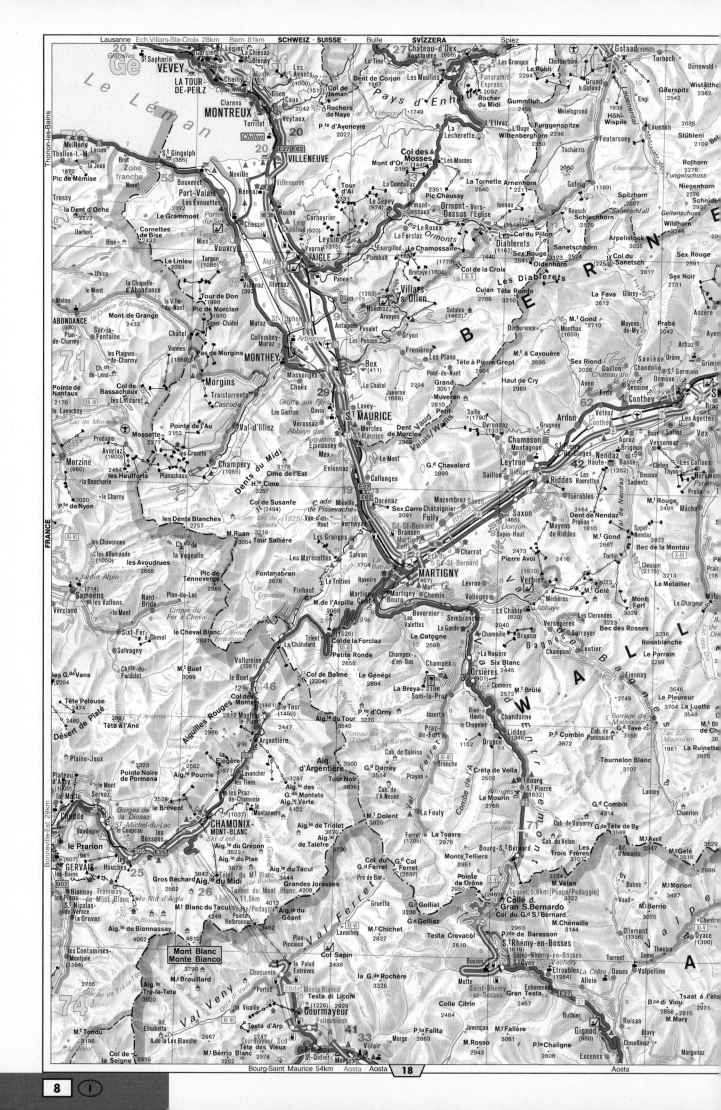

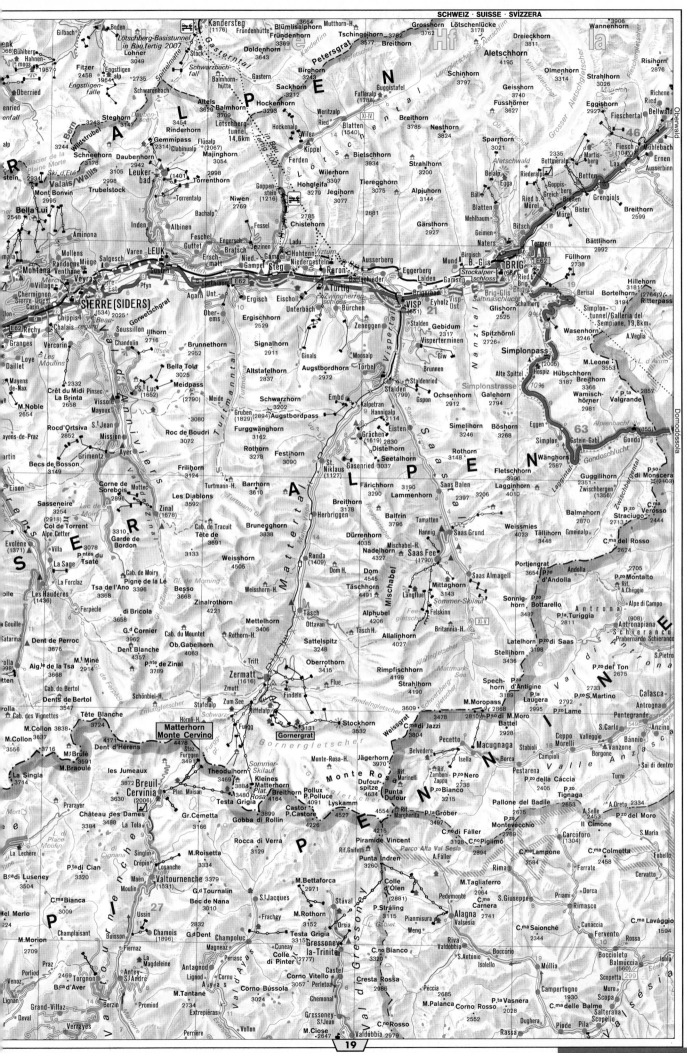

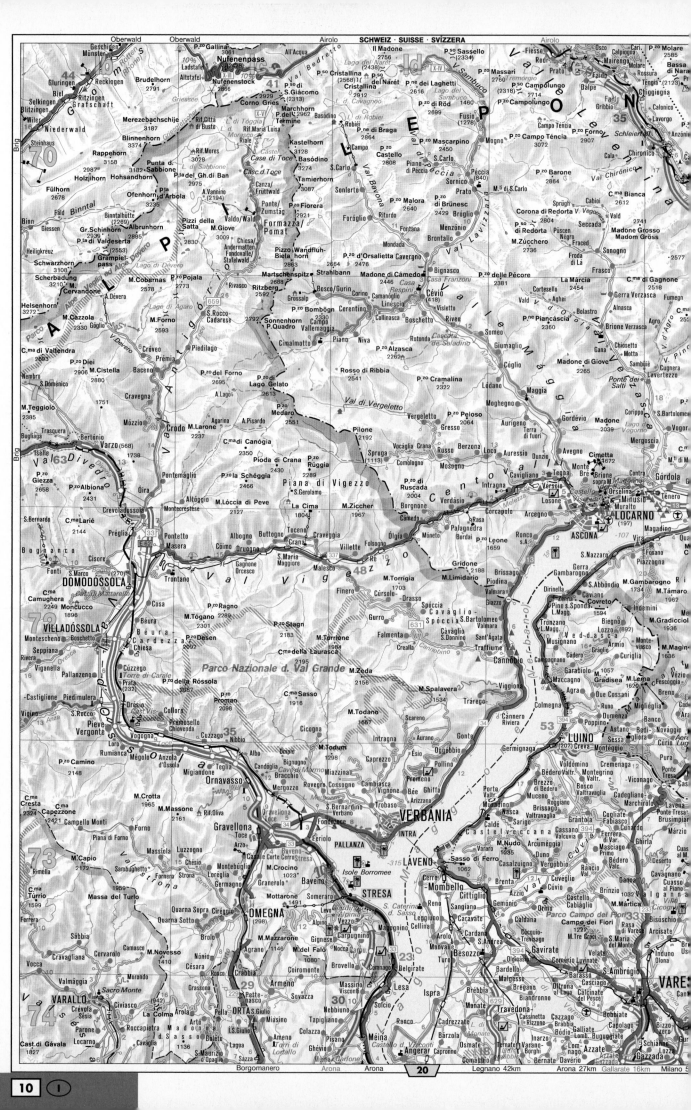

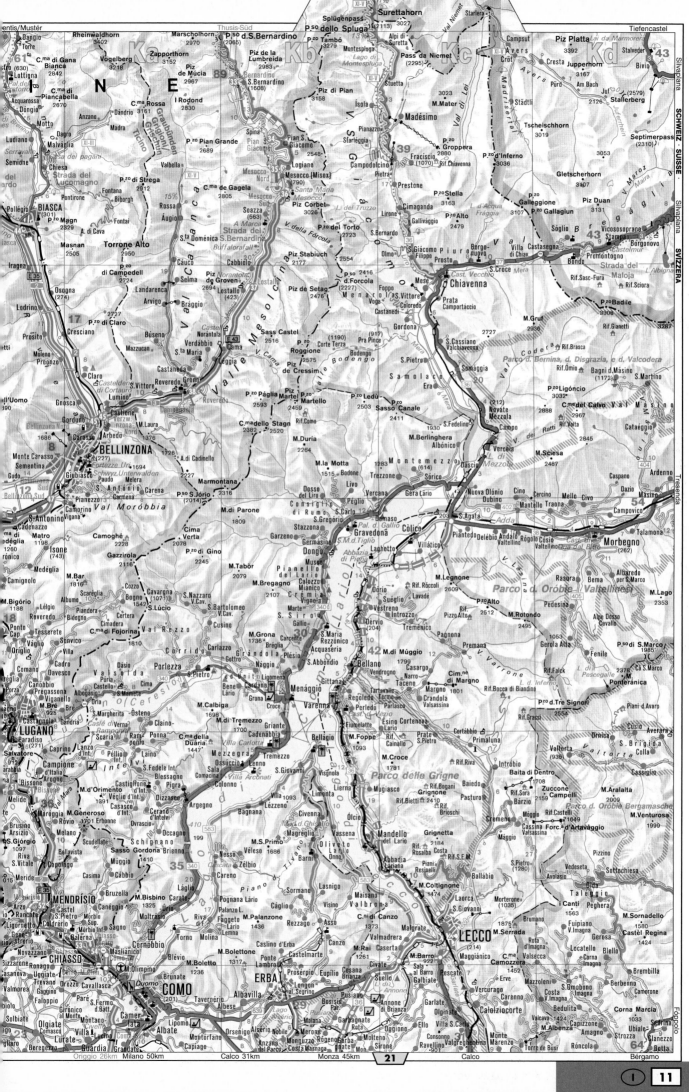

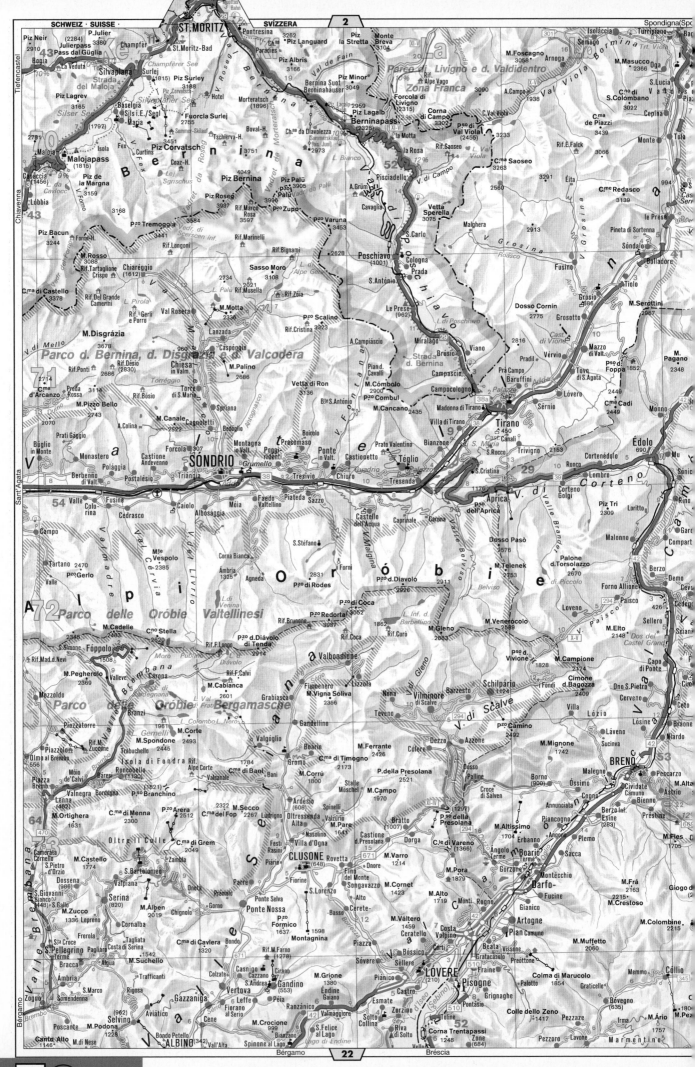

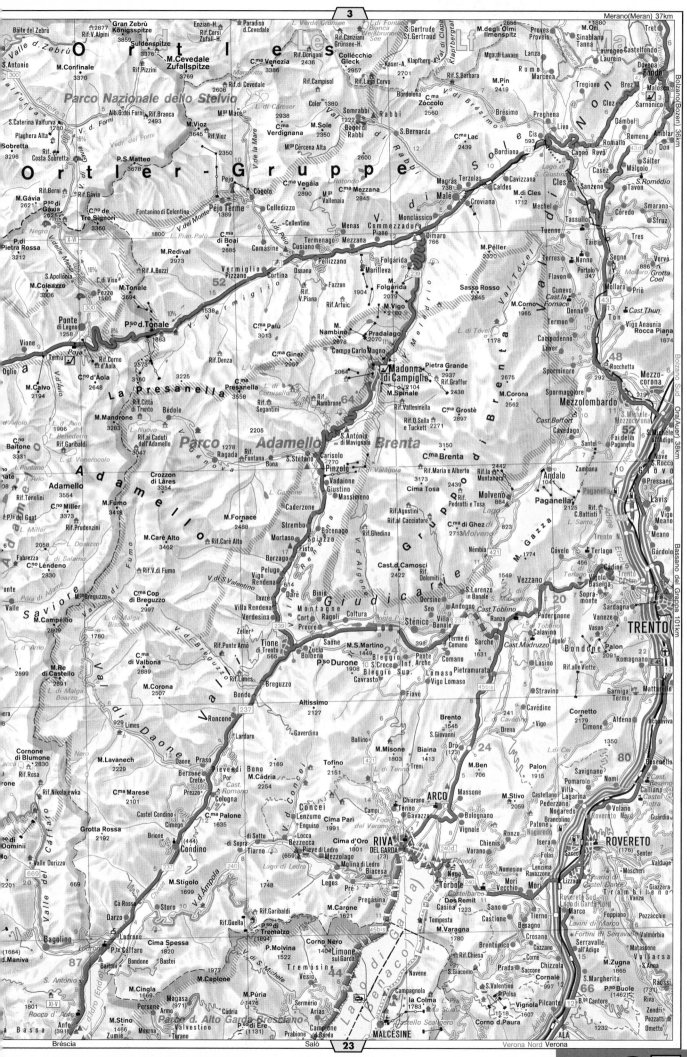

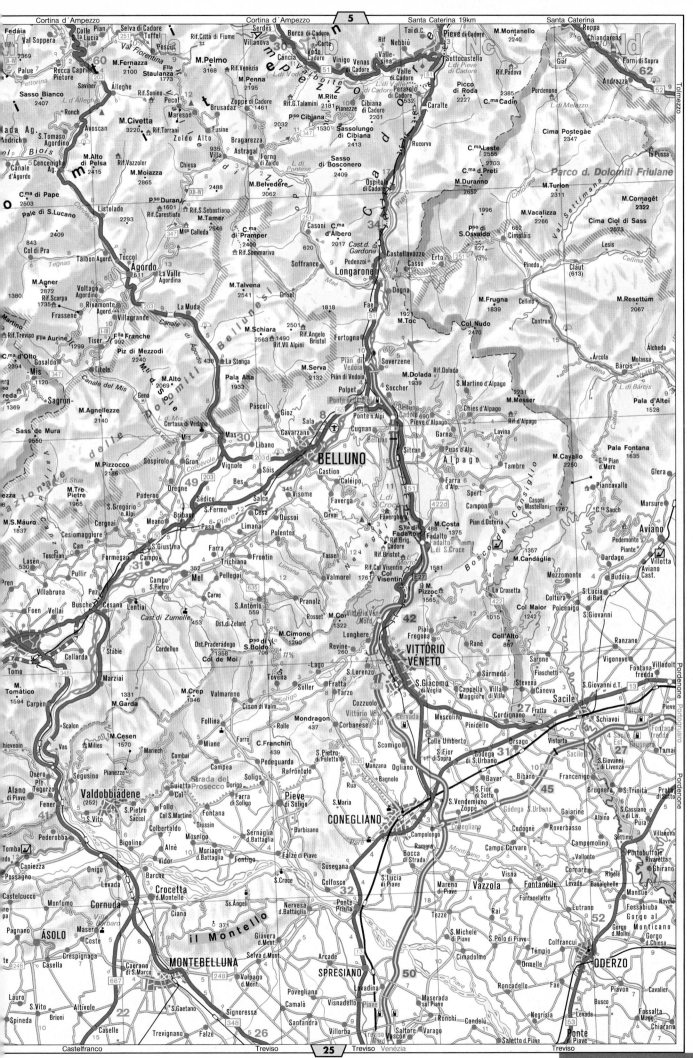

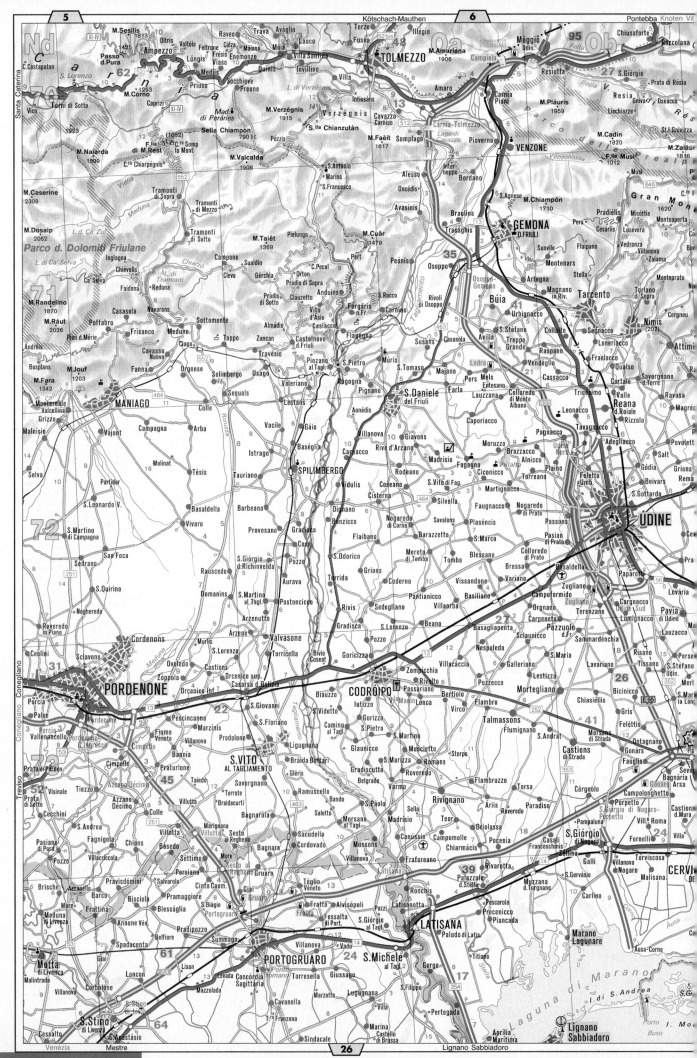

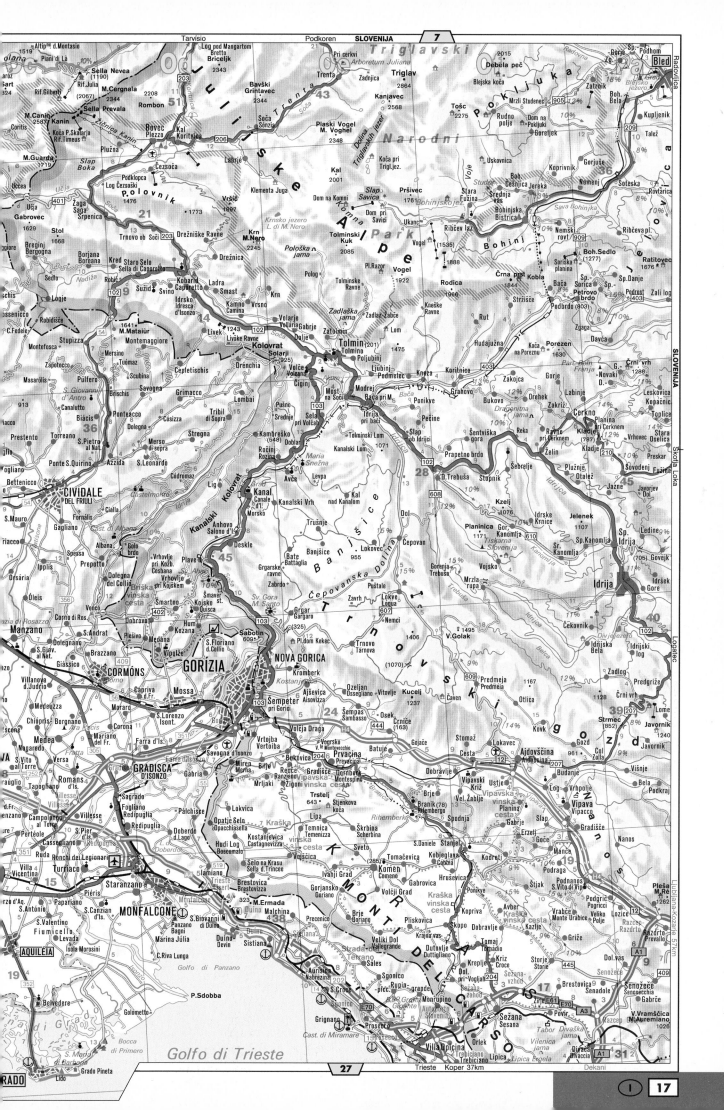

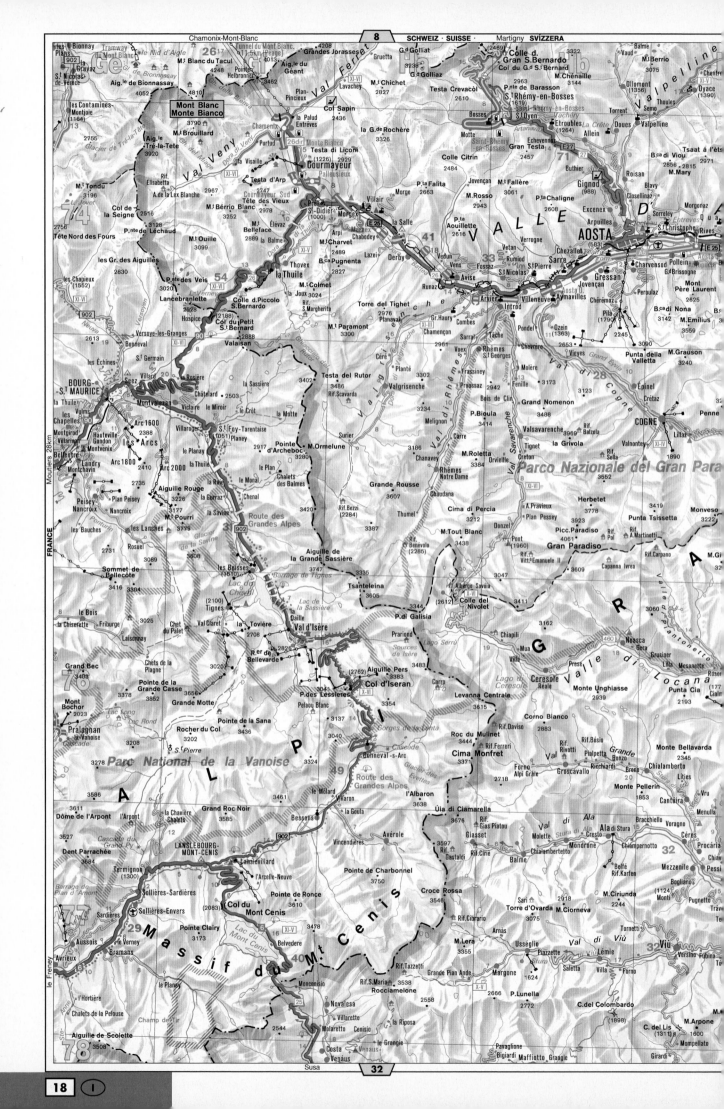

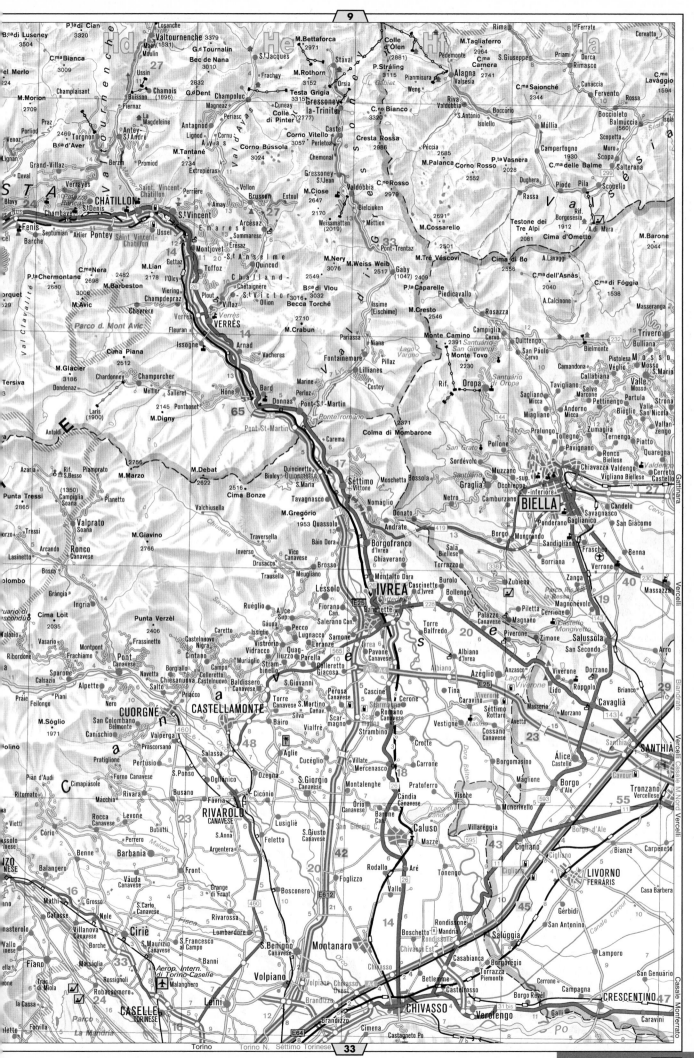

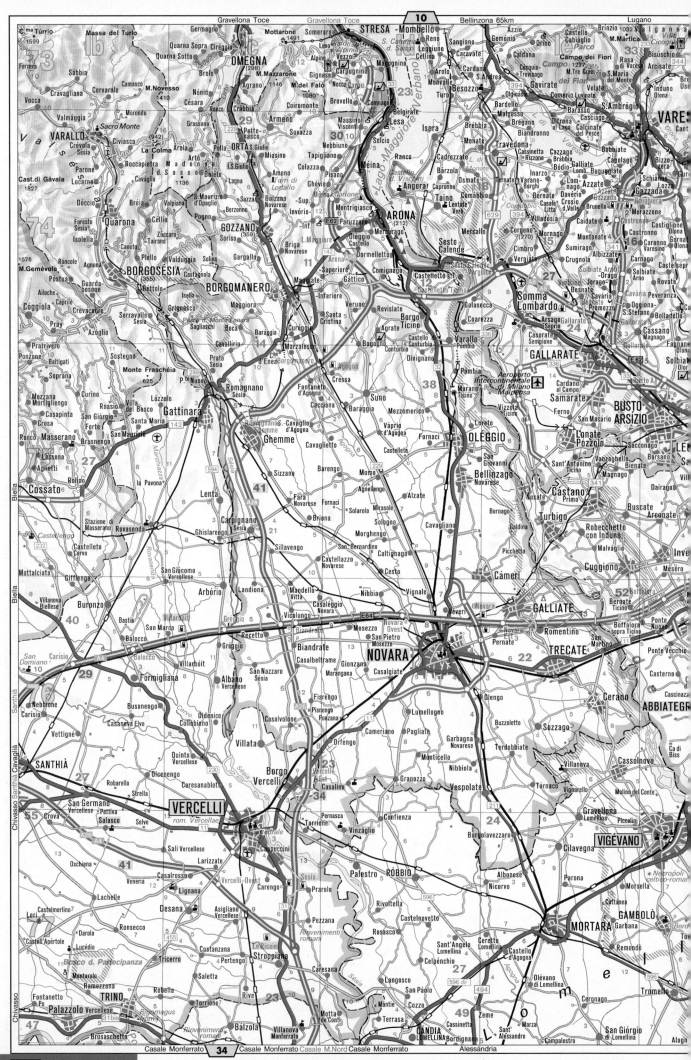

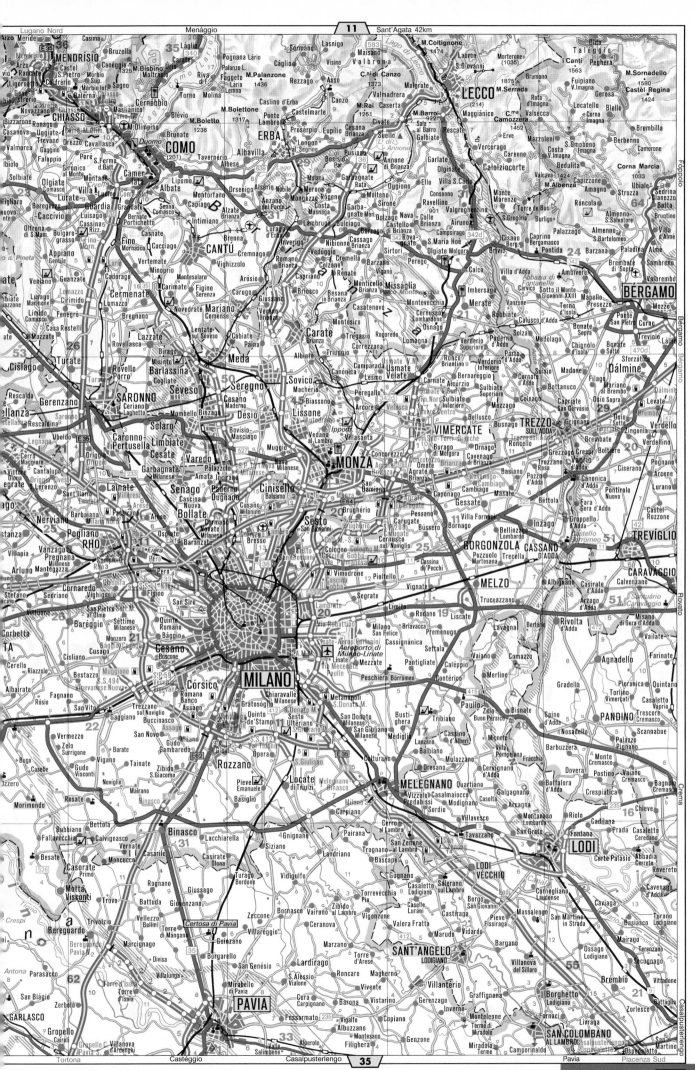

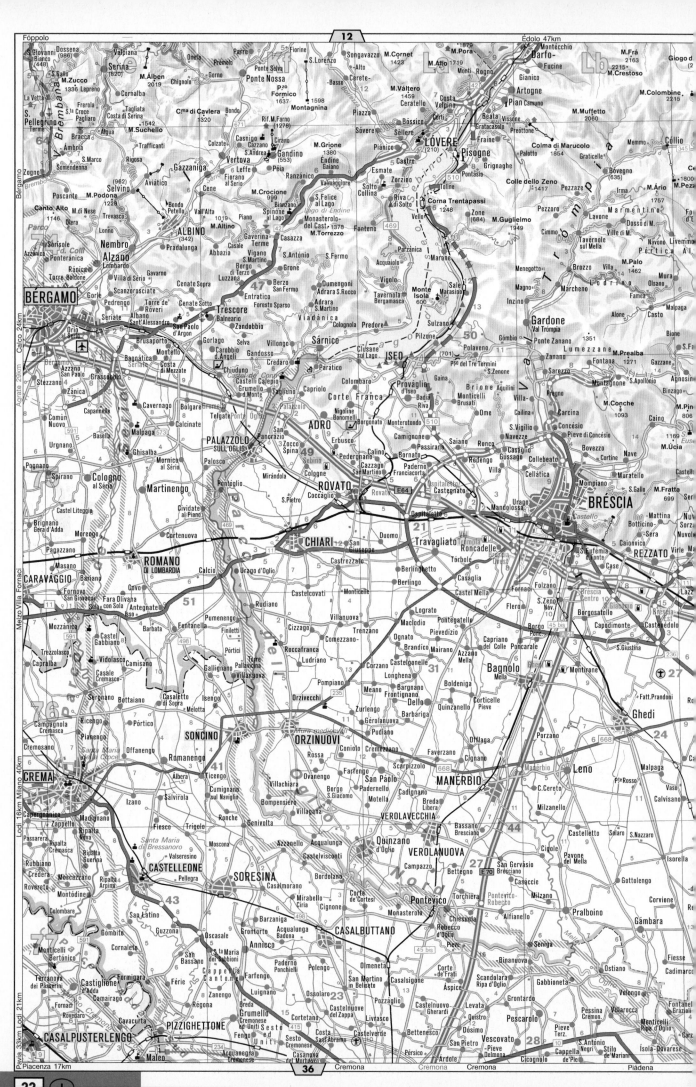

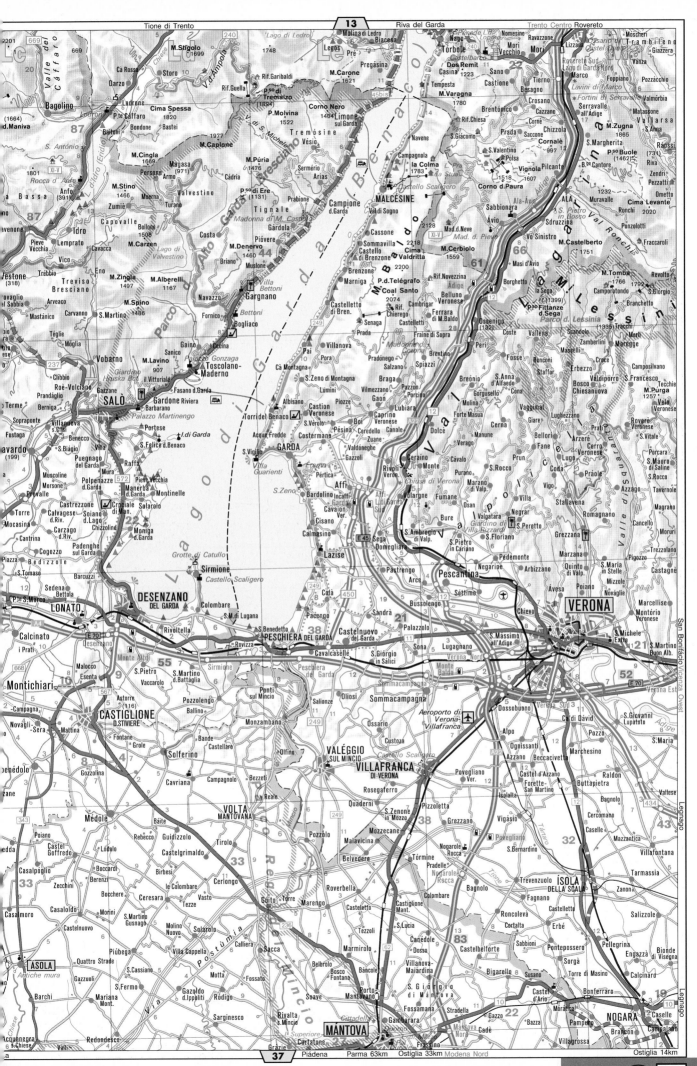

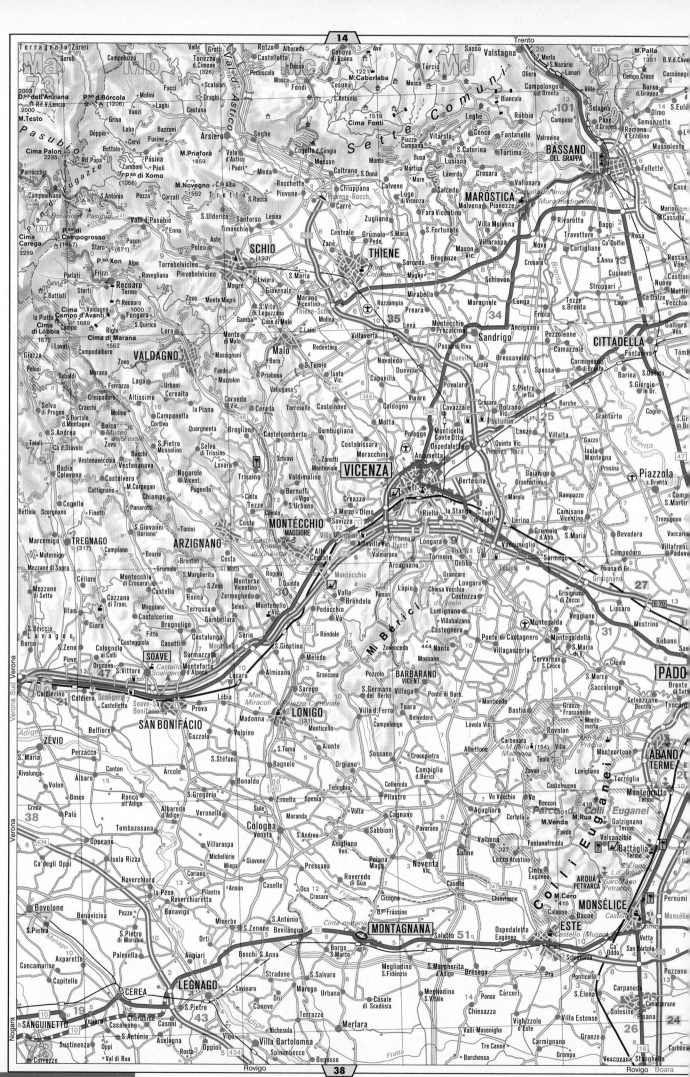

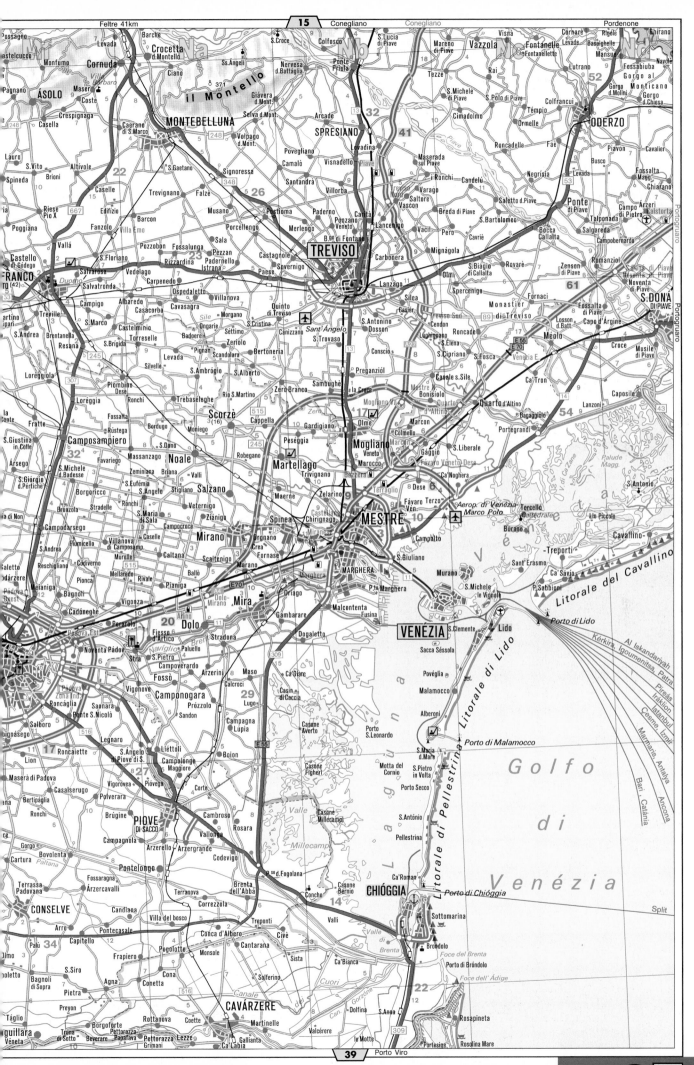

MARE ADRIÁTI

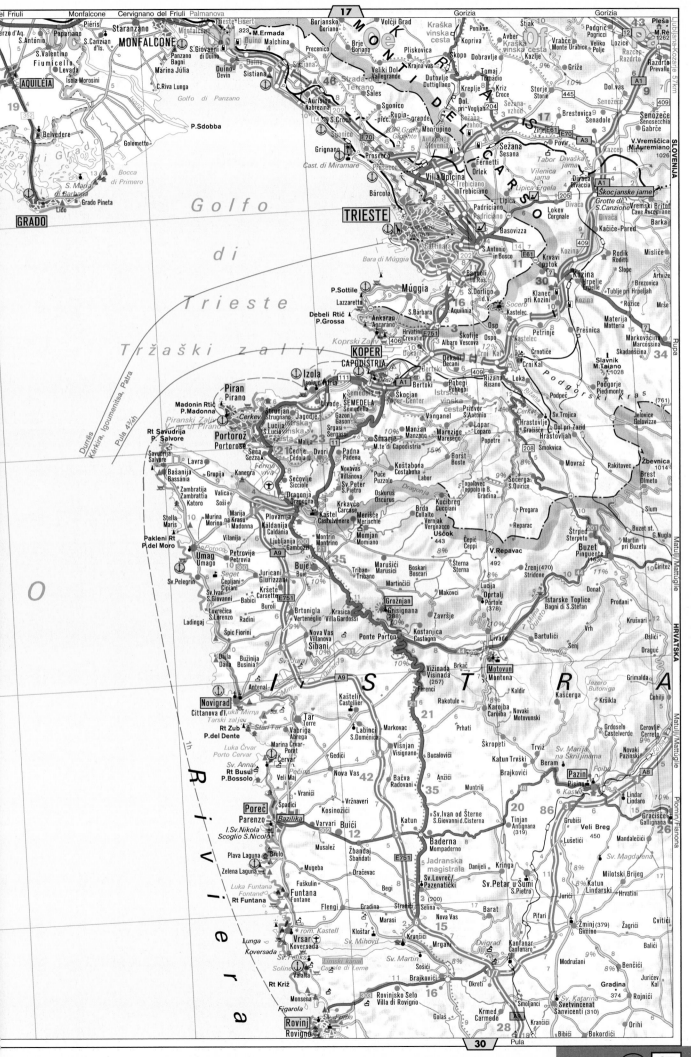

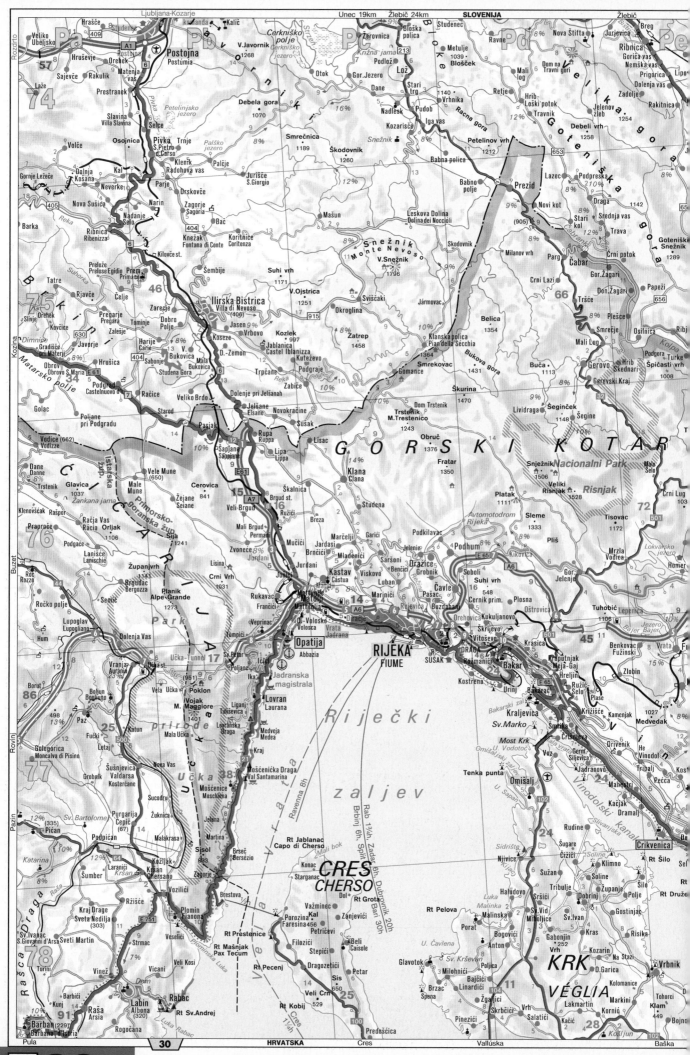

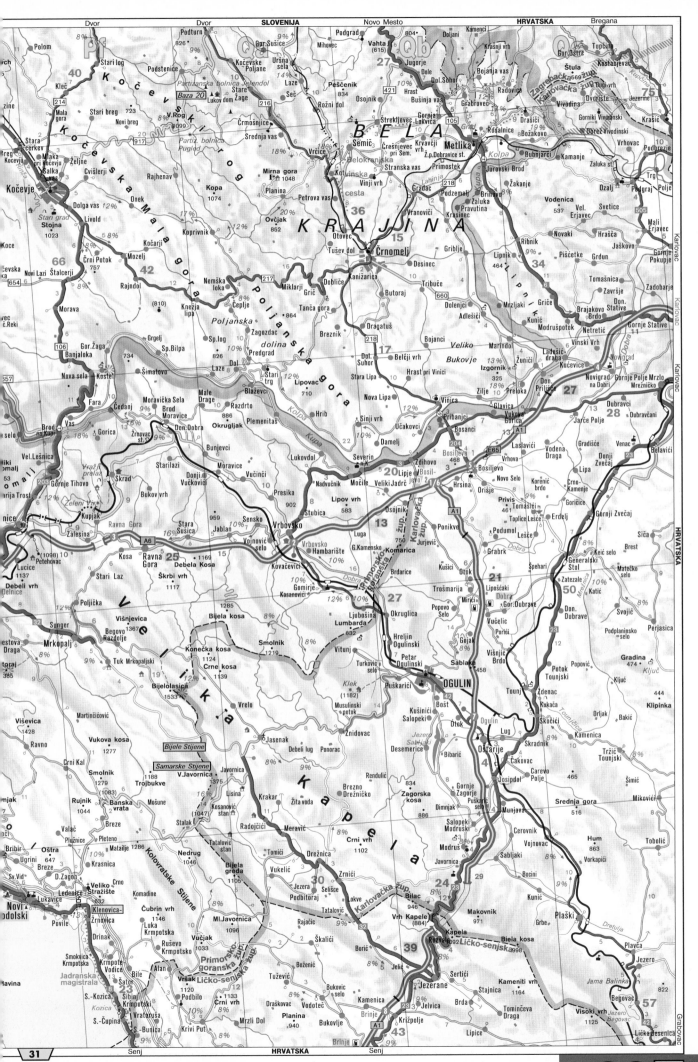

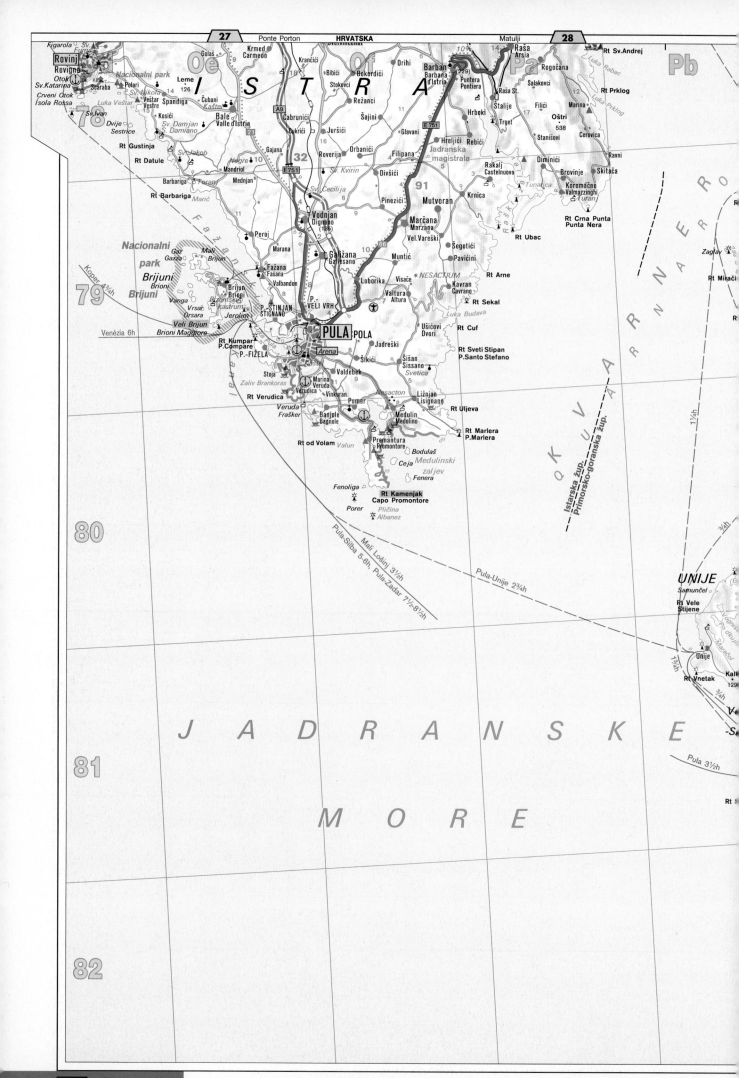

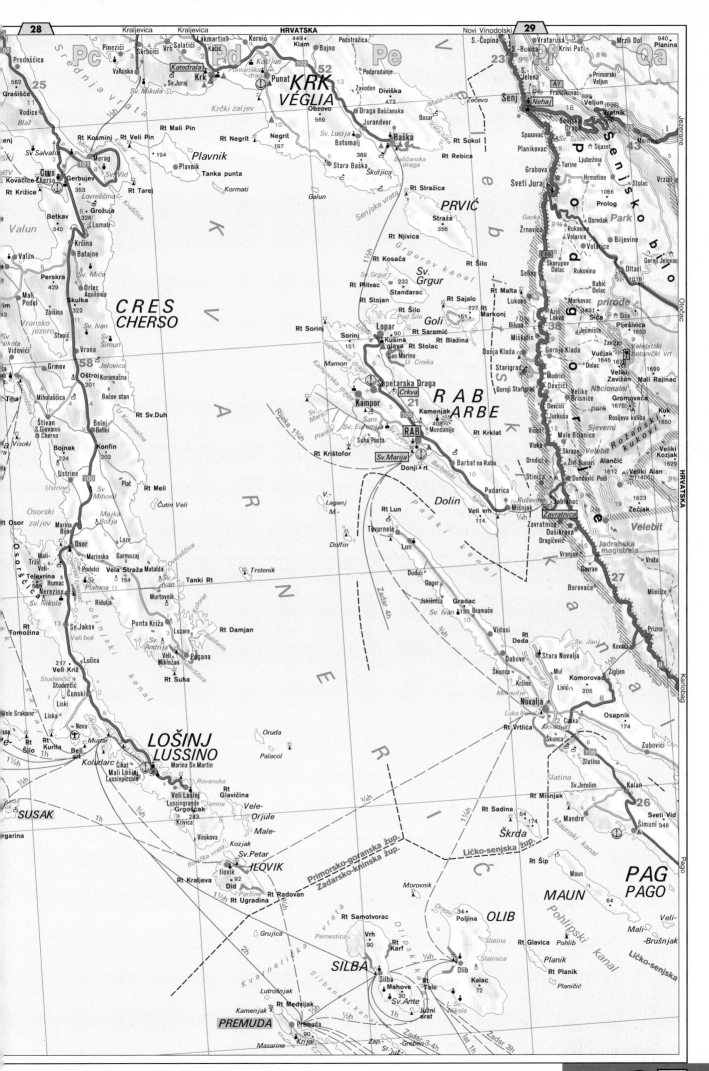

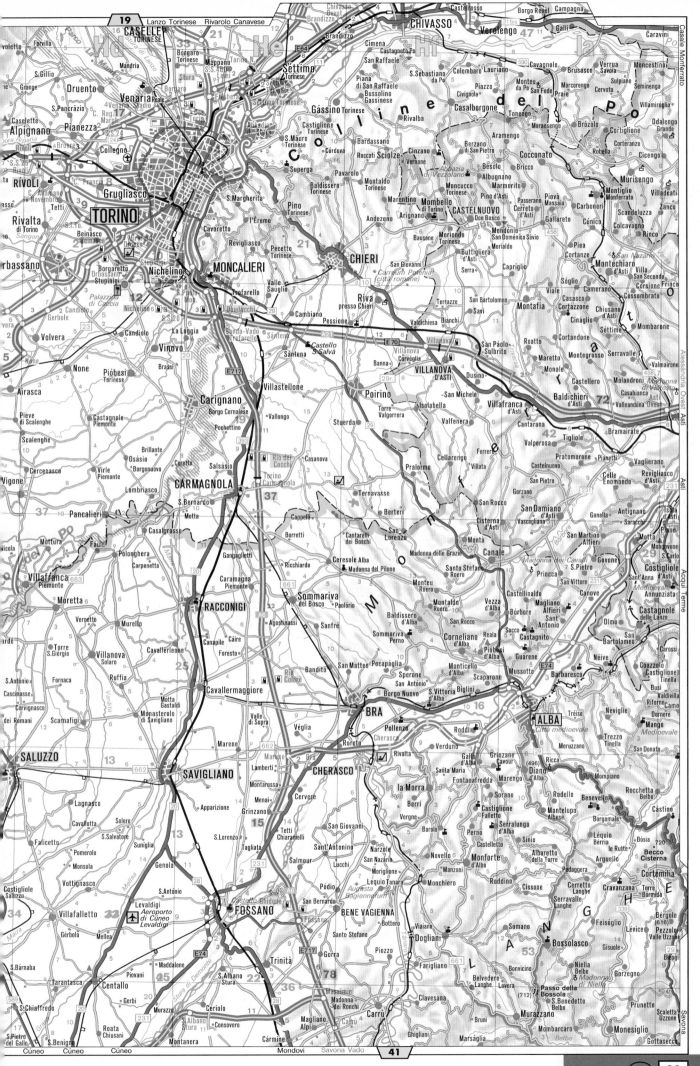

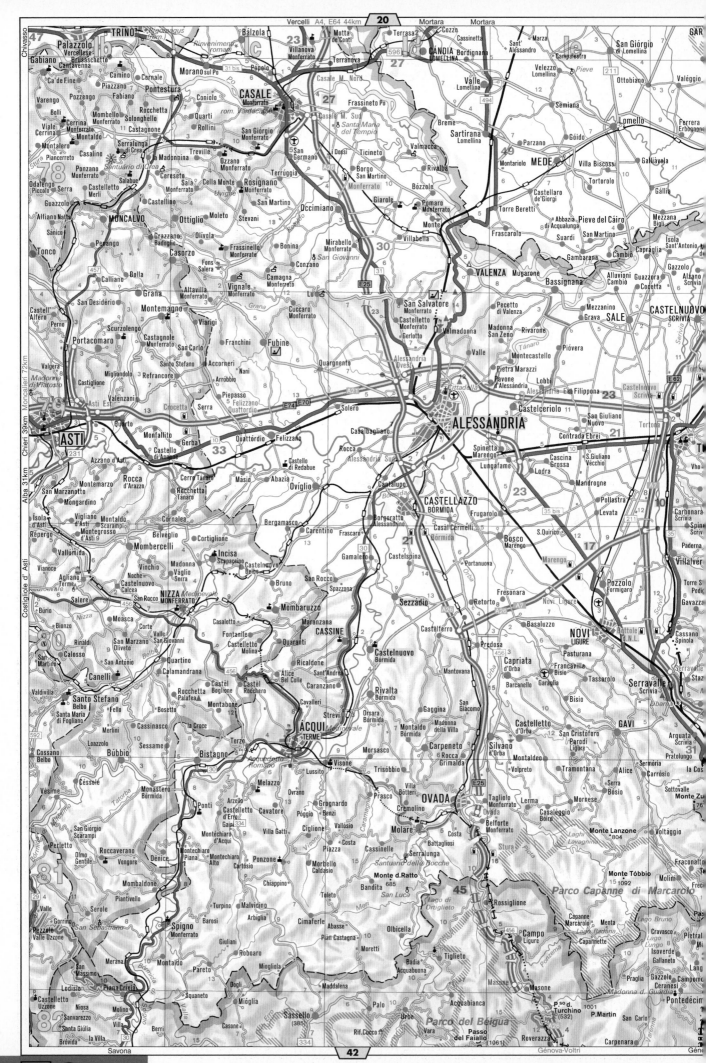

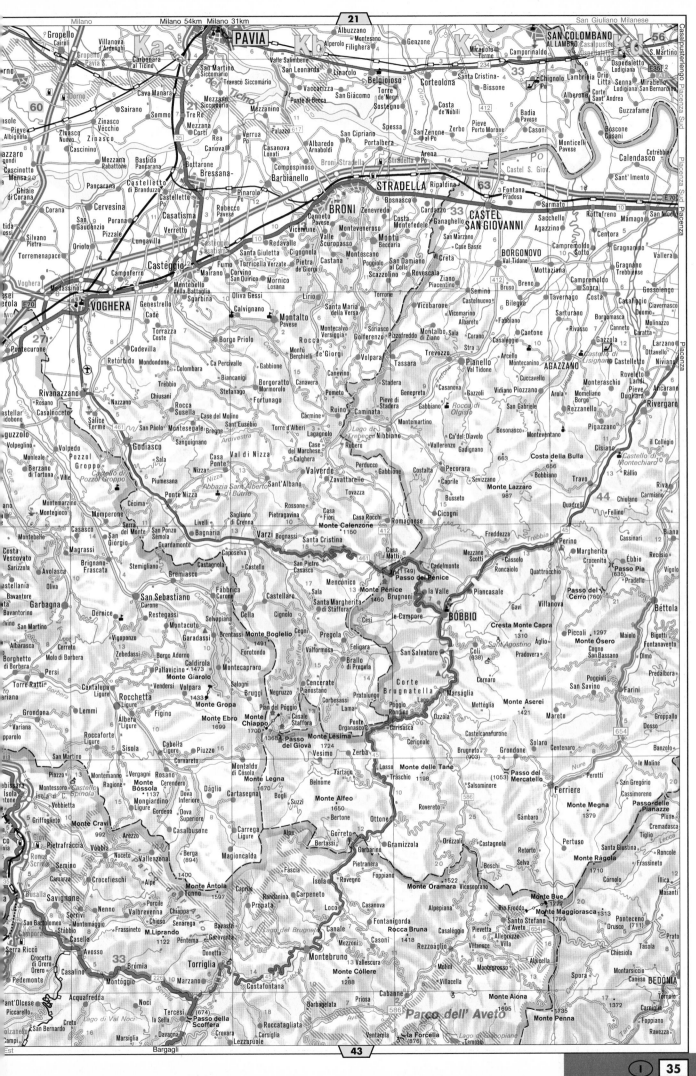

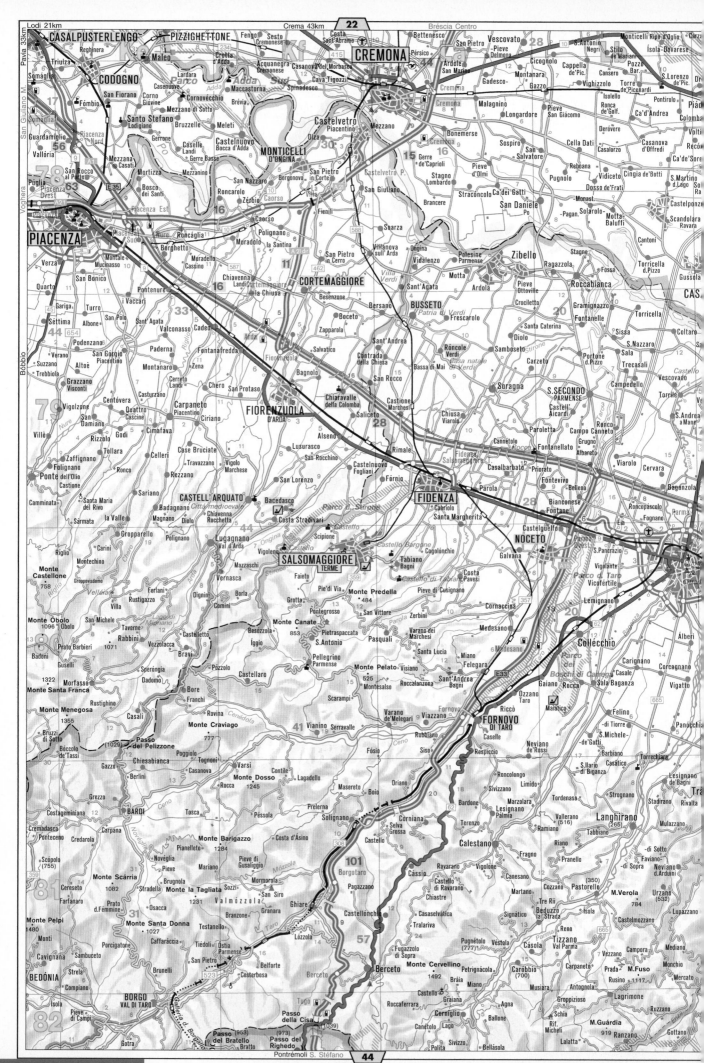

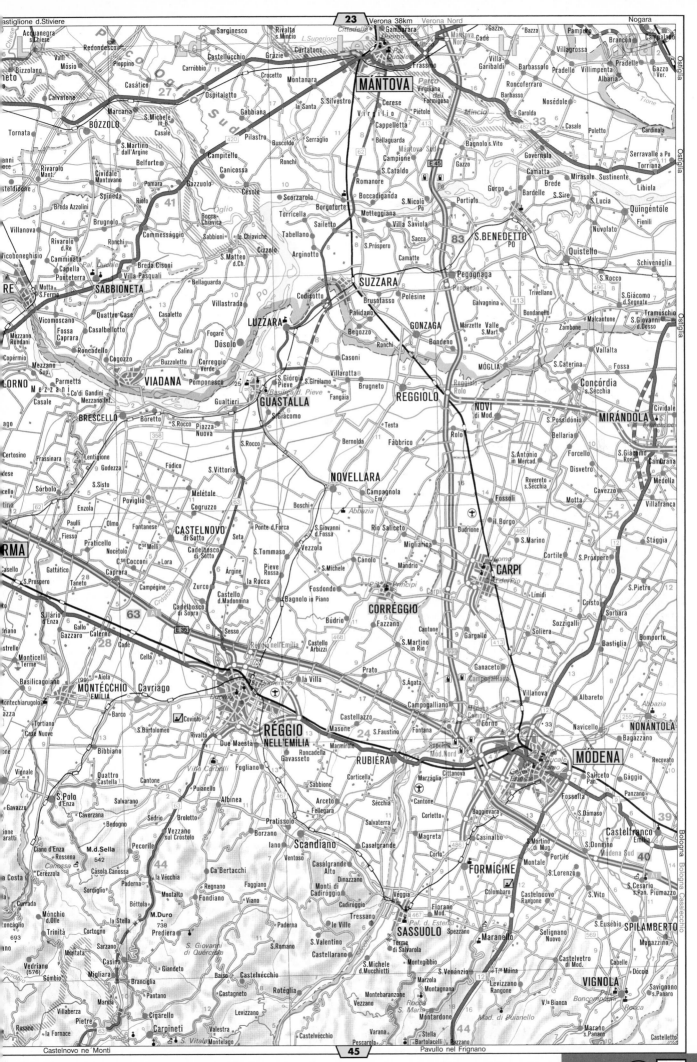

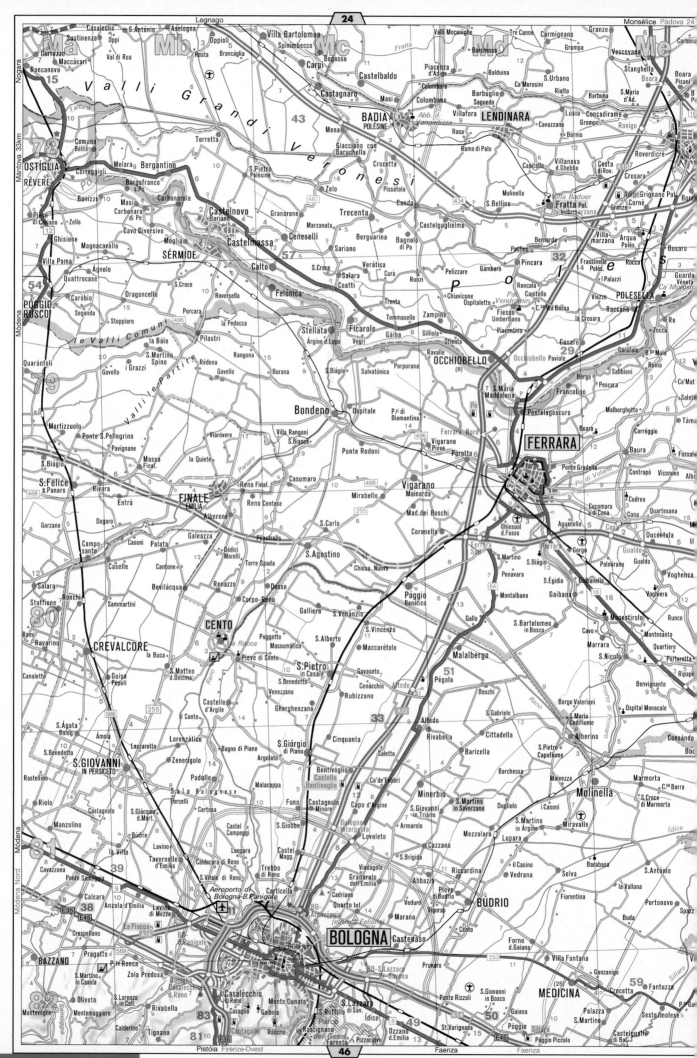

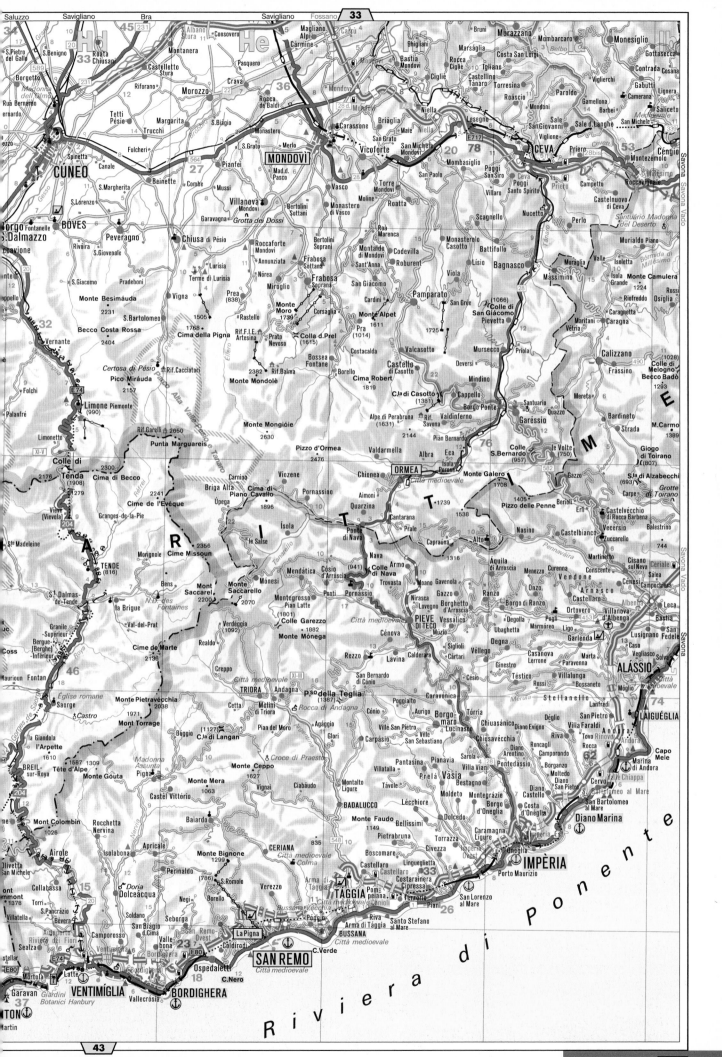

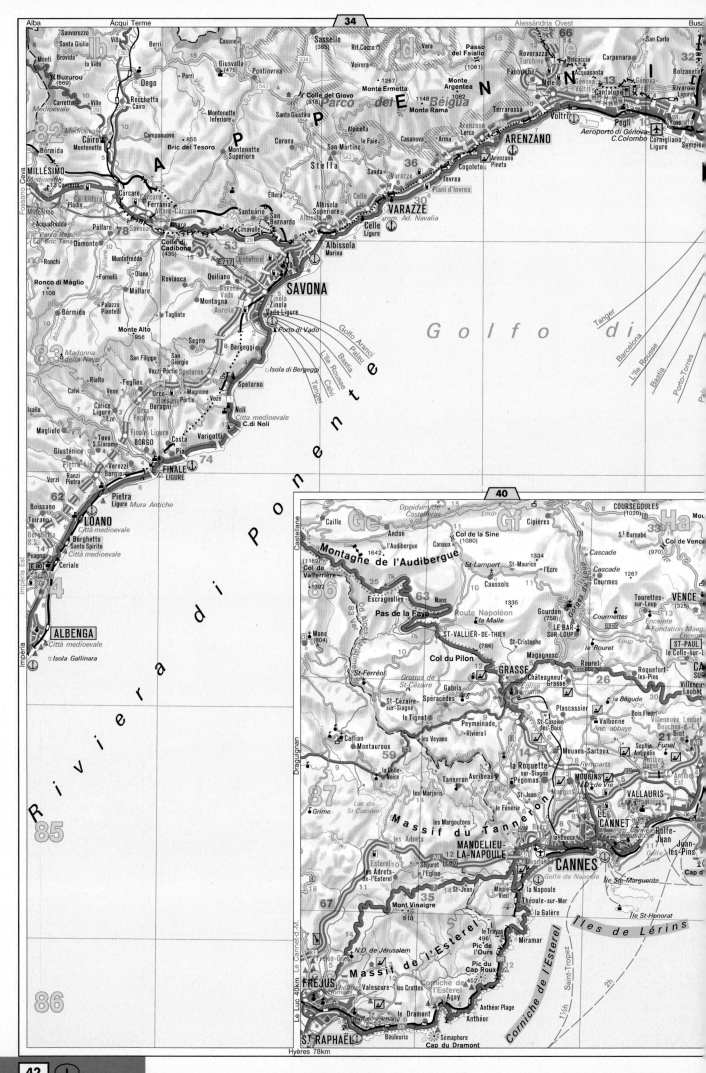

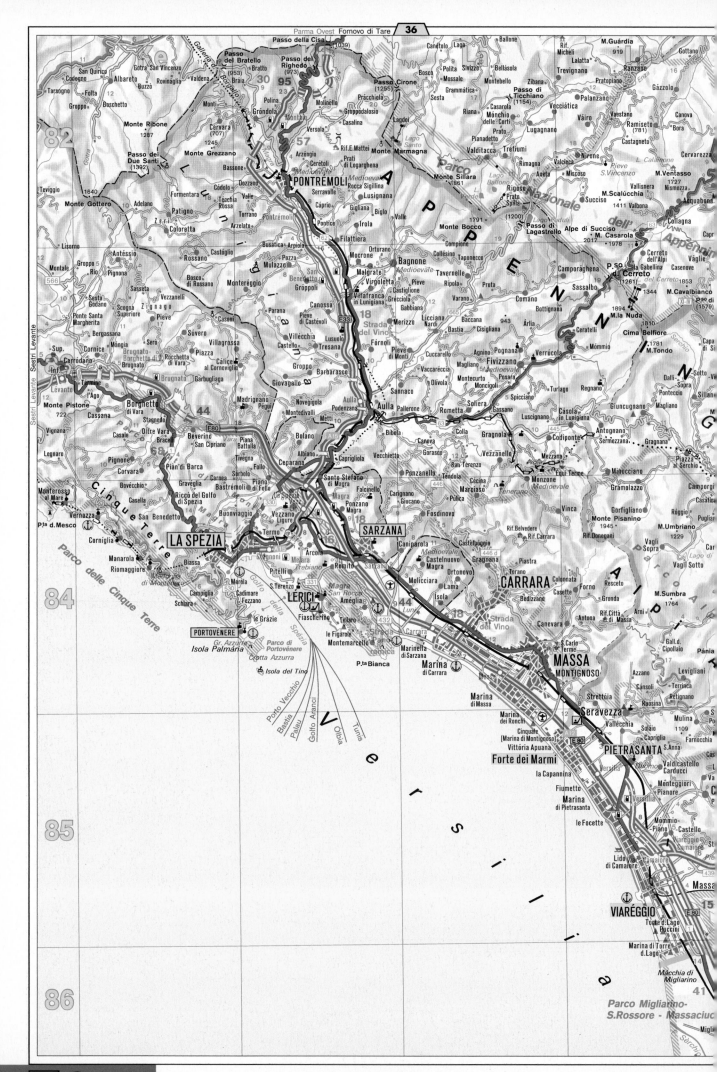

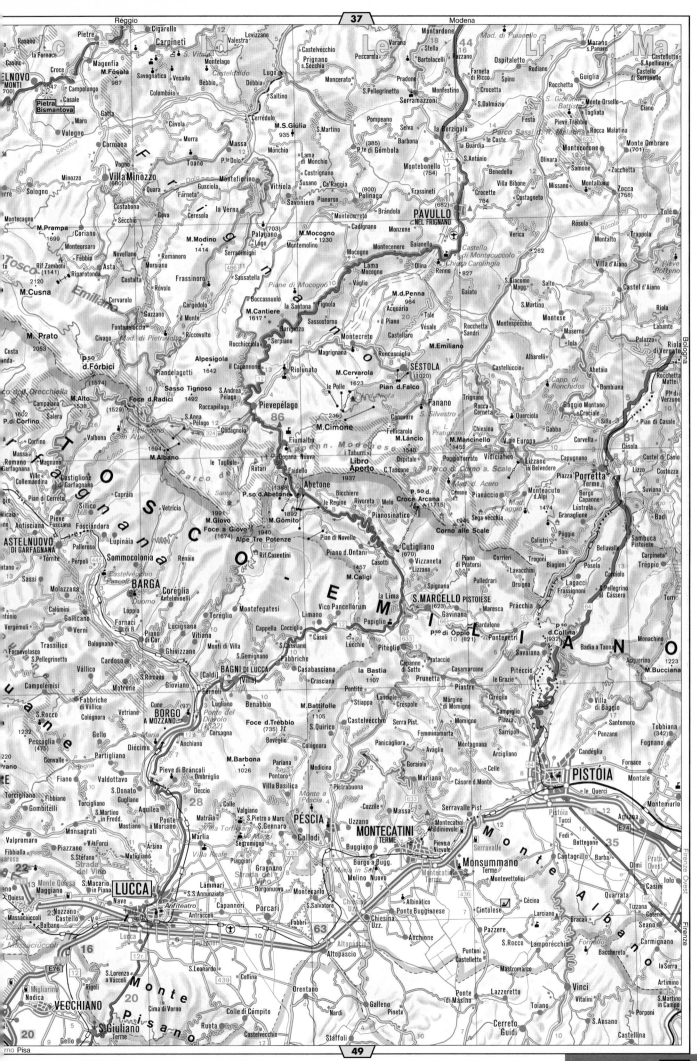

Réggio   Modena

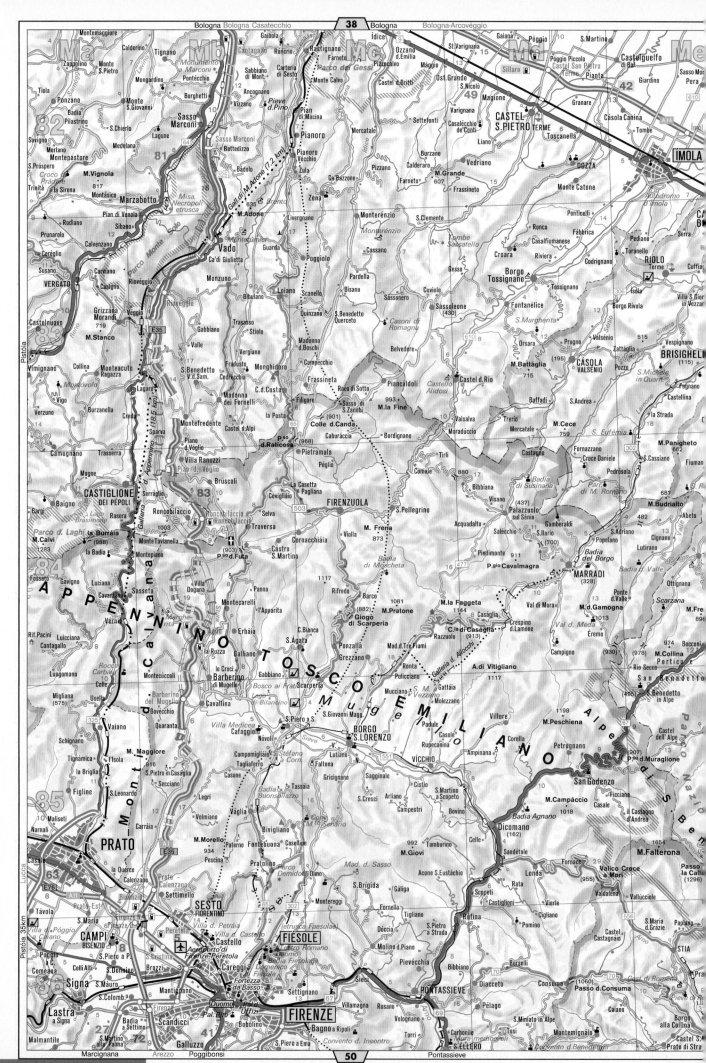

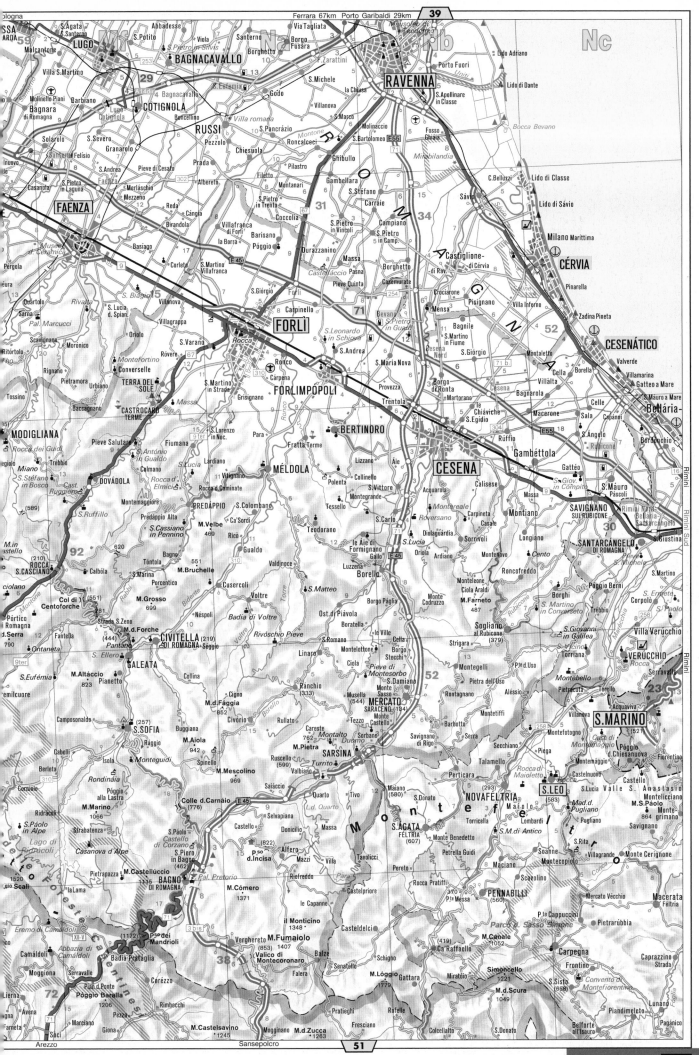

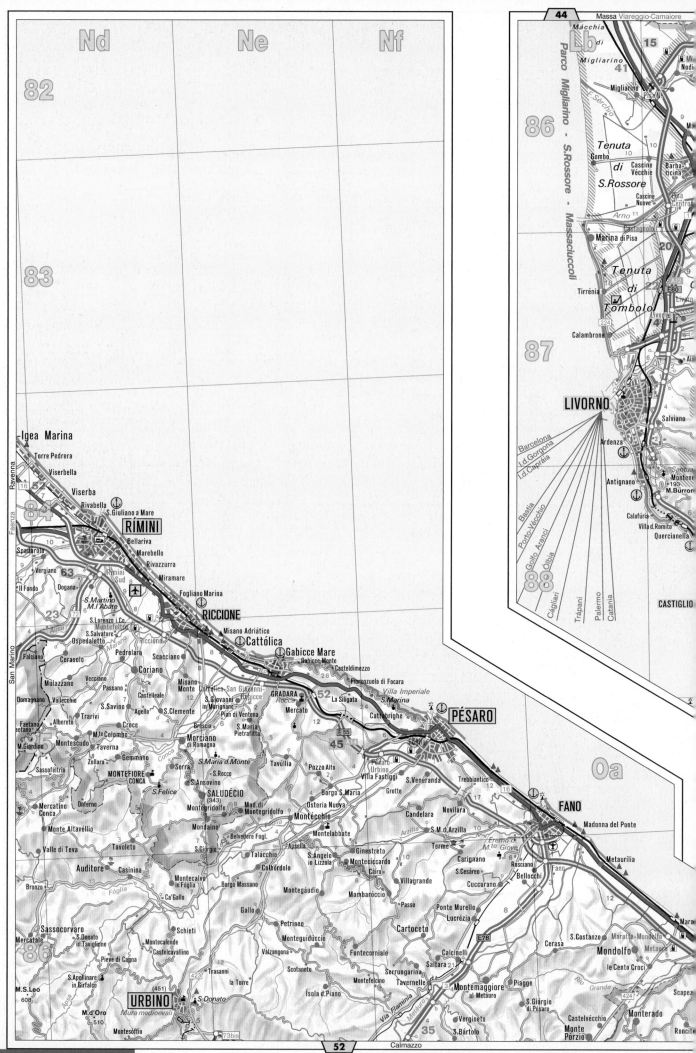

86
87
Lb
Oa

Parco Migliarino - S.Rossore - Massaciuccoli

Massa Viareggio-Camaiore
Mácchia di Migliarino
Migliarino
Gombo
Cascine Vécchie
Tenuta di S.Rossore
Marina di Pisa
Tirrénia
Tombolo
Calambrone

Pisa
Nodi
41
F.Serchio
Arno
Cascine Nuove
Castagnolo
Pisa Centro
E80
20
224
Livorno

Barbaticina

Tenuta di

LIVORNO
Ardenza
Salviano
Antignano
Calafúria
Villa d.Romito
Quercianella

Barcelona
I.d.Gorgona
I.d.Capráia
Bastia
Porto-Vécchio
Golfo Aranci
Olbia
Cágliari
Trápani
Palermo
Catania
Tunisi
Trápani

Montenero
-193
M.Bürron

CASTIGLIO

Igea Marina
Torre Pedrera
Viserbella
Viserba
Rivabella
S.Giuliano a Mare
RÍMINI
Bellariva
Marebello
Rivazzurra
Miramare
Fogliano Marina
RICCIONE
Misano Adriático
Cattólica
Gabicce Mare
Gabicce Monte
Casteldimezzo
Fiorenzuola di Focara
Villa Imperiale
S.Marina
Cattobrighe
PÉSARO

Ravenna
Faenza
Spadarolo
Vergiano
Il Fondo
Dogana
Rimini Sud
S.Martino M.l'Abate
S.Lorenzo i.Co.
Montefeltrio
S.Salvatore
Ospedaletto
Falciano
Cerasolo
Pedrolara
Scacciano
San Marino
Mulazzano
Vecciano
Passano
Castelleale
Misano Monte
Cattolica-San Giovanni-Gabicce
Domagnano
Vallechio
S.Savino
Agello
S.Clemente
S.Giovanni in Marignano
Pian di Ventena
Faetano
Albereto
Croce
M.te Colombo
Brescia
S.Maria Pietrafitta
GRADARA
Rocca
Mercato
La Siligata
52
M.Giardino
Montescudo
Taverna
Zollara
Gemmano
Conca
S.Maria d.Monte
Tavúllia
Pozzo Alto
Pésaro Urbino
Villa Fastiggi
45
Sassoféltrio
MONTEFIORE CONCA
Serra
S.Rocco
S.Ansovino
S.Felice
Tavúllia
S.Veneranda
Trebbiantico
Grotte
Mercatino Conca
Onferno
SALUDÉCIO (343)
Montegridolfo
Mad. di Montegridolfo
Borgo S.Maria
Osteria Nuova
Candelara
Novilara
FANO
Madonna del Ponte
Monte Altavéllio
Mondaino
MONTECCHIO
Montelabbate
Terme
S.M.d.Arzilla
Eremo di M.te Giove
Metaurilia
Valle di Teva
Tavoleto
Belvedere Fogl.
S.Giorgio
Talácchio
Apsella
S.Angelo in Lizzola
Monteciccardo
Cáiro
Carignano
Rosciano
Bellocchi
Auditore
Casinina
Montecalvo in Fóglia
Colbórdolo
Villagrande
S.Cesáreo
Cuccurano
Fano
Bronzo
Ca'Gallo
Borgo Massano
Montegáudio
Mombaróccio
Passo
Ponte Murello
Lucrézia
Gallo
Petriano
Cartoceto
Cerasa
S.Costanzo
Marotta-Mondolfo
Sassocorvaro
Mercatale
S.Donato in Taviglione
Montecalende
Castelcavallino
Pieve di Cagna
Monteguidúccio
Valzangona
Fontecorniale
Calcinelli
Saltara
E78
Mondolfo
le Cento Croci
Monterado
M.S.Leo 608
S.Apollinare in Girfalco
Trasanni
la Torre
423
Scotaneto
Montefelcino
Serrungarina
Tavernelle
Piagge
Roncit
S.Giorgio di Pésaro
Scapez
URBINO
Mura medioevali
S.Donato
Ísola d.Piano
Via Flaminia
Montemaggiore al Metáuro
Castelvécchio
M.d'Oro 510
Montesóffio
451
73bis
Calmazzo
35
S.Bártolo
Vergineto
Monte Pórzio
424
52

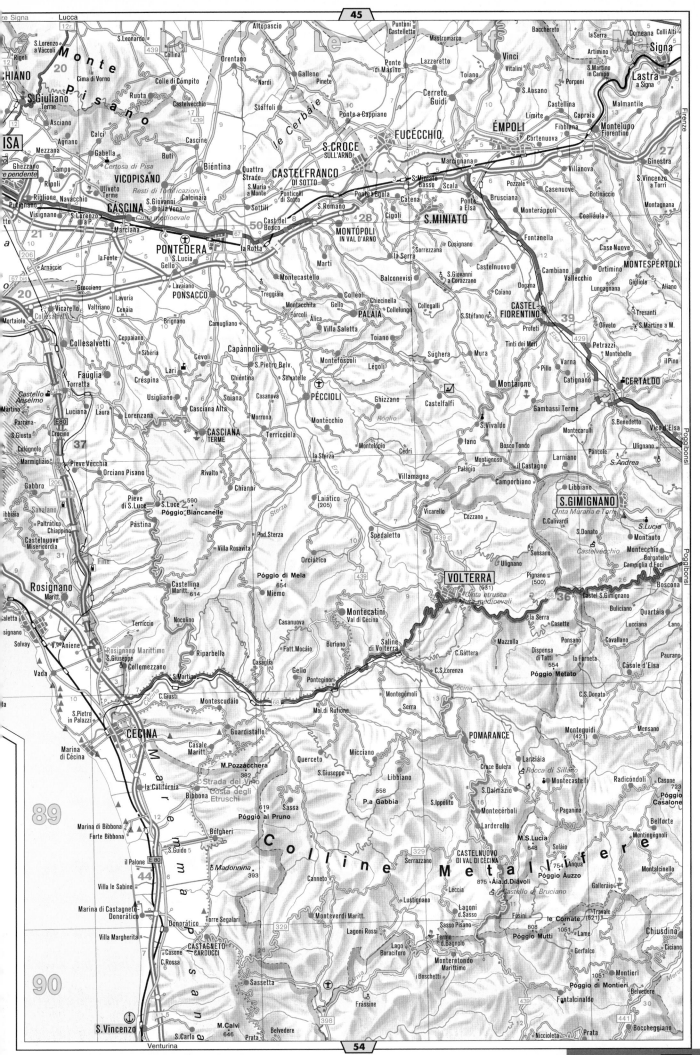

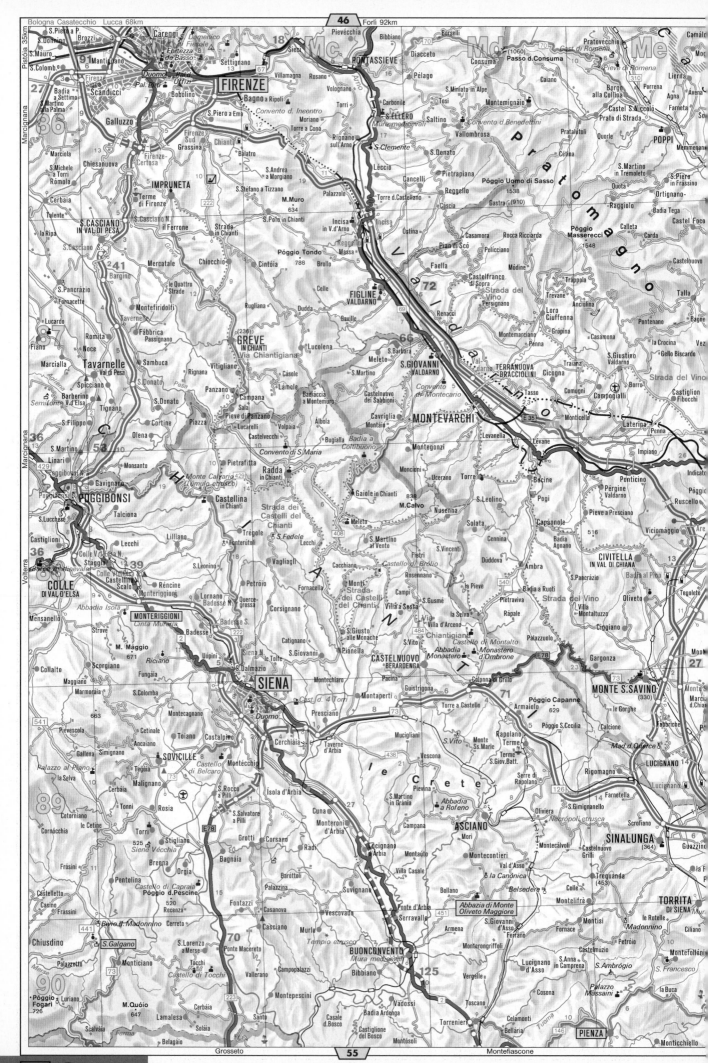

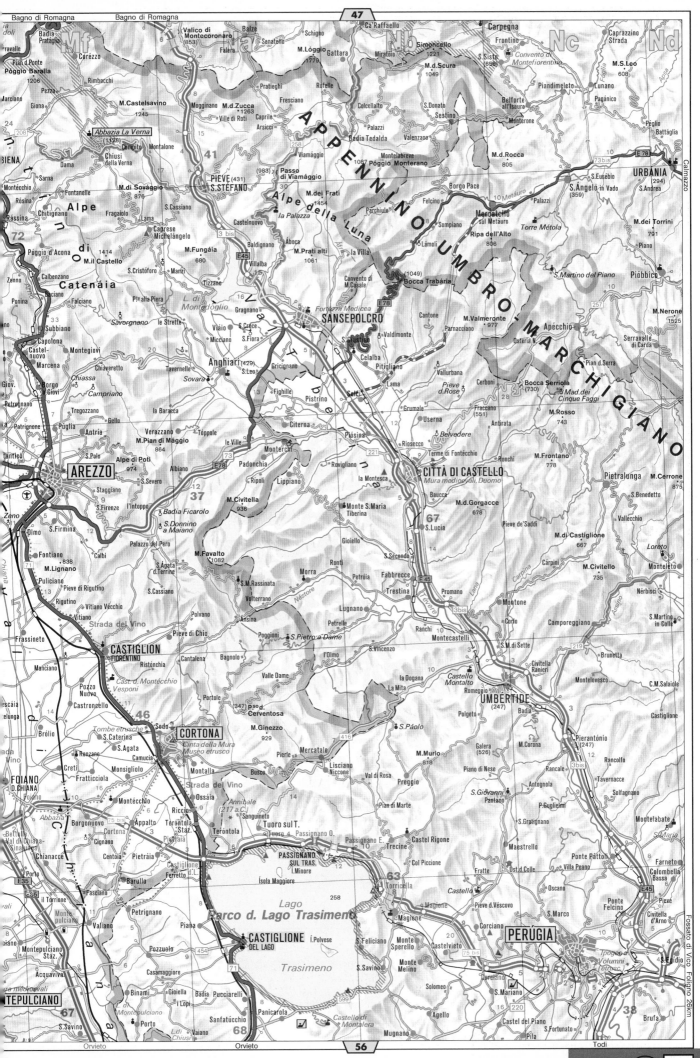

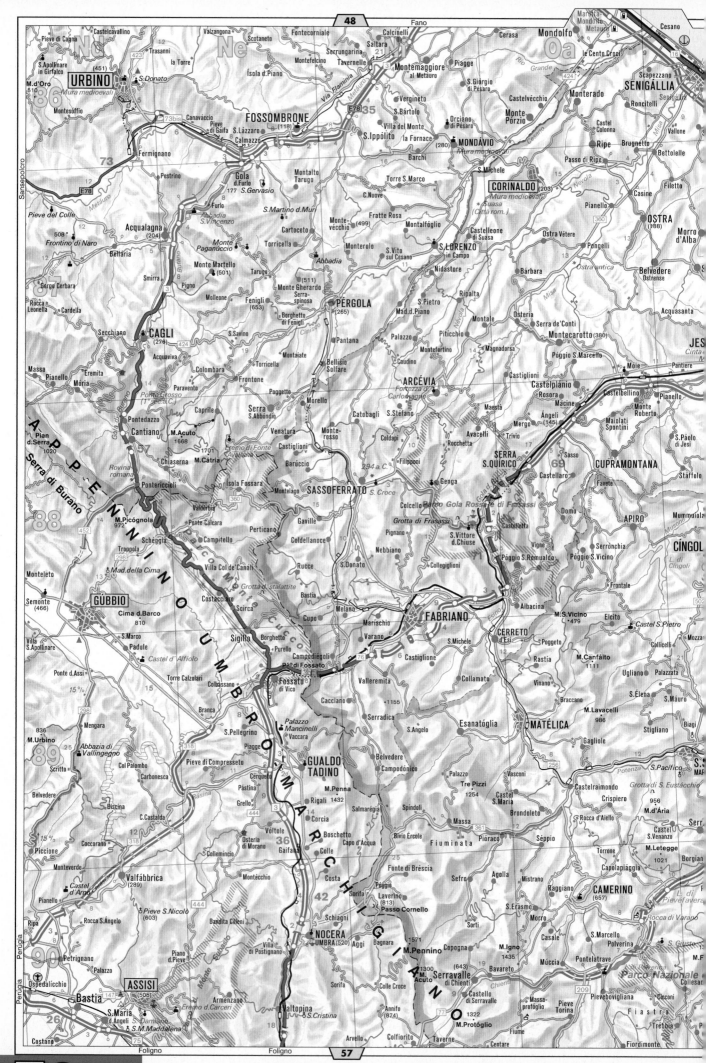

MARE
ADRIÁTICO

medioevali

39
12 Marzocca
Montignano
Marina
di Montemarciano
Rocca Priora
Montemarciano
Cassiano
Gabella
Fiumesino
FALCONARA MARITTIMA
Vécchia
Palombina-
Nuova
Cittadella
CHIARAVALLE
Castel-
ferretti
Torrette
ANCONA
S. Ciriaco
Pietra la Croce
Monte S.Vito
Gráncetta
Ancona Nord
Camerata
Picena
Paterno
Varano
Castel d'Emilio
Sappanico
Cándia
Póggio
Portonovo
S. Maria di Portonovo
Badia di S.Pietro
Ángeli
Monte Conero
Parco del Conero
Aguglione
Camerano
Mazzangrugno
Offagna
Ancona Sud-
Ósimo
Sirolo
Polverigi
Rústico
S.Paterniano
Numana
S.Maria Nuova
Monti
Casenuove
Conero
Marcelli
Collina
ÓSIMO
Mura medioevali
Ósimo
Staz.
CASTELFIDARDO
Crocette
Montoro
Campocavallo
Septúmpio d.
S. Casa
PORTO
RECANATI
le Casette
Passatempo
LORETO
Loreto
Porto Recanati
Castello Svevo
FILOTTRANO
Montefano
Cast.di
Montefiore
RECANATI
Cinta delle mura
Montefano
Vécchio
Piammartino
Torre
S.António
Trovigliano
Vissani
MONTECASSIANO
Potenza
Appignano
Convento di
Forano
Montelupone
POTENZA
PICENA
Porto Potenza
Picena
Avenale
Villa
Castiglioni
Cáscia
Sambucheto
S.Ignázio
97
Chiesanuova
di S.Vito
S.Gírio
S.Maria
di Paterno
Villa Potenza
Belvia Ricina
(Antica colonia romana)
CIVITANOVA
MARCHE
S.Lorenzo
Abbazia
di S.M.in Selva
Morrovalle
Monte-
cósaro
CIVITANOVA ALTA
Cinta delle mura
Macerata
Civitanova M.O.
S.Maria
in Piana
TRÉIA
MACERATA
Mura medioevali
S.Lucia
Borgo di Staz.
Montecósaro
Chienti
Passo
di Tréia
S.Liberata
S.M.a Piè di
Chienti
Porto
Sant'Elpídio
Rambona
Pollenza
S. Cláudio al Chienti
Tródica
Cascinare
361
Piediripa
Macerata E.
Morrovalle
Casette
d'Ete
Marina Faleriense
Sforzacosta
Villa
S.Filippo
Corva
Tre Archi
S.Lázzaro
61
Fiastra
Macerata O.
Abbadia di Fiastra
Corridónia
Monte-
granaro
S.ELPÍDIO
A MARE
Casabianca
Colotto
S.Giuseppe
Palleria
Monte
S.Giusto
Lido di Fermo
NO
TOLENTINO
Castello
di Ráncia
Telentino
Petriolo
Mácina
Monte
S.Pietrángeli
Monte
Urano
S.Marco
PORTO
S.GIÓRGIO
Urbisaglia
Maestà
Urbs Salvia
(Città romana)
Francavilla d'Ete
Capodarco
Paterno
Mogliano
(230)
Torre
S.Patrizio
Fermo-Porto S.Giórgio
Lóro Piceno
Alteta
Rapagnano
210
S.Maria
d'Alto Cielo
Colmurano
FERMO
Mura medioevali
Marina Palmense
Caldarola
Ripe
S.Ginésio
Borgo Ripe
S.Lorenzo
Massa
Fermana
Montotto
Ponte Ete
46
Camporotondo
di Fiastrone
MONTEGIÓRGIO
(411)
Montappone
Monte
Vidon Corrado
Magliano
di Tenna
Lapedona
Altidona
Mórico
S.Ginésio
Cólleggiata
Passo S.Angelo
Falerone
Croce
di Via
Grottazzolina
Ponzano
di Fermo
Moresco
Torchiaro
Pedaso
la Villa
Lambertúccia
Faleria
Piane
di Falerone
Belmonte
Piceno
Monte
Giberto
Moregnano
MONTERUBBIANO
Campofilone
Tamassucci
Gualdo
SERVIGLIAND
Monsampietro
Mórico
Montottone
Petritoli
Rubbianello
Massignano
Monti Sibillini
Curetta
Penna
S.Giovanni
Montottone
Monte Vidon
Combatte
Montefiore
dell'Aso
Vallato
Saline
Salino
Monteleone
di Fermo
S.Elpídio
Mórico
Monte
Rinaldo
Ortezzano
Carassai
Menocchia
CUPRA
MARITTIMA
Cinta
delle
mura
Pizzo di Meta
1576
SARNANO
(539)
Monte
S.Mártino
S.Vittória
in Matenano
Montélparo
Rocca Monte
Vármine

58
S.Benedetto d.T.-Áscoli Piceno Porto d'Áscoli
RIPATRANSONE
Cinta delle mura
GROTTAMMARE

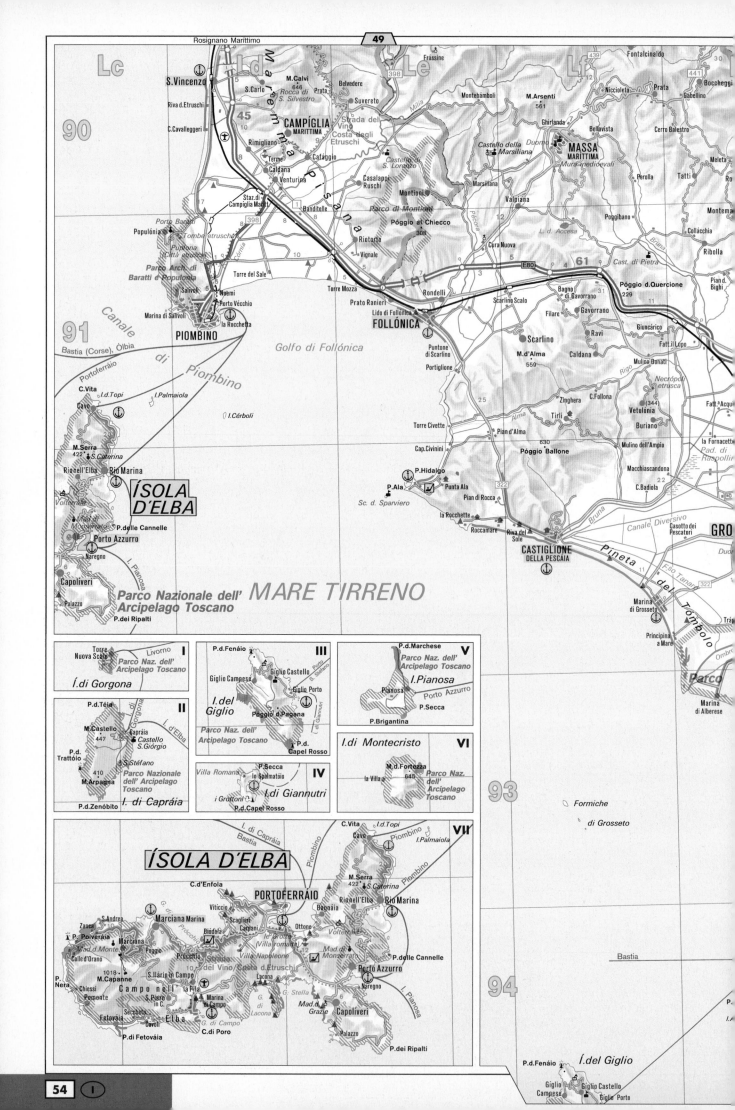

49

Fontalcinaldo

S.Vincenzo
M.Calvi
646
Rocca di
S. Silvestro
Belvedere
Frássine
Nicciolèta
Prata
Bocchégni

Riva d.Etruschi
S.Carlo
Prata
Suvereto
Montebámboli
M.Arsenti
561
Ghirlanda
Bellavista
Cerro Balestro

C.Cavalleggeri
Rimigliano
CAMPÍGLIA
MARITTIMA
Strada del
Vino
Costa degli
Etruschi
Castello della
Marsiliana
Duomo
MASSA
MARÍTTIMA
Mura medievali
Meleta

Caldana
Terme
Cafággio
Casalappi
Ruschi
Castello di
S. Lorenzo
Marsiliana
Perolla
Tatti

Venturina
Banditelle
Montioni
Parco di Montioni
Valpiana
Poggibano
Collácchia

Staz. di
Campíglia Marit.
Riotorto
Póggio al Chiecco
308
Cura Nuova
L. d. Accesa
Bagno
di Gavorrano
Cast. di Pietra
Pian d.
Bighi

Porto Baratti
Populónia
Tombe etrusche
Pupluna
(Città etrusca)
Vignale
E80
Scarlino Scalo
5
Filare
Gavorrano
229
Póggio d.Quercione
Giuncárico
11

Parco Arch. di
Baratti e Populónia
Torre del Sale
Torre Mozza
Rondelli
Scarlino
Caldana
Ravi
Fatt.il Lupo

Salivoli
Noemi
Porto Vécchio
Prato Ranieri
Lido di Follónica
FOLLÓNICA
Puntone
di Scarlino
M.d'Alma
559
Mulino Donati
Rigo

Marina di Salívoli
Marina di Salívoli
la Rocchetta
PIOMBINO
Golfo di Follónica
Portiglione
Zinghera
C.Follona
Vetulónia
(344)
Fatt. Acqu

Canale
Bastia (Corse), Ólbia
C.Vita
I.d.Topi
I.Palmaiola
Torre Civette
Cap. Civinini
Pian d'Alma
Tirli
Buriano
Mulino dell'Ampio
la Fornacett
Pad. di
Raspolli

Cavo
di
Portoferráio
Piombino
I.Cérboli
P.Hidalgo
630
Póggio Ballone
Macchiascandona
C.Badiola

M.Serra
422 S.Caterina
P.Ala
Punta Ala
Pian di Rocca
322

Rionell'Elba
Rio Marina
ÍSOLA
D'ELBA
Sc. d. Sparviero
la Rocchette
Roccamare
Riva del
Sole
Canale Diversivo
Casotto dei
Pescatori
GRO

Volterráio
P.delle Cannelle
Porto Azzurro
CASTIGLIONE
DELLA PESCÁIA
Bruna
Pineta
del
Tómbolo
Dudi

Naregno
I.Pianosa
Marina
di Grosseto

Capoliveri
Palazzo
Parco Nazionale dell'
Arcipelago Toscano
MARE TIRRENO
Principina
a Mare
Parco

P.dei Ripalti

Torre Nuova Scalo / Livorno / Parco Naz. dell' Arcipelago Toscano **I** / Í.di Gorgona	P.d.Fenáio / Giglio Castello / Giglio Campese / Porto S.Stéfano / Giglio Porto **III** / I.del Giglio / Póggio d.Pagana / Parco Naz. dell' Arcipelago Toscano / P.d. Capel Rosso	P.d.Marchese / Parco Naz. dell' Arcipelago Toscano **V** / I.Pianosa / Pianosa / Porto Azzurro / P.Secca / P.Brigantina

P.d.Téia / M.Castello 447 **II** / d'Elba / Capráia / Castello S.Giórgio / P.d. Trattóio / 410 / S.Stéfano / M.Arpagna / Parco Nazionale dell' Arcipelago Toscano / I. di Capráia / P.d.Zenóbito	Villa Romana / P.Secca / lo Spalmatóio **IV** / i Gróttoni / I.di Giannutri / P.d.Capel Rosso	I.di Montecristo **VI** / M.d.Fortezza 645 / la Villa / Parco Naz. dell' Arcipelago Toscano

93

Formiche
di Grosseto

C.Vita
I.d.Topi
VII
ÍSOLA D'ELBA
Cavo
Piombino
I.Palmaiola
Bastia

I. di Capráia
Bastia
Piombino
Piombino

C.d'Enfola
M.Serra
422 S.Caterina

PORTOFERRÁIO
Rionell'Elba
Rio Marina

Viticcio
Bagnáia
Zanca
S.Andrea
Marciana Marina
Scaglieri
Carpani
Ottone

P. Polveráia
Marciana
Biódola
le Grotte
(Villa romana)
Volterráio
Mad.d.
Monserrato
P.delle Cannelle

Mad.d.Monte
Poggio
Prócchio
Strada del Vino/Costa d.Etruschi
Villa Napoleone
Porto Azzurro

Colle d'Orano
1018
M.Capanne
S.Ilário in Campo
Lacona
Naregno

P. Nera
Chiessi
Pomonte
Campo nell'
Elba
la Pila
S.Piero in C.
Marina di Campo
G. di Lacona
G. Stella
I.Pianosa

Fetováia
Secchéto
Cávoli
C.di Poro
Mad.d.
Grazie
Capoliveri

P.di Fetováia
G. di Campo
Palazzo

Bastia

94

P.dei Ripalti

Í. del Giglio

P.d.Fenáio

Giglio Campese
Giglio Castello
Giglio Porto

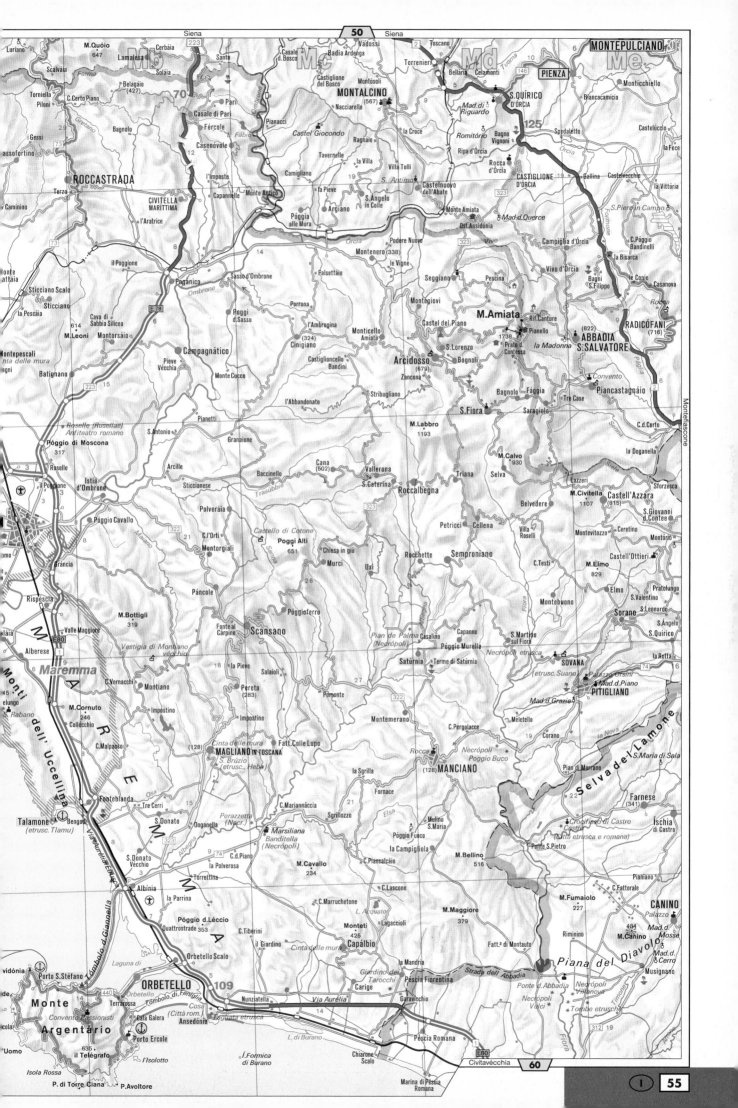

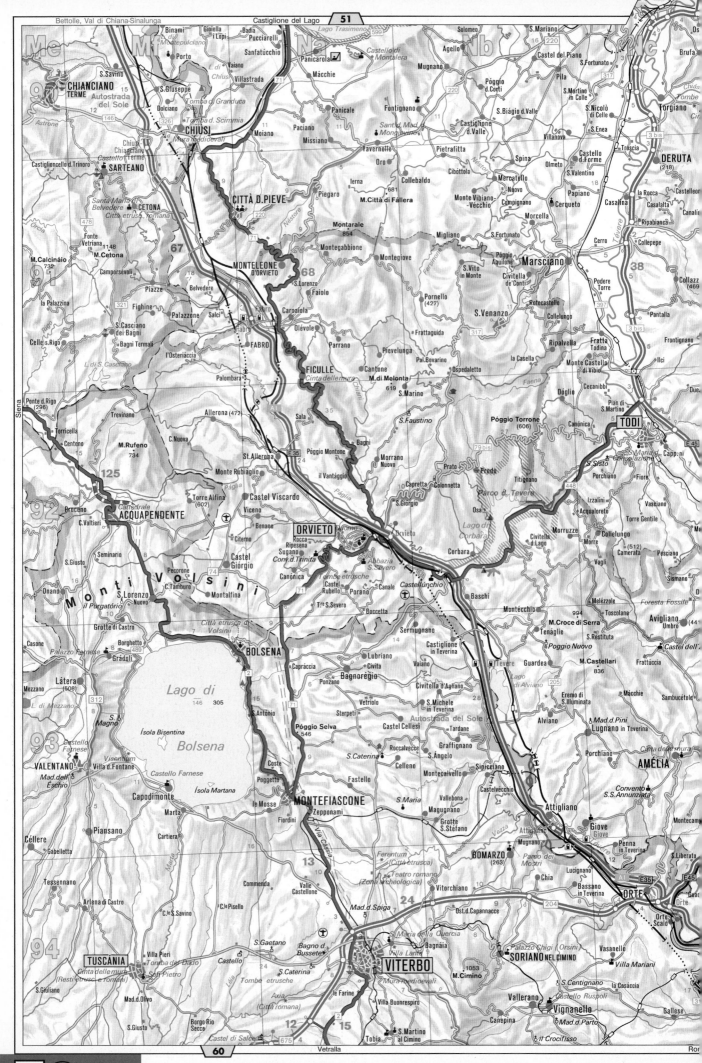

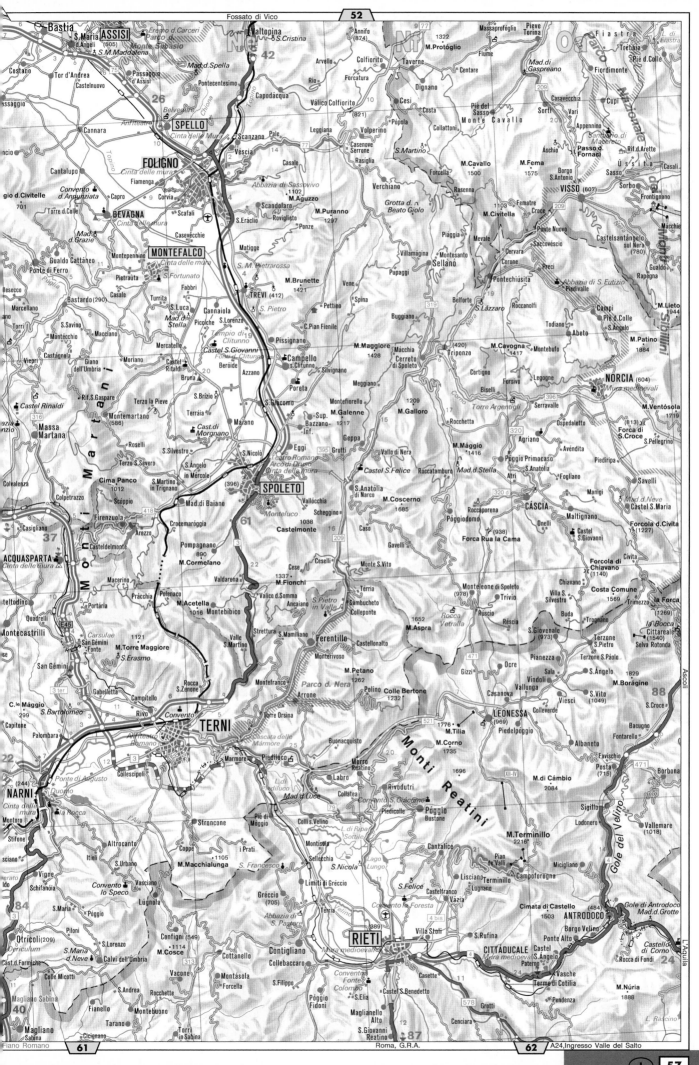

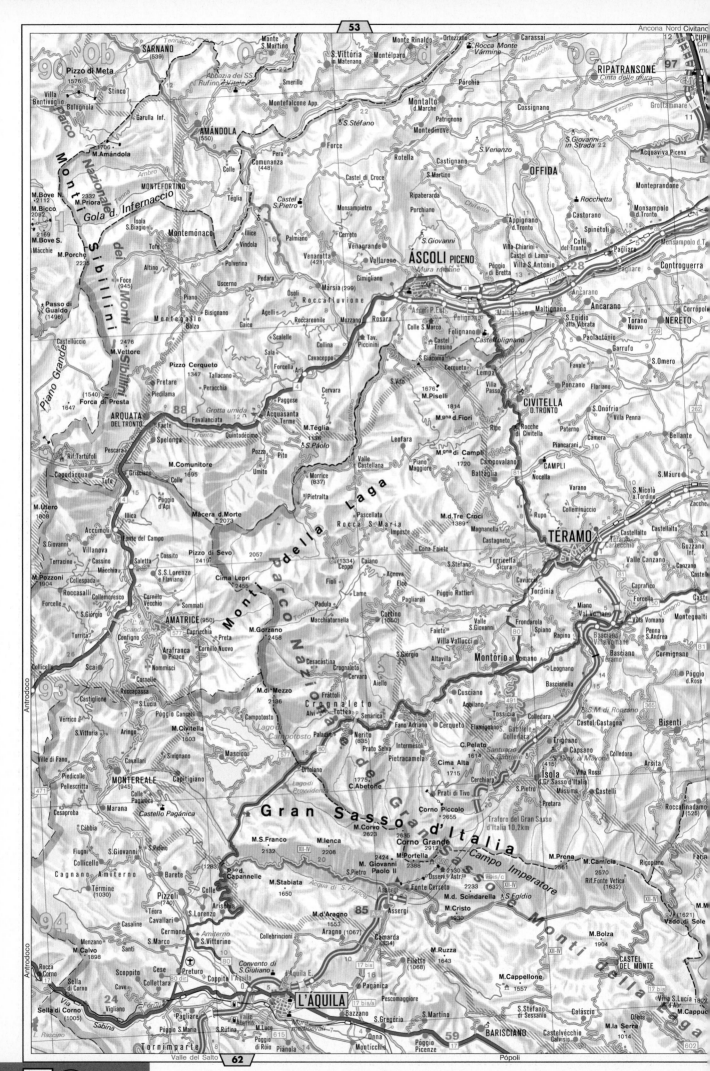

MMARE
e mura

ENEDETTO
DEL TRONTO

Porto d'Áscoli

ne d. T. -Ascoli Piceno
Martinsicuro

Villa Rosa

Alba Adriática

rtoreto
Tortoreto
Tortoreto
Lido
Cavatassi

Montone

Giulianova Lido

GIULIANOVA

S. Maria a Mare

Convento

Cologna
Spiàggia

262 d
Téramo-
Giulianova

Cologna
Giammartino
Montepagano

Roseto
degli Abruzzi

553
Vomano
Casal
Thaulero

M A R E

A D R I Á T I C O

SCO
Morro
d'Oro

S.Maria di
Propezzano

Roseto

Scerne

56

68

Cásoli

8

S.Margherita

13

Pineto

Fontanelle

Atri-Pineto

Mutignano

S.Giácomo

ATRI

anásio
43)

553
Mad.d.Grázie 14

13

Gallo Silvi

Villa Bozza

Villa
S.Rómualdo
S.Martino

Mad.Addolorata

Silvi Marina

5

Torre Cerrano

Montefino

Sorricchio

Mad.
d.Pace

Pescara N.-
Città S.Ángelo

Montesilvano Marina

Castilenti

CITTÀ S.ÁNGELO

10

Montesilvano

Élice

Hvar-Split

stiglione
Raimondo

81

Mad.d.Angeli

S.Filomena

408

20

Piccianello

Piccianello

Fino

Picciano

14

Cappelle
sull'Tavo

Madonna.

PESCARA

Pineta

C.S.Elmo

Convento

12

16 bis

Collecorvino

15

Bárberi

151

Spoltore

Pretaro

PENNE
(438)

Caprara
d'Abruzzo

602

S.S.
Zona Ind.

FRANCAVILLA
AL MARE

L. di Penne

LORETO
APRUTINO

Moscufo

S.M. d'Lago

S.Silvestro

E 55

Pescara S.-
Francavilla

Foro

Convento

Rotacesta

Sambuceto

S.Giovanni Teatino

649

Lido Riccio

ello
ona
(615)

S.M. Magg

Villanova

Sambuceto

A14

Aragonara

Pescara O.-Chieti

11

Savini

4

ORTONA

Dubrovnik

Vestea

Cappella
Sabucchi

Pianella

Cerratina

Villanova

Castellana

Torrevecchia
Teatina

Castelferrato

Alento

Castello Aragonese

Aquilano

C.Cavaliere
(290)

81

Rapattoni

Salvano

11

3

Ripa Teatina

12

Orfosa

98

58

Villa Celiera

Cepagatti

10

Vallemare

Verna

Civitella
Casanova

602

Villa Badessa

Villaréia

CHIETI

Villamagna

Villa Grande

S.Vincenzo

CATIGNANO

Chieti

Tollo

Casino Vezzani

Villa
San Leonardo

Marina di
San Vito

Vicoli
eto d.Nora

Nocciano

Villa Olivéti

Villaréia

S.Rocco

Villa
Torre

Villa Caldari

San Vito

Rosciano

51

S.Rocco
Giuliano
Teatino

Crécchio

Chietino

Mancini

Civitaquana

Brecciarola

327

Vacri

Canosa
Sannita

Sant'
Apollinare

Brittoli

Cúgnoli

Brecciarola

25

Bucchiánico

538

Villa
Rogatti

Tréglio

Cigno

Alanno

100

30

S.M. Arabona
(Cistercense)

81

Ari

263

S.Pietro

E80 Ripacorbária

Casalincontrada

Péscia Romana

Md

Me

Mf

Na

94

S.Giusto

Borgo Rio Secco

la Rocca

Castel di Salce

675 4

S.Martino al Cimino

Tobia

10 15

Monti

312 19

Case Campomorto

28

Quarticciolo

il Casalone

Norchio

(Necrópoli etrusca)

Tre Croci

S.Francesco

VETRALLA

Convento S.Angelo

Marina di Péscia Romana

E80

14

Castello

109

MONTALTO DI CASTRO

Póggio Martino 181

Fiore

Arrone

25

il Canelone

Montebello

Montalto Marina

Via Aurélia

Marta

C.Leona

Lascocanale

Sorg. Minerale

Tarquini

Póggio d.Rotonda

Monte Romano

C.Cinelli

Cura

Botte

Necrópoli Cerracchio

Necr. Pian d. Vescovo

Villa S.Giovanni in Túscia

BLERA

493

Necrópoli etrusche

Necrópoli Villanova

Riva d.Tarquini

E80

14

30

Grotta Porcina

Ponte etrusco

S.Giuliano

Barbarano Romano

Pian di Spille

95

Marina Velca

TARQUÍNIA

Tombe etrusche

9

1

1 bis

14

Luni (Città etrusca)

Casentile

C.le S.Maria

S.Giovenale

Civitella Cesi

Tomba d. Colonne

Vejano

Tarquínia Lido

Porto Clementino (Graviscae)

Saline

Fontana Matta

Mignone

Mignone

Cencelle

la Farnesiana

Santuario d. Grasceta

M.Cuoco 559

Montevirginio

Lombardi

Bagni S.Agostino

Pantano

5

Allumiere

S.António

Palazzo Camerale

M.Turco 450

Bianca

TOLFA

Rocca

Rota

Necrópoli etrusca

Monterano

Canale Monterano

Quadroni

Manz

493

Monti della Tolfa

579

M.S.Vito 421

Tombe etrusche

Aurélia

8

17

Tolfa

Civitavécchia Nord

Terme Taurine

M.Tolfáccia

22

Bagni di Stigliano

Scaglia

10

E840

96

Toulon

Gènova

Barcelona

Palau

Golfo Aranci

Ölbia

Cágliari

Arbatax Cágliari

Tunis

Palermo

CIVITAVECCHIA

(rom. Centumcellae)

6

M.Paradiso 327

M.Quartáccio 344

M.Ácqua Tosta 520

22

Sasso 430

M.Santo

Castel Giuli

Villaggio del Fanciullo

Torre Marangone

Aurelia

Civitavécchia Sud

11

A12

S.Severa

S.Marinella

Tirreno

52

Necrópoli etrusca

Capo Linaro

Santa Marinella

(rom. Castrum Novum)

Castello Odescalchi

7

S.Severa

Pyrgi (Etrusc.)

13

CERVÉTE

(Città etrusca)

Cervéteri

Ladispoli

74

T.e Flavia

Campo di Mare

Cerenova

Borgo Vaccina

97

Ladíspoli

Palo

(rom. Alsium)

Castello Odescalc

Statu

Marina di Palid

M A R E

T I R R E N O

Pa

98

Golfo Aranci

Arbatax

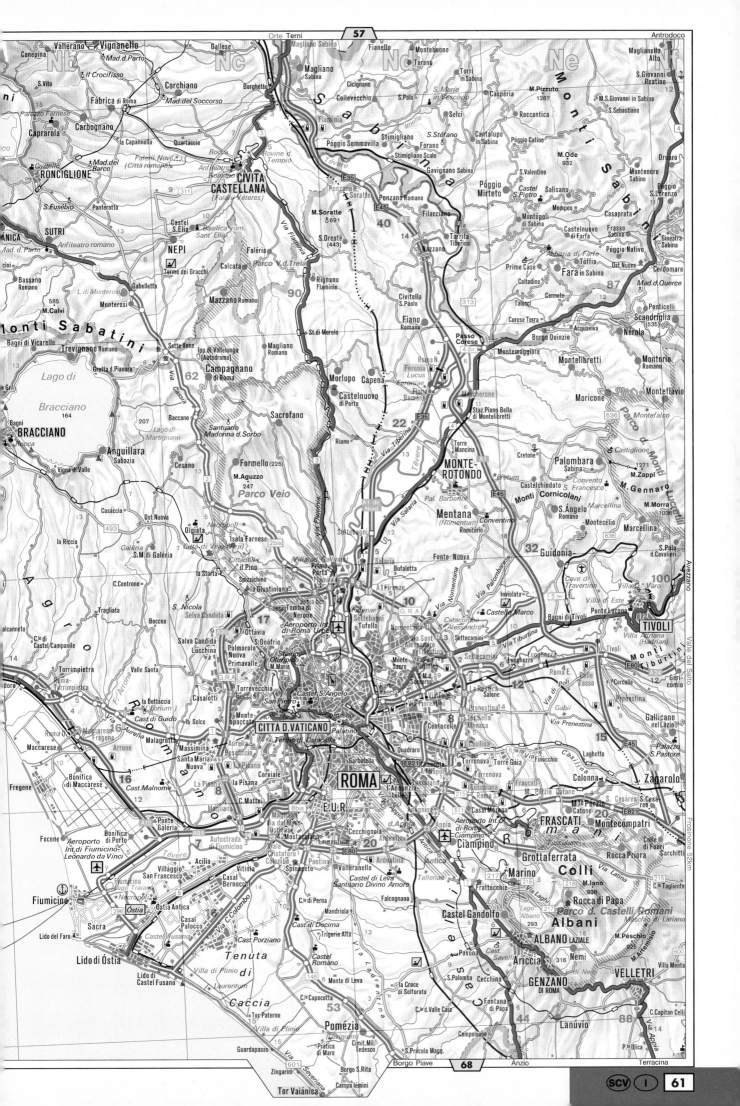

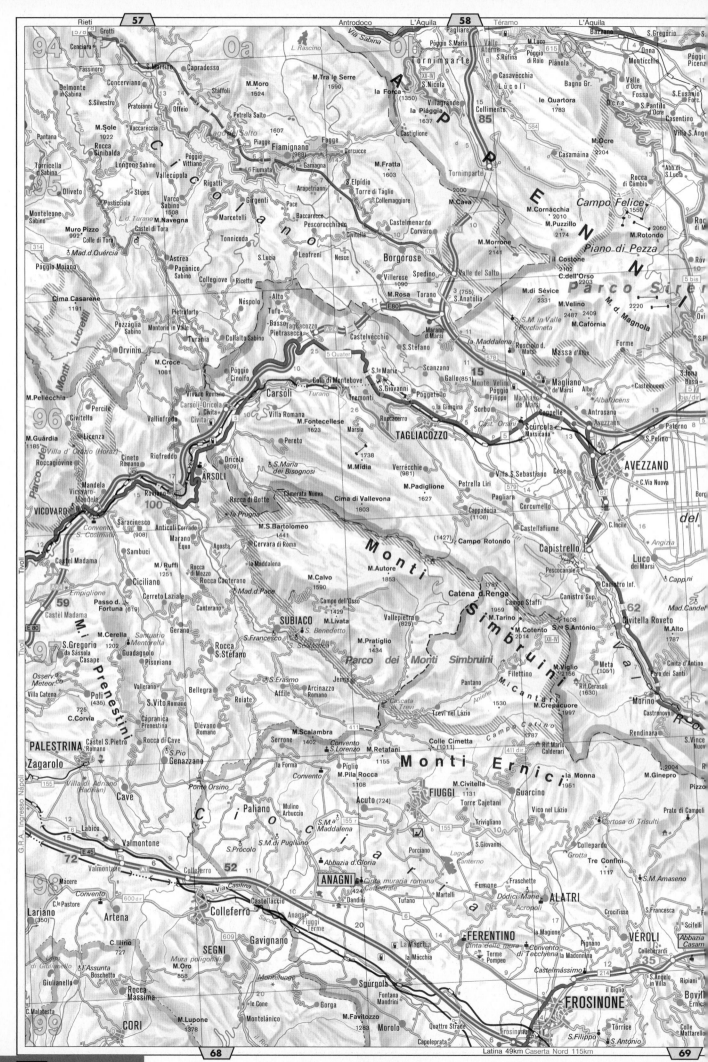

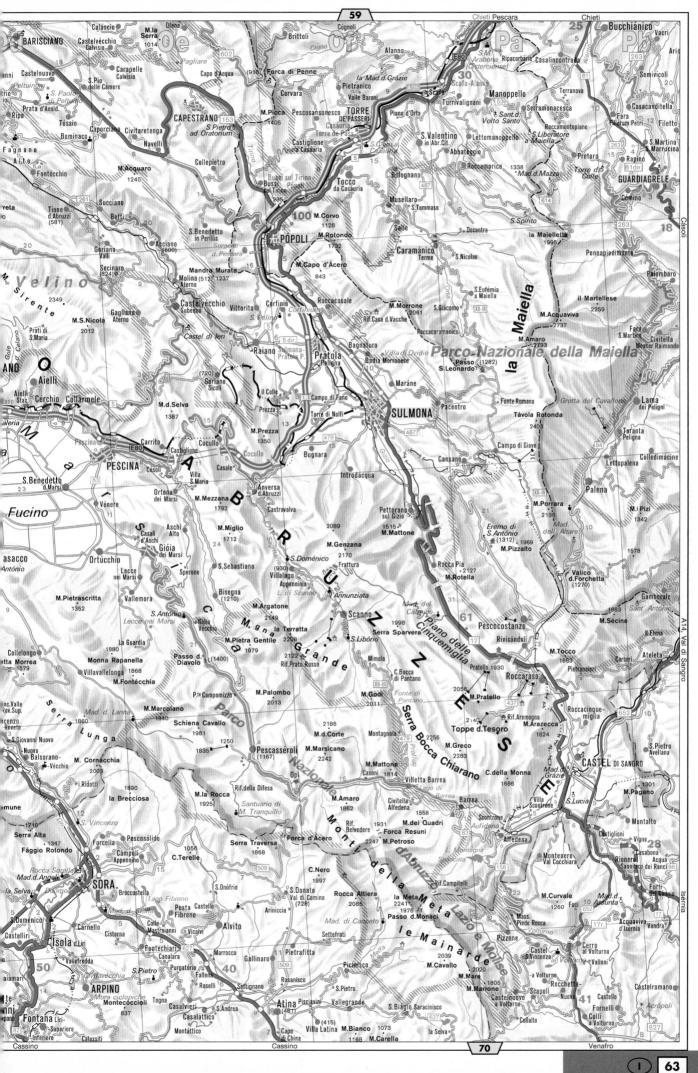

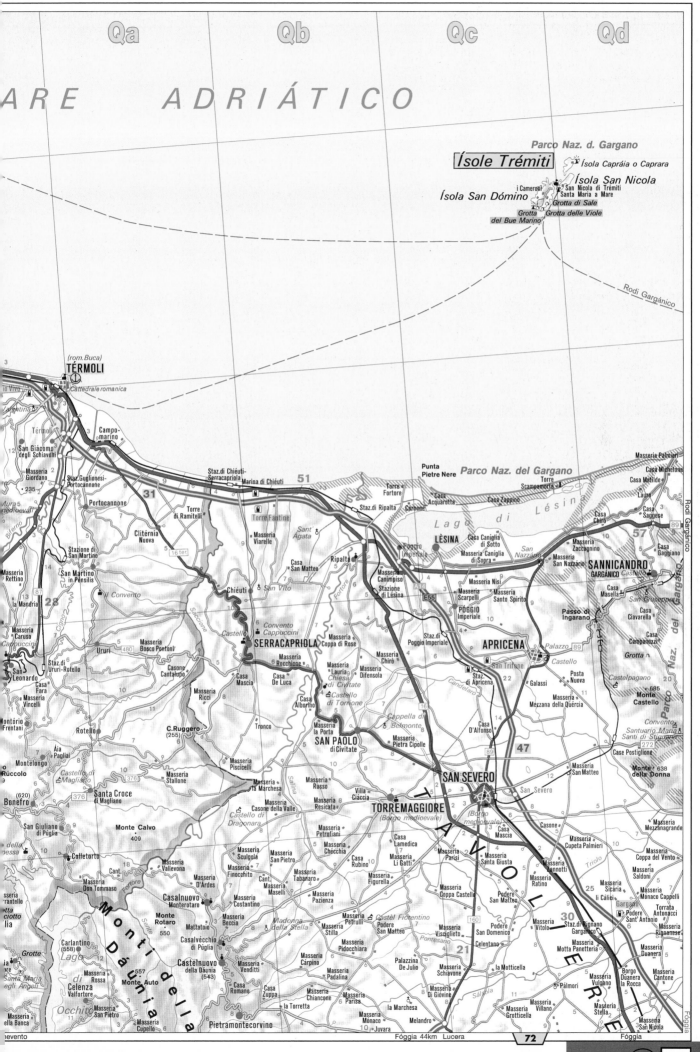

MARE ADRIÁTICO

Parco Naz. d. Gargano

Ísole Trémiti
Ísola Capráia o Caprara
Ísola San Nicola
San Nicola di Trémiti
i Cameroni
Santa Maria a Mare
Ísola San Dómino
Grotta di Sale
Grotta Grotta delle Viole
del Bue Marino

Rodi Gargánico

(rom. Buca)
TÉRMOLI
Cattedrale romanica
io Vivo
Argentina
Térmoli
Campo-marino
San Giácomo
degli Schiavóni
12
Masseria
Giordano
Staz. Guglionesi-Portocannone
235
31
Portocannone
Masseria Palmieri
Casa Michelone
Casa Metilde
Láuro
Punta
Pietre Nere
Parco Naz. del Gargano
Staz. di Chiéuti-Serracapriola
Marina di Chiéuti
51
Torre Scampamorta
Casa
Acquarotta
Casa Zappino
Casa Saggese
Casa Chiro
57
89
Torre
di Ramitelli
Torre Fantine
Torre
Fortore
Cornone
Lago di Lésina
Mura
medioevali
Biferno
Clitérnia
Nuova
16 ter
Masseria
Viarelle
Sant'
Agata
Staz. di Ripalta
LÈSINA
Casa Caniglia
di Sotto
San
Nazzario
Masseria Caniglia
di Sopra
Masseria
Zaccagnino
Masseria
San Nazzário
SANNICANDRO
GARGÁNICO
Castello
Stazione di
San Martino
Ripalta
Póggio
Imperiale
Casa
Masella
San Giuseppe
San Martino
in Pénsilis
28
13
la Mandria
Il Convento
87
Masseria
Rettino
14
Chiéuti
San Víto
Convento
Cappuccini
Masseria
Coppa di Rose
Masseria
Canimpiso
Stazione
di Lésina
A14
E55
Masseria Nisi
Masseria
Scarpelli
Masseria
Santo Spirito
Póggio
Imperiale
10
Passo di
Ingarano
Casa
Ciavarella
Ururi
480
Masseria
Bosco Pontoni
Masseria
Rocchione
Masseria
Chiro
Staz. di
Poggio Imperiale
APRICENA
Palazzo
89
Casa
Campanozzi
San Leonardo
Casa
Fara
Masseria
Vincelli
Casone
Cantalupo
Masseria
Lauria
Chiesa
di Civitate
Masseria
Difensola
16
San Trifone
Castello
Grotta
SERRACAPRIOLA
Masseria
Ricci
Casa
Mascia
Casa
De Luca
Staz.
di Apricena
22
Galassi
Posta
Nuova
Castelpagano
685
Monte
Castello
11
Cappella di
Belmonte
Masseria
Mezzana della Quércia
11
Convento
Santuario Maria
Santi di Stignano
C. Ruggero
(255)
Casa
Alborino
Castello
di Tornone
Casa
D'Alfonso
14
272
Case Postiglione
Montório
Frentani
Rotello
7
Masseria
la Porta
SAN PAOLO
di Civitate
Masseria
Pietra Cipolle
89
47
Masseria
San Matteo
Monte
della Donna
638
Áia
Pagliai
Masseria
Piscicelli
SAN SEVERO
12
Montelongo
Rúccolo
10
376
Masseria
Stallone
Masseria
la Marchesa
Masseria
Rosso
Villa
Ciáccia
San Severo
Casone
(620)
Bonefra
376
Santa Croce
di Magliano
Castello di
Magliáno
Masseria
Resicata
Casone della Valle
TORREMAGGIORE
(Borgo medioevale)
(Borgo
medioevale)
Casa
Mascia
Casone
Masseria
Mezzanagrande
San Giuliano
di Púglia
Monte Calvo
409
Castello di
Dragonara
Masseria
Petrifiani
Casa
Lamedica
Masseria
Cupeta Palmieri
Masseria
Coppa del Vento
della
essa
10
Colletorto
Masseria
Vallevona
Masseria
Sculgola
Masseria
San Pietro
Masseria
Chécchia
Casa
Rubino
10
Masseria
Li Gatti
Masseria
Parisi
Masseria
Santa Giusta
Masseria
Ratino
Masseria
Zannotti
25
Masseria
Sicaria
li Cálici
Masseria
Saldoni
Cant.
18
Masseria
D'Ardes
Masseria
Finocchito
Cant.
Masseria
Maselli
Masseria
Tabanaro
Masseria
Figurella
Masseria
Coppa Castella
Podere
San Matteo
Gargano
Masseria
Mónaco Cappelli
sseria
antello
Masseria
Don Tommaso
Casalnuovo
Monterotaro
Masseria
Costantino
Masseria
Pazienza
Masseria
Petrulli
Castèl Fiorentino
Podere
San Matteo
Podere
San Domenico
Masseria
Vitolo
30
Staz. di Rignano
Gargánico
Podere
Sant'Antonio
Torrata
Antonacci
Masseria
Ripanese
ciotto
ia
Monte
Rotaro
550
Mattatoio
Masseria
Beccia
Madonna
della Stella
Masseria
Stilla
Masseria
Visciglieto
160
Celentano
Masseria
Motta Panetteria
Masseria
Duanera
Grotte
Lago
Carlantino
(558)
Casalvécchio
di Púglia
Masseria
Pidocchiara
21
Palazzina
De Julio
la Motticella
Masseria
Schiavone
Borgo
Dúanera
la Rocca
Masseria
Cantone
Santa Maria
egli Angeli
557
Monte Auto
Castelnuovo
della Dáunia
(543)
Masseria
Venditti
Masseria
Cárpino
Masseria
Chiancone
Masseria
Parisa
Masseria
Padalina
Masseria
Di Giovine
Sálsola
la Marchesa
Pálmori
Masseria
Vulgano
Masseria
Villano
Masseria
Stella
Occhito
Masseria
San Pietro
Masseria
Cupello
Pietramontecorvino
Casa
Romano
Casa
Zuppa
Masseria
Mónaco
10
Juvara
Melandro
Masseria
Grotticella
Masseria
San Nicola

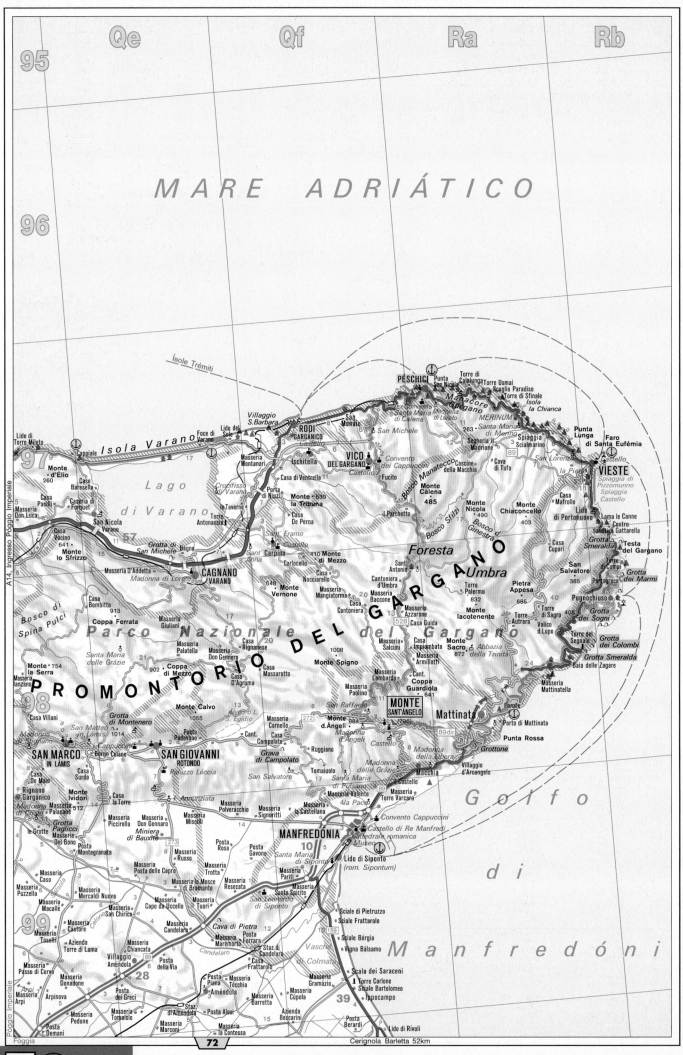

MARE ADRIÁTICO

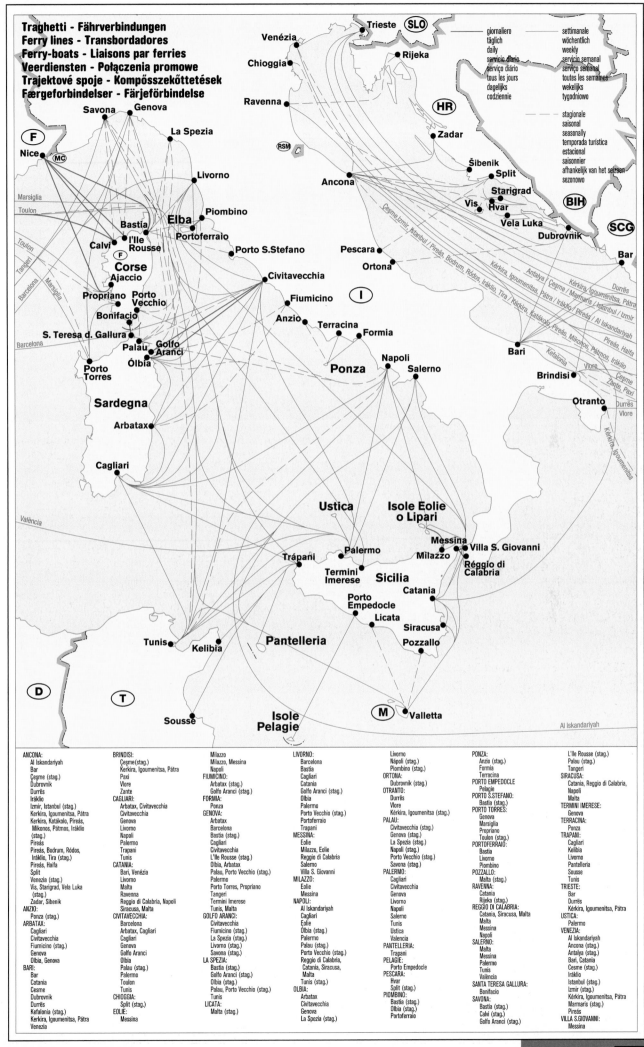

ANCONA:
Al Iskandariyah
Bar
Çeşme (stag.)
Dubrovnik
Durrës
Iráklio
Izmir, Istanbul (stag.)
Kerkira, Igoumenitsa, Pátra
Kerkira, Katákolo, Pireás,
  Mikonos, Pátmos, Iráklio
  (stag.)
Pireás
Pireás, Bodrum, Ródos,
  Iráklio, Tira (stag.)
Pireás, Haifa
Split
Venezia (stag.)
Vis, Starigrad, Vela Luka
  (stag.)
Zadar, Šibenik
ANZIO:
Ponza (stag.)
ARBATAX:
Cagliari
Civitavecchia
Fiumicino (stag.)
Genova
Olbia, Genova
BARI:
Bar
Catania
Cesme
Dubrovnik
Durrës
Kefalonia (stag.)
Kerkira, Igoumenitsa, Pátra
Venezia

BRINDISI:
Çeşme(stag.)
Kerkira, Igoumenitsa, Pátra
Paxi
Vlore
Zante
CAGLIARI:
Arbatax, Civitavecchia
Civitavecchia
Genova
Livorno
Napoli
Palermo
Trapani
Tunis
CATANIA:
Bari, Venézia
Livorno
Malta
Ravenna
Reggio di Calabria, Napoli
Siracusa, Malta
CIVITAVECCHIA:
Barcelona
Arbatax, Cagliari
Cagliari
Genova
Golfo Aranci
Olbia
Palau (stag.)
Toulon
Tunis
CHIOGGIA:
Split (stag.)
EOLIE:
Messina

Milazzo
Milazzo, Messina
Napoli
FIUMICINO:
Arbatax (stag.)
Golfo Aranci (stag.)
FORMIA:
Ponza
GENOVA:
Arbatax
Barcelona
Bastia (stag.)
Cagliari
Civitavecchia
L'Ile Rousse (stag.)
Napoli
Olbia, Arbatax
Palau, Porto Vecchio (stag.)
Palermo
Porto Torres, Propriano
Tangeri
Tunis, Malta
GOLFO ARANCI:
Civitavecchia
Fiumicino (stag.)
La Spezia (stag.)
Livorno (stag.)
Savona (stag.)
LA SPEZIA:
Bastia (stag.)
Golfo Aranci (stag.)
Olbia (stag.)
Palau, Porto Vecchio (stag.)
Tunis
LICATA:
Malta (stag.)

LIVORNO:
Barcelona
Bastia
Cagliari
Catania
Golfo Aranci (stag.)
Olbia
Palermo
Porto Vecchio (stag.)
Portoferraio
Trapani
MESSINA:
Eolie
Milazzo, Eolie
Reggio di Calabria
Salerno
Villa S. Giovanni
MILAZZO:
Eolie
Messina
NAPOLI:
Al Iskandariyah
Cagliari
Eolie
Eolie (stag.)
Palermo
Palau (stag.)
Porto Vecchio (stag.)
Reggio di Calabria,
  Catania, Siracusa,
  Malta
Tunis (stag.)
OLBIA:
Arbatax
Civitavecchia
Genova
La Spezia (stag.)

Livorno
Nápoli (stag.)
Piombino (stag.)
ORTONA:
Dubrovnik (stag.)
OTRANTO:
Durrës
Vlore
Kérkira, Igoumenitsa (stag.)
PALAU:
Civitavecchia (stag.)
Genova (stag.)
La Spezia (stag.)
Napoli (stag.)
Porto Vecchio (stag.)
Savona (stag.)
PALERMO:
Cagliari
Civitavecchia
Genova
Livorno
Napoli
Salerno
Tunis
Ustica
Valencia
PANTELLERIA:
Trapani
PELAGIE:
Porto Empedocle
PESCARA:
Hvar
Split (stag.)
PIOMBINO:
Bastia (stag.)
Olbia (stag.)
Portoferraio

PONZA:
Anzio (stag.)
Formia
Terracina
PORTO EMPEDOCLE
Pelagie
PORTO S.STEFANO:
Bastia (stag.)
PORTO TORRES:
Genova
Marsiglia
Propriano
Toulon (stag.)
PORTOFERRAIO:
Bastia
Livorno
Piombino
POZZALLO:
Malta (stag.)
RAVENNA:
Catania
Rijeka (stag.)
REGGIO DI CALABRIA:
Catania, Siracusa, Malta
Malta
Messina
Napoli
SALERNO:
Malta
Messina
Palermo
Tunis
Valência
SANTA TERESA GALLURA:
Bonifacio
SAVONA:
Bastia (stag.)
Calvi (stag.)
Golfo Aranci (stag.)

L'Ile Rousse (stag.)
Palau (stag.)
Tangeri
SIRACUSA:
Catania, Reggio di Calabria,
Napoli
Malta
TERMINI IMERESE:
Genova
TERRACINA:
Ponza
TRAPANI:
Cagliari
Kelibia
Livorno
Pantelleria
Sousse
Tunis
TRIESTE:
Bar
Durrës
Kérkira, Igoumenitsa, Pátra
USTICA:
Palermo
VENEZIA:
Al Iskandariyah
Ancona (stag.)
Antalya (stag.)
Bari, Catania
Cesme (stag.)
Iráklio
Istanbul (stag.)
Izmir (stag.)
Kérkira, Igoumenitsa, Pátra
Marmaris (stag.)
Pireás
VILLA S.GIOVANNI:
Messina

Pizzotozzo
Morolo
M.Alto
1416
Supino
Pian della Pátrica
Croce
M.Sentinella
1110
Ost.
C.Calvello S.Palombara
ifesa 935
21
jorga
Maenza Prossedi
699
39
Cima la Torre
Priverno 45
156
IVERNO Roccasecca
Duomo d.Volsci
M.Alto
821
Paura Cast.S.Martino
Abbazia di
Fossanova le Serre
Codarda
20
Sonnino
M.delle Fate
Galleria di Monti
Rideri di Orso
Sibilla (7400m)
Staz.di
Frasso
Campo Soriano
Via Appia Staz.la Fiora
Monte Leano
Borgo Ermada 676

FROSINONE
S.Filippo Tórrice
Frosinone S.António
Capoleprata Quattro Strade Ripi
156 S.Giovanni
637 Cerqueta
Autostrada del Sole Arnara
E45 Pofi
C.ne C.le Cardarilli
Pescara 24
Mad.la Speranza
Giuliano di Roma i Masi
CECCANO (363) 789
M.Siserno S.Sósio
Villa S.Stéfano Mad.d.Piano
Pietracupa
M.Campo Lupino CASTRO D.VOLSCI
791 Ost.di Castro
Mad.d.Ponte Macchioni M.Rotondo
555 Casanuova
M.Caruso
999
Pisterzo 1116
(466) Amaseno M.Calvilli
637
la Civitella
Vallecorsa
M.Pizzuto M.Schierano
919 894
Mad. dell'Auricola
M.Calvo S.Martino Lénola
1038 82 S.Onofrio
Monti Ausoni la Taverna
M.Calvo
1090 Campodimele
1038 Parco dei Monti
C.De Filippis
San Vito Monte Passignano
519 Monte Faggeto
Monte FONDI 1256
San Biágio Palazzo del Principe San
Castelló Nicola Monte Trina
Monte 17 7 1062
Santo Stéfano Lago Staz.di Fondi Madonna
733 di Fondi Sperlonga di Civita
Torre dell'Epitáffio
Torre del Pesce Monte Grande Monte Ruazzo
766 1314
Chiancarelle
Via Domiziana ITRI
Lido di Fondi Monte Marano (222)
Lago 517 Marano
San Puoto Monte Láuzo
213 421 Castagneto
Lago Lungo Monte Céfalo Vendicio
543 Porto
Tempio di Sperlonga Salvo FORMIA
Giove Anxur Villa di Tibério Tomba
Porto TERRACINA Grotta di Tibério di Cicerone
Badino Monte Cristo
Torre Capovento 197 GAETA
e Olévola Torre Torre Viola
felice Sant'Agostino Santuario Torre d'Orlando
della Trinità

Bóville
Érnica M te
Colle S.Giovanni
Mattarello Campano
Colli Fontana
Liri
Strangolagalli Inferiore
ARCE
Selva Maggiore Murata Mini octopiche
Murata Rocca d'Arce
Caprocroce Colle Félice
Colle Alto Villafelice
CEPRANO Coldragone
15 Melfa
Ceprano Isoletta 50
L.di
S.Cataldo
Falvaterra S.Cataldo Tupventu inc
S.Giovanni
Grotte di Pástena Incarico
Colle
Pástena Tronco
Mad.d.Piano Colle Ponte
Pico
(209) Valle
S.Ermete
S.Oliva Monticelli
Espéria
(488) Mad.Montevetro
Roccaguglielma
Monti Aurunci
Monte Révole
1285
Monte Forte
1321 Santa Maria
il Piano
San Michele
il Redentore Spigno Saturnia
Spigno Saturnia
Superiore
CastelloNorato
Maranola Spigno Saturnia
Trivio Mamurrano
Castelnuovo Parano

Montecóccioli
837 Casalvieri
Casalattico
Montáttico S.Andrea
Superiore ATINA
Calassiti (481)
Santopadre C.Cerreto Capo
1059 di China
Pizzo d.Prato Caselle
1365
M.Obachelle
1466 Belmonte
Castello
Roccasecca M.Cáiro Cáira
Colle S.Magno 1669
Castelló la Mandra
Castrociélo Villa
Piedimonte S.Lucia
Alta Piedimonte
Aquino S.Germano
PONTECORVO Abbazia di
11 Montecassino
110 Cassino
Pignataro
Interamna
Valle Liri
S.Giórgio
a Liri (38)
S.Pietro M.Paolino
in Cúrolis 320
828 M.Calvo
637
Castelnuovo
Parano
Ausónia
Selvacava
Coreno
Ausónio
Spigno Saturnia Pulcherini
Santa Maria
Infante
Tufo
MINTURNO
Tremensuoli
Scauri 75
Torre Simonelli
Gianola Marina di Minturno
Santa Maria
di Minturno

Golfo
di Gaeta

NO

I.di Ponza
Ísola
Ventoténe Ventoténe
Ísola
139 Santo Stéfano
P.dell'Arco

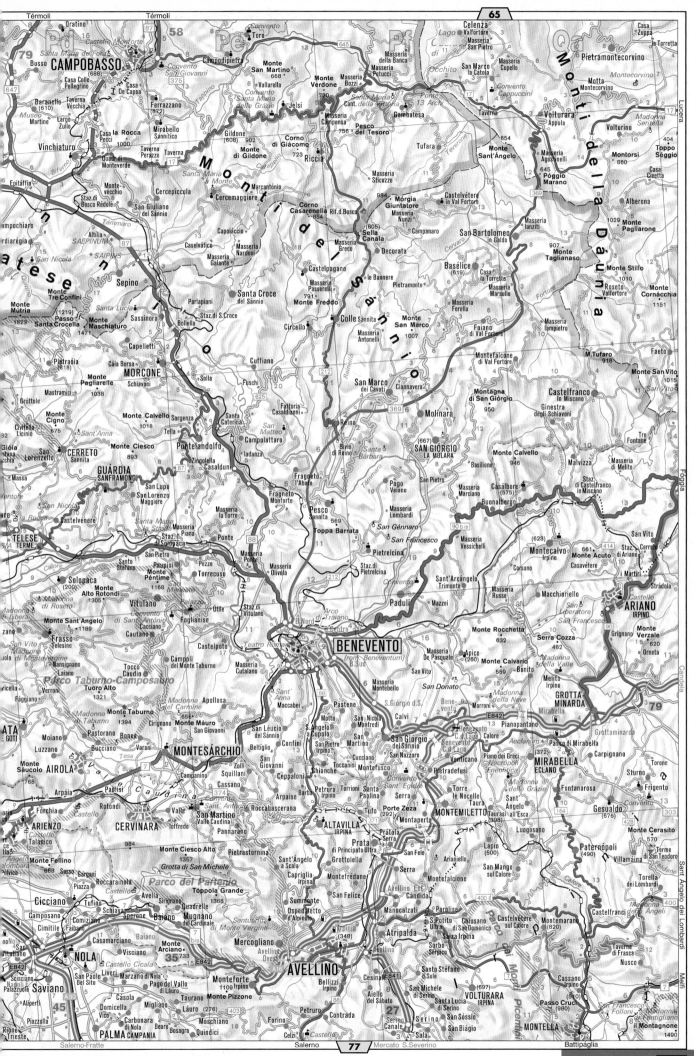

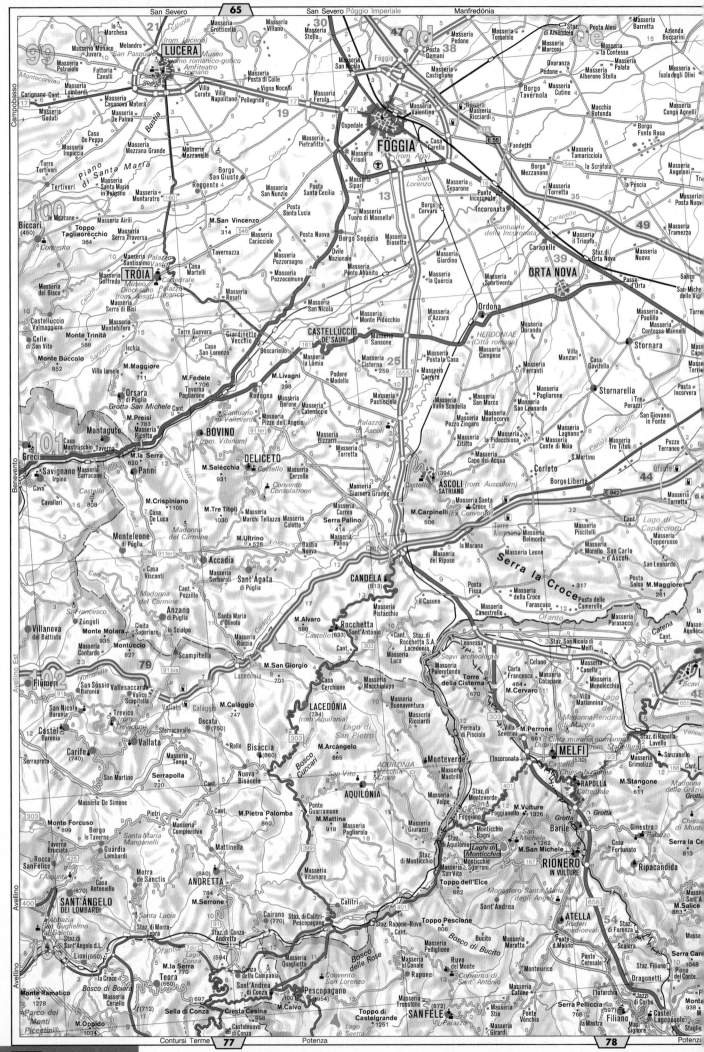

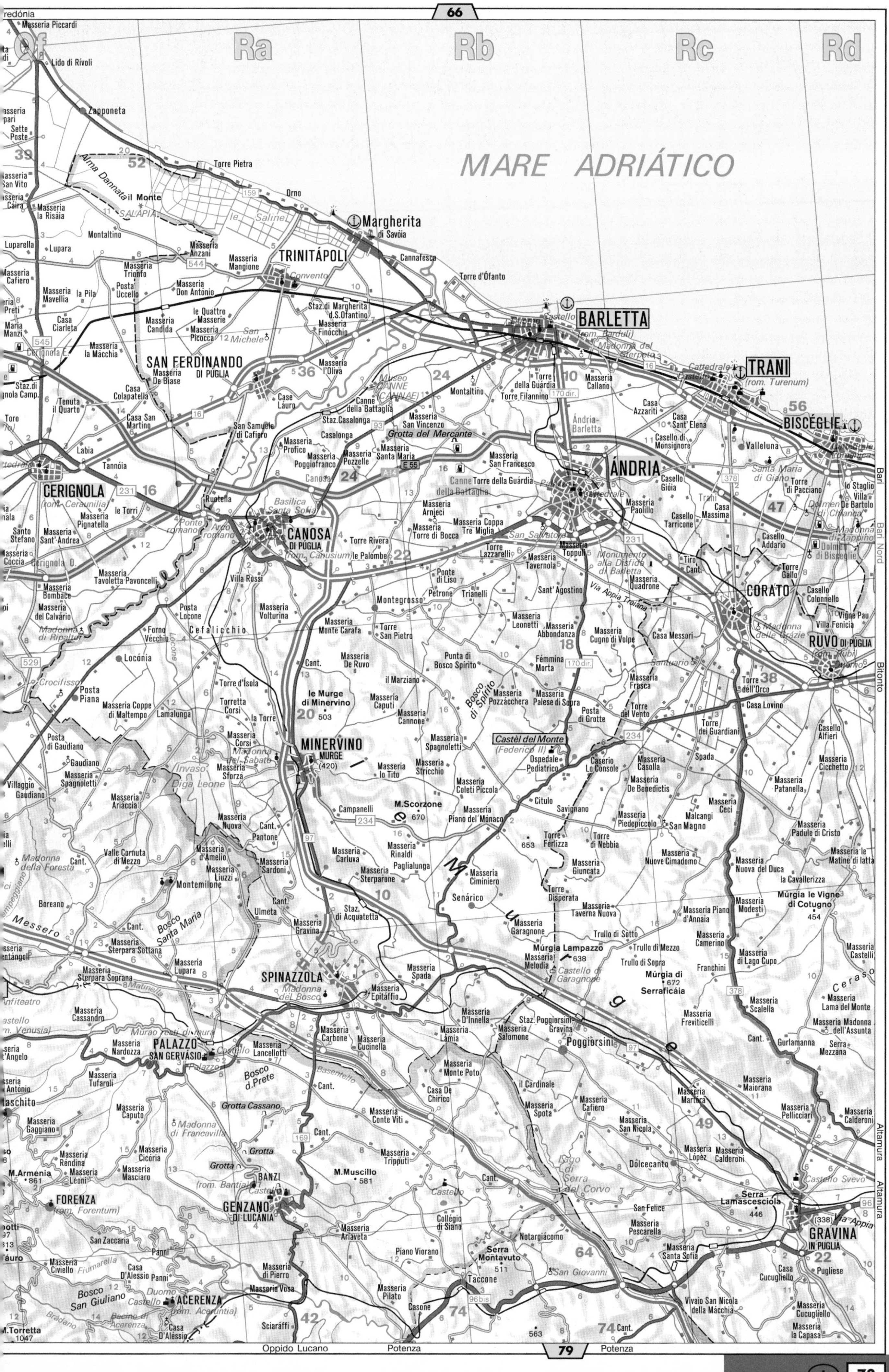

Rf Ra Rb Rc Rd

MARE ADRIÁTICO

Masseria Piccardi
redónia
Lido di Rívoli
Zapponeta
Sette Poste
39
52
Alma Dannata il Monte
SALAPIA
Torre Pietra
Orno
Margherita di Savóia
Masseria la Risáia
Montaltino
Masseria Cafiero
Lupara
Luparella
Masseria Trionfo
Masseria Anzani
TRINITÁPOLI
Masseria Mangione
Cannafesca
Convento
Masseria Mavellia
Posta Uccello
Masseria Don António
544
Masseria Candida
Torre d'Ófanto
BARLETTA
Castello
(rom. Bardúli)

Masseria la Pila
le Quattro Masserie
Staz. di Margherita d.S.Ofantino
Masseria Picocca
San Michele
36
Madonna del Sterpeto
Cattedrale
Castello
TRANI
(rom. Turenum)

SAN FERNANDO DI PUGLIA
Masseria De Biase
Masseria l'Oliva
Masseria Finocchio
Torre della Guárdia
Torre Filannino
Masseria Callano
10
Ándria-Barletta
Casa Azzariti
Casello di Monsignore
BISCÉGLIE
56

CERIGNOLA
(rom. Ceruniliae)
16
231
Ponte romano
Arco romano
CANOSA DI PÚGLIA
(rom. Canusium)
Canne della Battaglia
Museo (CANNAE)
24
10
ÁNDRIA
Cattedrale
231
Corato
47

Masseria Caputo
MINERVINO MURGE (420)
le Murge di Minervino
20 503
Castél del Monte (Federico II)
234
RUVO DI PÚGLIA
(rom. Rubi)
38

Messero
SPINAZZOLA
Madonna del Bosco
Poggiorsini
49
Serra Lamascesciola 446
GRAVINA IN PÚGLIA
22

FORENZA
(rom. Forentum)
GENZANO DI LUCANIA
BANZI (rom. Bantia)
ACERENZA (rom. Acerúntia)
64
74
74 Cant.
42

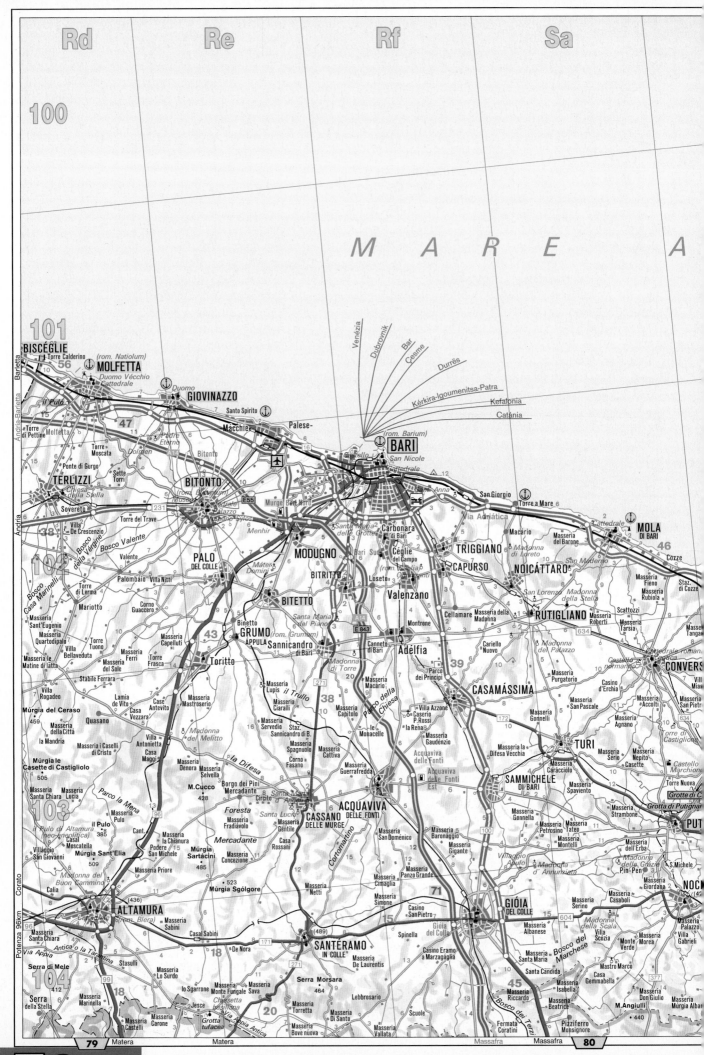

Rd   Re   Rf   Sa
100
101
102
103
104

M A R E   A

Venézia
Dubrovnik
Bar
Cesme
Durrës
Kérkira-Igoumenitsa-Patra
Kefalonía
Catánia

BISCÉGLIE
Torre Calderino
56
MOLFETTA
Duomo Vécchio
Cattedrale
GIOVINAZZO
Duomo
il Pulo
Santo Spirito
Torre di Pettine Molfetta
Macchie
Palese-
47
Pedre Eterno
Dolieni
Bitonto
16
BARI
(rom. Barium)
Castello
San Nicole
Cattedrale
Torre Moscata
Sette Torri
TÉRLIZZI
Chiesa della Stella
Sovereto
BITONTO
(rom. Butuntum)
Museo
Cattedrale
Palazzo Sylos
Sant'Anna
12
San Giorgio
Torre a Mare
Cattedrale
MOLA DI BARI
46
Cozze
38
Torre del Trave
231
E55
Murge Bari Nord
Santa Maria delle Grotte
Carbonara di Bari
Via Adriática
Macário
Masseria del Barone
Staz. di Cozze
Villa De Crescenzio
Bosco Valente
Menhir
MODUGNO
Céglie del Campo
TRIGGIANO
CAPURSO
Madonna di Loreto
San Moderno
NOICÁTTARO
Masseria Fieno
Masseria Rubiola
Bosco della Vérgine
PALO DEL COLLE
Palombáio Villa Nitti
Matera Domini
BITRITTO
Bari Sud
Loseto
Ognissanti
San Lorenzo
Madonna della Stella
RUTIGLIANO
Masseria Roberti
Masseria Tarsia
Scattozzi
Masseria Tanga
Bosco Casa Marinelli
Torre di Lerma
Valente
Corno Guaccero
BITETTO
Santa Maria del Piano
Valenzano
Cellamare
Montrone
Masseria della Madonna
CONVERS
Vill Mian
Masseria Accolti
Masseria San Pietr
634
Masseria Sant'Eustachio
Masseria Quartodipalo
Villa Bellaveduta
Torre Ferri
Torre Frasca
43
Masseria Capelluti
GRUMO ÁPPULA
(rom. Grummum)
Sannicandro di Bari
A14
E843
Canneto di Bari
Adélfia
Cariello Nuovo
Madonna del Palazzo
Castello normanno
Masseria le Matine di Jatta
Masseria del Sole
TORITTO
14
39
Parco dei Principi
CASAMÁSSIMA
Masseria Purgatorio
Madonna di Torre
Masseria Macário
Parco della Chiesa
Casino d'Erchia
Masseria Agnano
Torre di Castiglion
Villa Rogadeo
Murgia del Ceraso
459
Lamia de Vito
Casa Antevito
Masseria Mastroserio
Masseria Lupis
il Trullo
271
38
Masseria Ciaralli
Masseria Capitolo
le Monacelle
Villa Azzone
Caserio P.Rossi
la Rena
Masseria San Pascale
172
Masseria Gonnelli
Masseria Sério
TURI
Masseria Nepito
Casette
Castello Marchione
Masseria della Città
la Mandria
Quasano
Casa Vezzara
Madonna del Melitto
16
Masseria Servedia
Staz. Sannicandro di B.
Masseria Gaudénzio
Acquaviva delle Fonti
Masseria Caráccolo
Torre Nuova
Grotte di C
Murgia le Casette di Castigliolo
505
Villa Antonietta
Casa Maggi
Masseria Spagnuolo
Corno Fasano
Masseria Cattiva
Acquaviva delle Fonti Est
SAMMICHELE DI BARI
Masseria Spaviento
Grotta di Putignar
PUT
Masseria Santa Chiara Lucia
Parco la Mena
Masseria Pulo
M.Cucco
428
Borgo dei Pini Mercadante
Santa Maria
Masseria Denora
Masseria Selvella
Masseria Guerrafredda
Masseria la Difesa Vécchia
Masseria Gonnella
Masseria Strambone
Madonna del Buon Cammino
il Pulo di Altamura (meo-eneolitici)
il Pulo
385
13
96
Foresta
Masseria Fradiavolo
Circito
Santa Lucia
Santa Maria Angeli
CASSANO DELLE MURGE
Masseria Gentile
Masseria San Doménico
Masseria Baronaggio
Villaggio Ápulo
Madonna d' Annunziata
Masseria Petrosino Tateo
Masseria Montelli
Masseria dell'Erba
Madonna delle Grázie Pin-Pen
S.Michele
Casal Moscatella
Villággio San Giovanni
Murgia Sant'Elia
509
Podere San Michele
Murgia Sartácini
485
Masseria Concezione
Mercadante
Casa Rossani
Cortomartino
Masseria Cimaglia
Masseria Panzo Grande
Masseria Gigante
Masseria Gonnella
11
Masseria Giordano
NOC
Masseria Priore
523
Murgia Sgólgore
Masseria Netti
Masseria Simone
Casino San Pietro
71
GIÓIA DEL COLLE
15
604
Masseria Serino
Masseria Casaboli
Calia
11
ALTAMURA
(rom. Bléra)
436
Masseria Sabini
Casal Sabini
489
SANTÉRAMO IN COLLE
Masseria De Laurentis
Gióia del Colle
Casino Eramo a Marzagáglia
Spinella
Masseria Albanese
Madonna della Scala
Villa Scozia
Monte Verde
Monte Morea
Villa Gabrieli
Masseria Santa Chiara
Via Appia
Antica o la Tarantina
Stasulli
171
De Nora
18
271
Santa Cándida
377
Mastro Marco
Casa Gemmabella
M.Angiulli
440
Serra di Mele
Masseria Lo Surdo
Io Sgarrone
Monte Fungale Sava
Serra Morsara
464
Lebbrosario
Bosco del Marche
17
Masseria Riccardo
Masseria Isabella
Masseria Beatrice
Masseria Don Giulio
Masseria Murgia Alba
99
18
Serra della Stella
412
Masseria Marinella
Masseria Castelli
Jesce
Chiesetta basiliana
Via Appia Antica
Grotta tufacea
20
Masseria Torretta
Masseria Di Santo
Masseria Bove nuova
Masseria Vallata
Scuole
Bosco dei Terzi
Fermata Coratini
Pizziferro Monsignore

ADRIÁTICO

Vito
Grotta Palazzese
POLIGNANO
A MARE

Santa Bárbara
Lamafico

MONÓPOLI

Cozzana
Passarello Masseria Affaitati
Cristo Re
Castello di Santo Stéfano
Villa Ostuni
Torre Cintola
Staz. Egnazia
Lamandia

San Procopio
Torre Egnázia
Masseria Conchia
Garrappa
GNATHIA (Egnázia)
(città romana)
Gorgofreddo
Mácchia di Monte
Savelletri

Villa Antonelli
Impalata
Lóggia di Pilato
Fasano Stazione
la Forcatella

STELLANA
GROTTE
Masseria Guardino
Santa Lucia
Palazzo dell'Ordine di Malta
Masseria la Cerasina
Torre Canne

Masseria Cavallerizza
Selva di Fasano
Pezze di Greco
Torre Spacoata

Masseria Badessa
FASANO
Zoo-Safari
Laureto
Rosa Marina
Monticelli *Castello*
Marina di Ostuni

Masseria della Chiesa
Coréggia
Cocolicchio
San Marco
Madonna Pozzo Guacito
Speziale
Staz. Fontevécchia
Masseria Taverne
Costa Merlata
Torre Pozzella
Villaggio Turistico
Santa Sabina

Váccari ella Contessa
ALBEROBELLO
M. Signora Pulita
Salamina
Montalbano
Masseria Sansone
Staz. Carovigno
Lido Specchiolla

Pezzolla
Trito
Marinello
Caranna
Spécchia
Masseria Casamassima
San Biágio
Masseria Pinto
Punta Penna Grossa
Torre Guaceto

Vincenzo
Gigante
Scuola Agraria
Masseria Zippo
LOCOROTONDO
CISTERNINO
Panza
Sant'Oronzo
Mura medioevali
OSTUNI
Santa Maria la Nova
Masseria Tamburoni
Madonna del Belvedere
Masseria Cóccolo
Castello Serranova

Masseria Cavaruzzo
Masseria Nigri
Casalini
Cattedrale
Castello
Masseria Colacurto
Masseria Apani
Posticeddu

Masseria Cristi
San Giovanni
Masseria Monte Reale
Sierre
CAROVIGNO
San Giuseppe
Bórgata Serranova

Masseria Chiaffele
Stábile
MARTINA FRANCA *(Barocca)*
Palazzo Duca
Masseria Santa Nanna
Masseria Traetta
Villa Melpignano
Masseria San Scalone
Masseria Poggioreale
Masseria Bádessa

Drimini
Masseria Primiciero
Pascarosa
Masseria Genovese
Masseria Giovannarola
Grotta San Biágio

Masseria Risana
Masseria Paretone
Masseria Santoro
Masseria Martucci
Masseria Ferrarosso
SAN VITO DEI NORMANNI

Táranto
Mesagne 14km

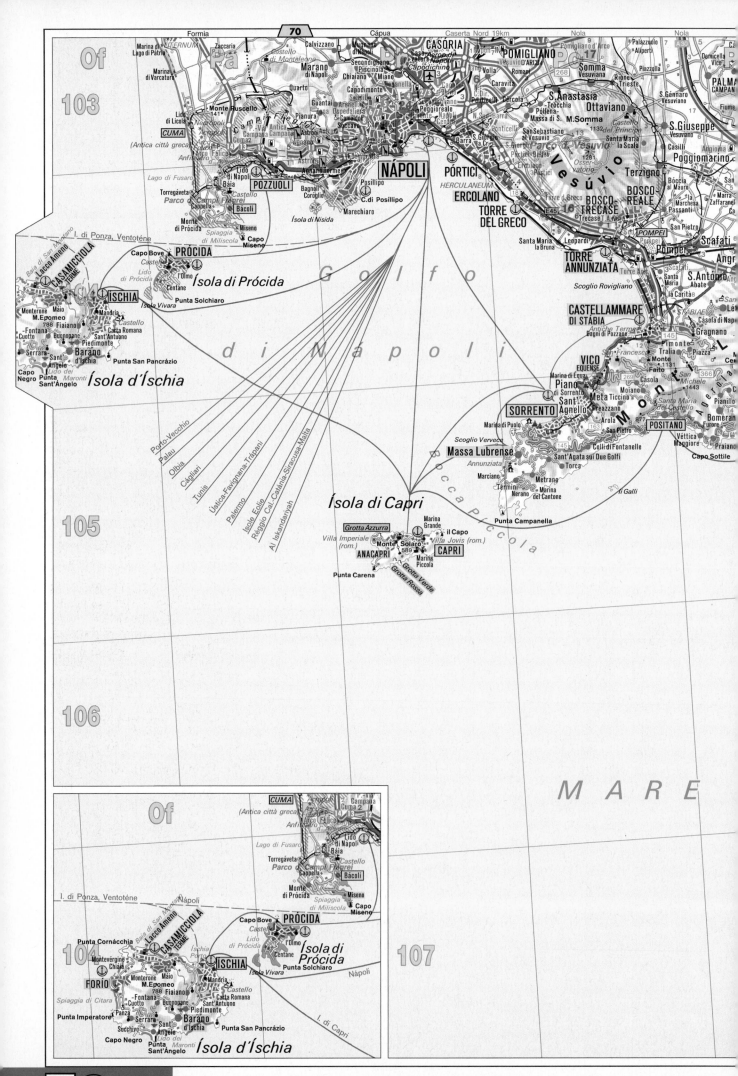

Formia   Cápua   Caserta Nord 19km   Nola   Nola

Of
103

Calvizzano
Zaccaria
Marina di Patria
Lago di Patria
Castello di Monteleone
Secondigliano
Marano di Nápoli
Chiaiano
Miano
Marina di Varcaturo
Quarto
Capodimonte
Guantai
Arenella
Soccavo
CUMA
(Antica città greca)
Lido di Licola
Monte Ruscello
Cuma
Campana
Astroni
Camaldoli
Pianura
Agnano
Astroni
Aqnano Terme
Bagnoli
Coróglio
Miseno
Lido di Nápoli
Báia
POZZUOLI
Torregáveta
Cappella
Castello
Báia
Parco di Campi Flegrei
Bácoli
Monte di Prócida
Miseno
Spiaggia di Miliscola
Capo Miseno

CASÓRIA
POMIGLIANO D'ARCU
Pomigliano d'Arco
Palazzuolo
Aliperti
Domicella
Vico
PALMA CAMPAN
Casa Cefero di Capodichino
S. Anastasia
Trócchia
Ottaviano
S. Génnaro Vesuviano
S.Giuseppe Vesuviano
Poggiomarino
Casilli
Pollena
Massa di S.
M.Somma
Santa Maria la Scala
Castello del Principe
Ottaviano
VESÚVIO
S.Sebastiano al Vesuvio

NÁPOLI
PÓRTICI
HERCULANEUM
ERCOLANO
TORRE DEL GRECO
POMPEI
Pompei
TORRE ANNUNZIATA
Torre Anir
Scafati
Angr
S.Antonio
Abate
la Carità
BOSCO TRECASE
BOSCO REALE

C. di Posíllipo
Marechiaro
Ísola di Nisida
Posíllipo

Of
PRÓCIDA
Capo Bove
Castello
l'Olmo
Centane
Ísola di Prócida
Punta Solchiaro
Ísola Vivara

CASAMICCIOLA TERME
Lacco Ameno
Baia di San Montano
I. di Ponza, Ventotène
ISCHIA
Monterone
M.Epomeo
788 Fiaiano
Maio
Mandria
Castello
Carta Romana
Sant'Antuono
Piedimonte
Serrara
Cuotto
Buonopane
Fontana
Sant'
Angelo
Baraño d'Ischia
Punta San Pancrázio
Capo Negro
Punta Sant'Angelo
Lido dei Maronti
Ísola d'Íschia

Golfo di Nápoli

CASTELLAMMARE DI STÁBIA
STÁBIAE
Cásola di Nap
Gragnano
Antiche Terme
Bagni di Pozzano
VICO EQUENSE
Pimonte
Monte Faito
1131
Piazza
San Michele
1443
MONTE L
Moiano
Arola
Scoglio Roviqliano
Marina di Equa
Piano di Sorrento
Sant'Agnello
Meta
Ticciano
Preazzano
San Pietro
SORRENTO
Marina di Puolo
163
Colli di Fontanelle
POSITANO
Véttica Maggiore
Praiano
Capo Sottile
Massa Lubrense
Scoglio Verveco
Annunziata
Marciano
Termini
Nerano
Metrano
Torca
Sant'Agata suí Due Golfi
Marina del Cantone
I Galli
Punta Campanella

Bocca Piccola

Ísola di Capri
Grotta Azzurra
Villa Imperiale (rom.)
Marina Grande
il Capo
Villa Jovis (rom.)
ANACAPRI
Monte Solaro
589
CAPRI
Punta Carena
Grotta Verde
Grotta Rossa
Marina Piccola

Porto-Vecchio
Palau
Olbia
Cágliari
Tunis
Ústica-Favignana-Trápani
Palermo
Isole Eolie
Réggio Cal.-Catánia-Siracusa-Malta
Al Iskandariyah

105

106

M A R E

Of
CUMA
(Antica città greca)
Cuma 2
Acrópoli
Arco Félice
Lido di Nápoli
Lago di Fusaro
Báia
Torregáveta
Cappella
Castello
Bácoli
Parco di Campi Flegrei
Monte di Prócida
Miseno
Spiaggia di Miliscola
Capo Miseno

I. di Ponza, Ventotène
Nápoli
PRÓCIDA
Capo Bove
Castello
l'Olmo
Centane
Ísola di Prócida
Punta Solchiaro
Ísola Vivara

104
Punta Cornácchia
Lacco Ameno
Baia di San Montano
CASAMICCIOLA TERME
Montevérgine
Chiaie
ISCHIA
Ischia Porto
Monterone
Maio
M.Epomeo
788 Fiaiano
Mandria
FORÍO
Fontana
Cuotto
Buonopane
Piedimonte
Sant'Antuono
Spiaggia di Citara
Serrara
Punta Imperatore
Panza
Succhivo
Sant'
Angelo
Baraño d'Ischia
Punta San Pancrázio
Capo Negro
Punta Sant'Angelo
Lido dei Maronti
Ísola d'Íschia

107
I. di Capri

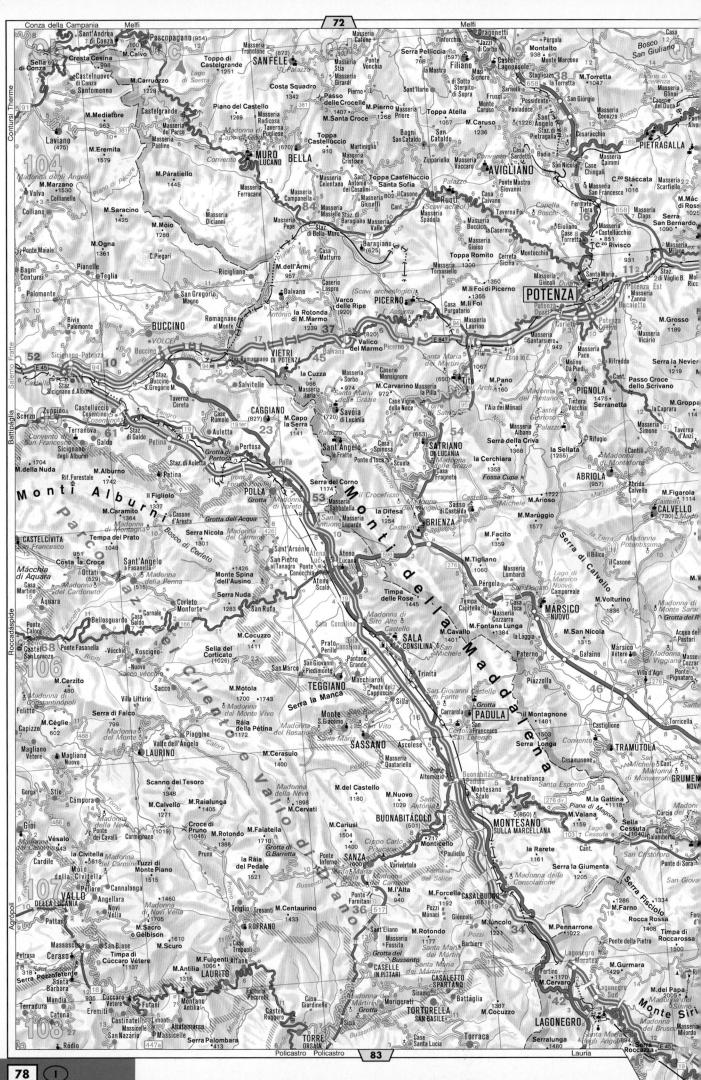

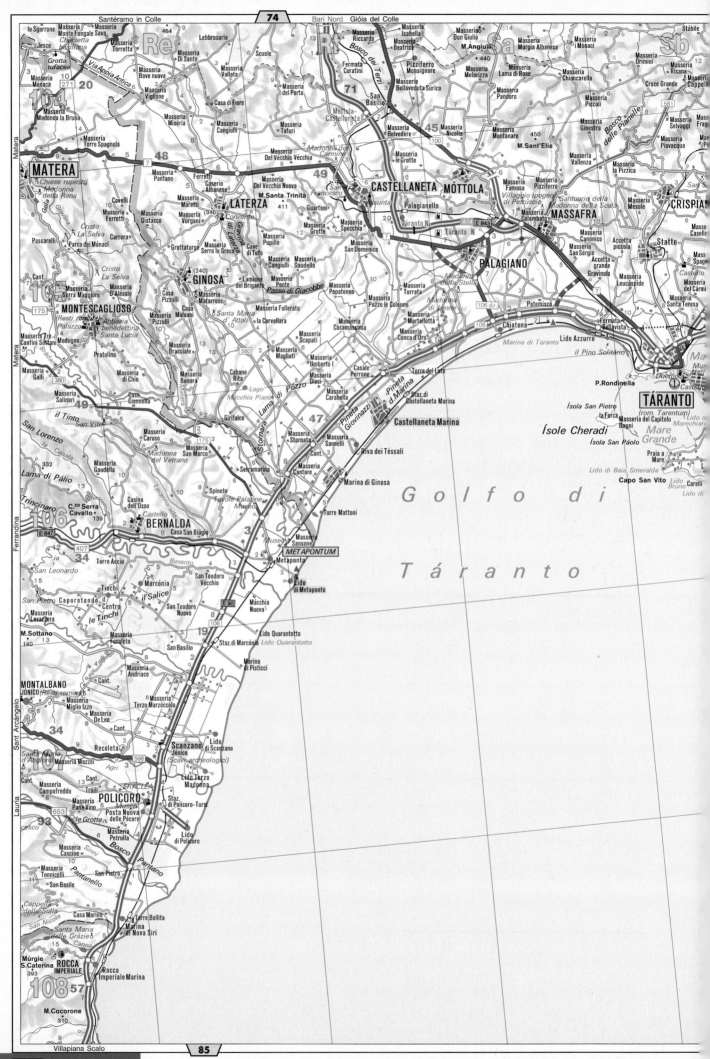

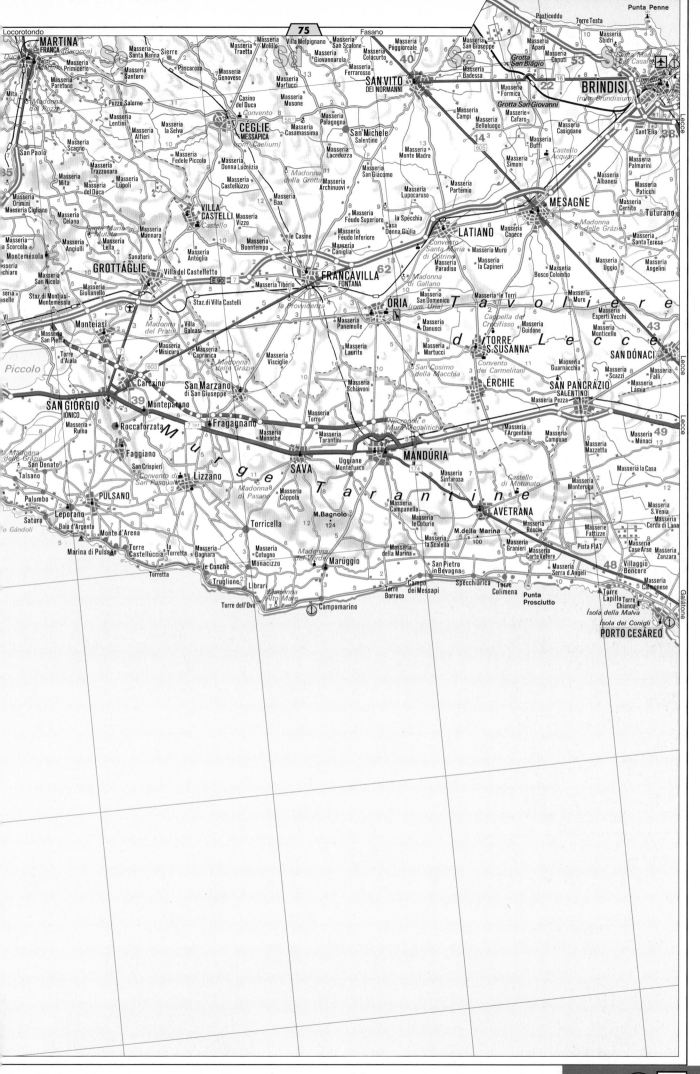

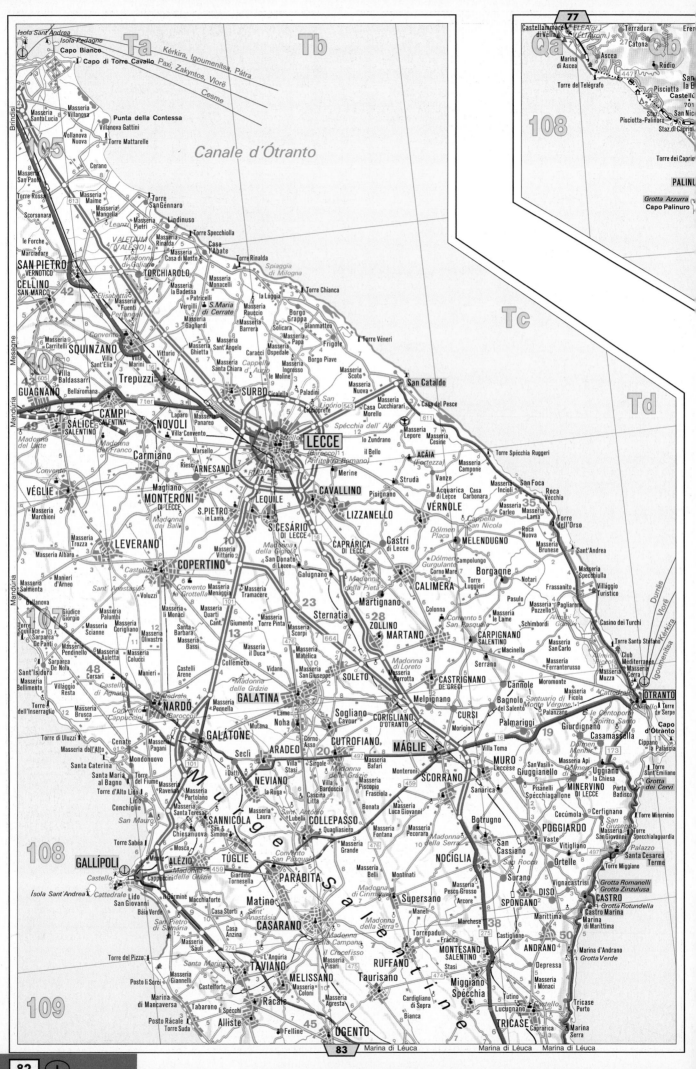

MARE

IÓNIO

ello di Roseto
ina Roseto
o Spúlico
Capo Spúlico
orre Spúlico

Iolara

Capo Trionto

Lido
Sant'Angelo
Martucci
Ponte
Trionto
Mirto Crosía
106r
2   5
la Foresta
8
Fiumarella
Amíca
Rossano
Stazione
Casa
Rocca
Mirto
Castello
4   5
Staz.di Calopezzati
San Giacomo
Sant
Giácomo
ROSSANO
Madonna
delle Grázie
Corno
Cherubini
236
Crosía
Sant'
Antonio
Marinella
Calopezzati
Marina di Mandatoriccio
Casa
De Gennaro
177
Cásal
11
531
34
Staz.di Pietrapáola
Casa
Vecchiarello
E90
Staz.di Mandatoriccio-
Campana
Cima
Forestale
Paludi
Sant' António
Cròpalati
Casa
Sant'Elia
448
Torre del
Giardino
San Cataldo
M. Scarborato
962
Santa
Maria
C.zo Cipódero
6
Cariati Marina
Cant.
355
12 365
383
Cariati
Santa Maria   Casa
Brunetto
Punta Fiume Nicà
Caloveto
C.zo Vigniti
Torre Policaretto
M.Colonina
542
San Morello
Torre Caríto
Capo
delle Rose
624
108 ter
7
106
Destro
Chiesa
Manco
Puntadura
Pietrapáola
Mandatoriccio
18
Terravécchia
Staz.di Crúcoli
Torretta
1064
18
16
Accquaniti
Sorvito
Casa
Casentino
Palopoli
Casa Cappellieri
Cant.
Pietracutale
M.Serino
948
C.zo Granato
878
Cant.
11
C.zo du Lampo
396
Crúcoli
San Leonardo
Madonna di Manipúglia
Casa
Gallo
Grotte di
Donna Filippa
Cant.
Montagna
Scala
(371) Coeli
Molino
Lauro
LONGOBUCCO
(784)
M.Basilicò
1013
Cant.
13
Crocevia
di San Pietro
Fiera di
Ronza
Serra Ceraso
799   656
Casotto
Pismataro
19
Madonna
di Mare
Punta Alice
Cant.
Sulivranno
Ortiano
Madonna
delle Grázie
CAMPANA
(617)
M.Lelo
529
Serra Sanguigna
418
Cappella
11
Altare
1651
Serra Pomieri
1274
(882)
BOCCHIGLIERO
1026
C.zo Cerzullo
532
Timpa
Melognara
374
Cant.
Malocutrazzo
14
Serra di
Crogna
212
CIRÒ
Casa
San Nicola
Saverona
llopane
M.Sordillo
282
M.Malmare
C.zo Calamacca
Torre
Rindina
M.Ménnola
San
Francesco
Terranova
Madonna
d'Itri
55
Ciliro
Marina
Fossiata   1601
Casa Cervilio
dei Pugliesi
1164
Destro
Piano di Cozzolia
1110
C.zo Sella
614
Cant.
236
Casa la Motta   Casa Sant'Andrea
Vivaio
C.zo Principe   Monte
Pettinascura
1628   1708
Casa
San Salvatore
Serra Toppale
1454
13
Torre
Palleca
Umbriático
M.Mazzagullo
696
M.Pescaldo
590
Casa
Sant'Agostino
Sant'
Anastasia
31
a Ripollata
1682
16
1640
M.Spina
Mezzocampo
(1163)
1001
Ponte dei Pesci
Cant.
Villa Santa Doménica
631
M.Súvaro

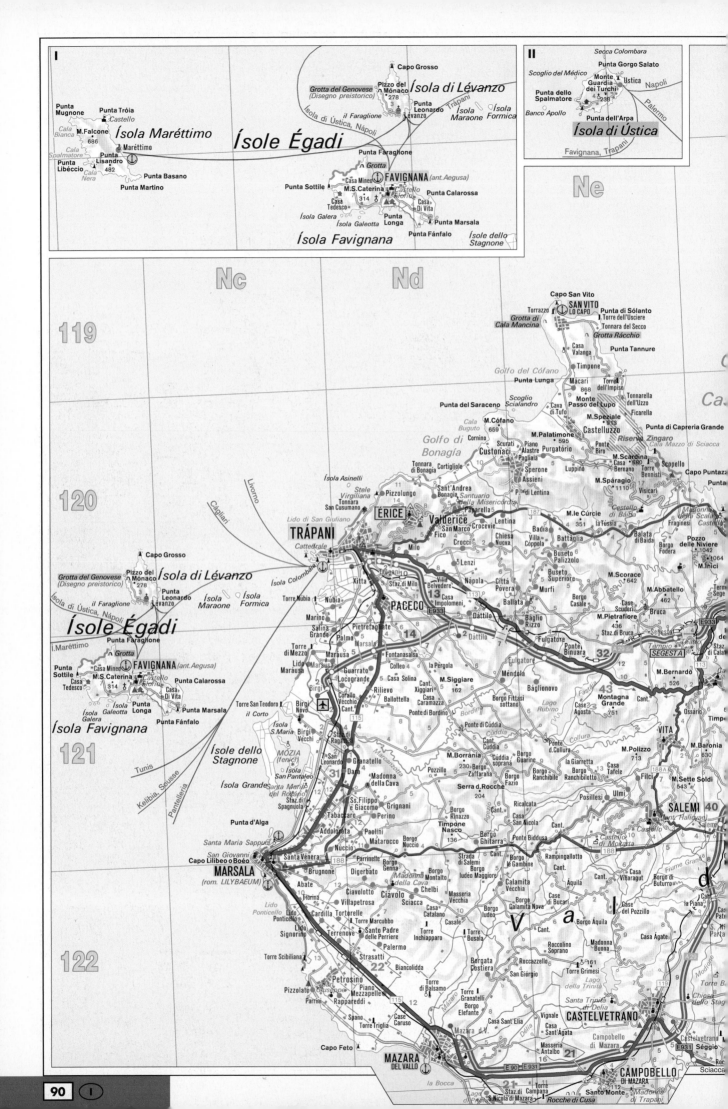

Cágliari
Valéncia
Tunis
Ísola di Ústica
Génova
Livorno
Civitavecchia
Salerno
Nápoli

Golfo di Palermo

Capo Gallo
Torre di Mondello
• 561
M.Gallo
PARTANNA-MONDELLO
Punta di Priola
Punta di Barcarello
Ísola delle Fémmine
Punta del Passággio
P.Matese
Sferracavallo
T.Natale
Tommaso
Natale
Pallavicino
Addaura
Torre del Rótolo
Pizzo Manolfo
Capaci 763
Z.I.N.
S.Lorenzo
Mortillaro
Vérgine María
Arenella
3606
M.Pellegrino
Obelisco
Resuttana
Santa Rosalia
Aeroporto Punta Ráisi
Torre Pozzillo
Torre Muzza
Marina di Cinisi
Carini
M.Castelláccio
PA-V. Belgio
Acquasanta
Punta Ráisi
Aeroporto di Palermo-Punta Ráisi
Villa Grázia di Carini
Fondo Dominici
Susinna
Uditore
Sampolo
Torre Molinazzo
Città del Mare
Cinisi
Villa Guarino
Villa Fanny
(559)
Malaspina
PALERMO
TERRASINI
M.Pecoraro
• 910
Stazione di Carini
Boccadifalco
Zisa
SanÉrasmo
Capo Mongerbino
Torre Mongerbino 1
Capo Zaffe-rano
Torre Alba
58
Madonna del Furi
Montagna Longa
• 986
Torretta (rom. Hykkara)
Passo di Rigano
Romagnolo
Ácqua dei Corsari
SantÉlia
374
Aspra
M.Catalfano
Capo Rama
Torre di Capo Rama
Pzo Cirina
949
Portella Torretta
M.Cúccio
1050
Palermo
Ciaculli
Bandita
Brancaccio
Villabate
Ficarazzi
Santa Flavia
Villa Fassini
M.Palmeto
6 645
M.Saraceno
(615)
Castelláccio
S.Martino d.Scale
Villagrázia di Gesú
Villabate
Portella di Gallo
7
Bagheria
BAGHERIA
Muso di Porco
Zucco-Montelepre Lo Zucco
M.Saraceno
• 964
MONREALE
Molara
Villagrázia
Montagna Grande
• 645
Gibilrossa
Altavilla
Milicia
Altavilla
Milicia
Giardinello
Montelepre
Aquino
Belmonte Mezzagno
(365)
Casteldáccia
CASTELDÁCCIA
M.Porcara • 388
46
Trappeto
Staz.di Zucco-Montelepre
Partinico Nocella
Ságana
M.Gibilmesi
Pioppo
Altofonte
Borgo Greco Malpasso
Villa Ciambra
Madonna dei Póveri
San Fernando
Castello
MISILMERI
(294)
Portella dell'Accia
M.Cicia
622
Balestrate
Borgetto
Santuário del Romitello
Masseria
Damiani
Giacalone
32
Punta della Moarda
1078
Portella del Pianetto
Casale
Casa Chinnici
Case Garófalo
Ponte Murtiddu
Pizzo Neviera
853
M.Corvo
424
Masseria Tráversa
Balestrate
113
PARTINICO
M.Gradara
Ponte di Ságana
1152
Villa Rénda
Madonna di Bosco
PIANA DEGLI ALBANESI
(588)
Pizzo Cervo
846
M.Gulino
945
Fattoria Cáscio
187 E 90
M.Signora
1131
M.Matassaro Renna
1151
Portella della Páglia (797)
la Pizzúta
1333
Acqua di Masi Eleutero
Pizzo Mangiatoriello
619
Masseria Suvarita
ÁMMARE FO
Álcamo Marina
Álcamo Est
Castellammare C.G.
C.Belliemi
Portella Guastella
971
la Chiesa
Masseria la Chiesa
624
Portella Ginestra (855)
Piana degli Albanesi
Santa Cristina Gela
Pizzo Parrino 977
Bolognetta
Baucina
52
S.Antonio
Cannizzo M.della Fiera
San Giuseppe Jato
M.Jato 852
IETUM
Serra della Ginestra
1099
Kumeta
1233
902
Monte Maganoce (856)
M.Leardo 1016
Portella Sant'Ágata
Marineo
118
Portella Rossella Dara
Ponte San Vito
477
Masseria Stallone
Bagni di Cefalá
ÁLCAMO
(arab. Alkamuk)
M.Ferricini
601
SAN CIPIRELLO (394)
Masseria Kaggio
515
Masseria Sant'Ágata
Ponte d'Arcera
12
CEFALÁ DIANA
121
M.Bonifato
825
Pizzo Montelongo
532
Grisi
Masseria Desisa
Masseria Monteaperto
Capo di Piano Campo
Lago della Scanzano
Godrano (693)
Schirò
Villafrati
551
Portella Di Blasi
Fráccia
Masseria Ponte Cafesar Ruano
Balletto
M.Raitano
477
Masseria Arcivocale
Santuário del Rosário
Masseria Lupotto
Bívio Lupo
CAMPOREALE
M.Pietroso
531
Valdibella
Pernice
Ponte Pietralunga
Torre dei Fiori
Masseria Palastanga
Torre Saladino
Masseria Castelláccio
Ficuzza
Santa Bárbara
Ponte la Deputazione
Azienda Forestale
Fóndaco Tavolacci
MEZZOJUSO (534)
Casa Cotrina
Sirignano
M.Castelláccio di Fratácchia
317
Montalbano
Casa 6 Pioppo
Rocche di Rao
672
Pizzo Nicolosi
937
Colonia
1613
Pizzo di Casa
1211
Cozzo della Jarra
439
Giardinello (803)
Masseria Fitalia
Casa Merlo
Casa Scardino
la Montagnola
456
Castelle
M.Galiello
574
Masseria Magione
Rocca Busambra
Masseria Mondello
M.Maranfusa
486
Masseria Trentasalme
Ponte Aráncio
CORLEONE
Cozzo Donna Giácoma
1057
Campofelice di Fitália
Masseria Domenica
Borgo Pietrarenosa
M.Orsino
304
Caltafalsa
Masseria Ravanusa
61
624
Roccamena
Ponte Frattina
Casalottello
Masseria Rubina
17
463
Cozzo San Filippo
Casa Ignone 913
Cozzo Zuccarone
Giardinello (803)
Carcilupo
Caltafalsa
Casa della Pietra
Cozzo di Renelli
326
Madonna delle Vigne
560
M.Giammaria
Masseria Bagnasco
Cant. Carrubba
Valle di Vicari
Masseria Giardo
Case Stallone
Portella della Croce
Valle
Casuzze
Casa Fontana
587
Cresta di Ráia
M.Castellázzo
615
Pizzo di Gallo
644
Rocca d'Entella
493
Lago Garcia
Real Barto
Ponte di Nuciddi
M.Cardella
1266
Cant. Spinosa
Imbriaca
Cozzo di Mónaci 841
745
Case Grandi
Finestrelle
663
M.Porcello
579
Ruderi di Gibillina
Ruderi di Salaparuta
Poggioreale
Cautali Grande
Borgo Roccella
557
Case Nuove
Casa Balatazza
Portella Scorciavacche
Castelláccio
Giardinello
118
Portella Imbriaca (718)
Prizzi
Casa Calandrella
130
M.Pérgola
Castellázzo
420
Salaparuta
Cárruba Nuova
Bagnitelle
Campofiorito
Pizzo Cangialoso
1457
Ráia Striccatore
Lago di Prizzi
PRIZZI (1007)
Colóbria
ARTANNA
Montevago
328
Molino Ferriato
581
Castello Calatamauro
Fondacazzo
Santa Maria del Bosco
Casa Margiotta
M.Triona
Cave S.Vénera
1215
M.Colomba
1197
Madonna del Balzo
Madonna della Scala
Ponte Grande
Cant. Sésio
Casa Troiana
Filaga (902)
M.Cárcaci
Cant. 1196 23
Ricóvero
188
Masseria Carcaci
Casa Russa
Áquila
Convento Madonna delle Grázie
Castello Verraria
la Serra Lunga
Pianeto
M.Genuardo
1179
CONTESSA ENTELLINA
Giuliana
Tórtorici
Lago di Gammauta
28
PALAZZO Adriano
M.d'Indisi
1127
Portella Mola
Casa dell'Olmo
SANTA MARGHERITA DI BÉLICE
Torre Pandolfina
BISACQUINO
CHIUSA SCLÁFANI
386
S.Calógero
1436
M.Rose
1192
Pizzo Cátera
Cozzo Stagnataro
1346
90
118
M.Magaggiaro
399
Portella Misilbes (295)
Lago Arancio
Santa Rosalia
50
Casa Granata
188
34
Oliveto
Lago Pian del Leone
Santo Stéfano
Quisquina
Santuário Santa Rosalia alla Quisquina
SAMBUCA DI SICILIA
San Biágio
Cammauta
Landori
Castello Grista (Scirthaea)
Bivona

M A R E

119

120

Golfo di Términi Imerese

CEFALÙ

Torre Santa Lucia · Torre Caldura · la Caldura · Punta di Finale o di Raisigerbi
Capo Pláia · Settefrati · Torre Conca
Cocuzzola · Cefalù · S.Ambrogio · Finale
Staz. Láscari · E 90 · 113 · Stag
46 · Torre Colonna · Capo Grosso · Láscari · Póllina · 87
Pizzo Selva a Mare · San Nicola l'Arena · Castello · Castelbuono · Luogo Marchese · Pollina (764)
Sant'Onofrio · Artale · Castello di Trabia · Torre Roccella · **CAMPOFELICE DI ROCCELLA** · Osservatorio Geofisico · Casa Nicolizia
874 · Trabia · **TÉRMINI IMERESE** · IMERA · Santuario di Gibilmanna · V a
Pizzo di Leone · Casa Speciale · Agglomerato Industriale 2 · Buonfornello · Case Guarnera · Pizzo Sant'Angelo · Portella di Montenero (304) · Casa Valente 681
1125 · M.Rosamarina · Términi cm · Buonfornello · Buonforn · Sant'Agata · Gratteri · Casa Torretta
1257 · Pizzo d.Trigna · 540 · Castello · Cant. · M.Bovitello · Pizzo Dipilo · Aquiléa 10 · CASTELBUONO (423)
Ponte Saraceno · San Leonardo · Caracoli · 430 · 1385 · Isnello · Madonna Castello · Chiesa Santa Maria
Casa Salerno · M.San Calógero · Staz. di Cerda · Casa San Nicola · del Palmento · M.Milocco · San Guglielmo · Liccia
Ventimiglia di Sicilia (540) · 1326 · Villaurea (la Signora) · **COLLESANO** · Munciarrati · 1223 · Ponte Paratore · Pintorna · Nocilla · Ponte
Case Genovése · **CÁCCAMO** · Santa Maria del Cármine · Casa Miltello · M.d'Oro (468) · Torre Montaspro · Madonie · M.Miccio · 1049
Sant'Isidoro · Sant'Antonio · Casa Fusci · Sciara (210) · il Santo · **CERDA** · Portella di Cáscio (409) · M.Cucullo · Rif. Orestano · Pizzo Zucchi · Antenna Grande · San Giuseppe
CIMINNA · M.Misciotto 740 · Pizzo Bosco · Staz. di Sciara-Aliminusa · Portella di Mare (582) · Parco · 1979 · Pizzo Carbonara 1977 · 1906 · Madonie
San Vito · Serre 777 · Cant. · 692 · Staz. di Cáuso · Casa di Maria · Cammisini · Casa Torretta · d'Inferno · 1794 · Rif. Marini · Piano Battáglia · (1206) · Geraci Sículo
Pizzo Mónaco 745 · Sambuchi · 811 · Aliminusa · 795 · Cant. · Portella di Sette Frati · M.Fanusi · 1475 · V. di S.Nicola · M.Múfara 1786 · Portella Manderini · Pizzo Catarineci 1660
Galía · San Pietro · Casa Guzzo · Staz. di Montemaggiore · 10 · **MONTEMAGGIORE BELSITO** (516) · Granza · Scillato · Scillato 377 · Firrione · M.Dáino · M.San Salvatore · Cant.
S.Giuseppe · VÍCARI (121) 761 · la Montagna · 1145 · M.Roccelito · Casa Cerrito · i Carpinelli · Eremo di San Gandolfo · 1912 · Madonna dell'Alto · PETRALIA SOTTANA · Io Dico
M.S.Angelo · Valle di Lisca · Cant. · Masseria Bagni (813) · Rocca di Sicara 1080 · Madonna della Pietà · Noccuzzi · Grotta del Vecchiuzzo
Roccapalumba · Regalgióffoli · Ponte Agostinello · Scláfani Bagni · **CALTAVUTURO** (635) · Masseria Colla · Lago di Suvari · Polizzi Generosa · Portella Madonnuzza · PETRALIA SOPRANA
Masseria Rócca di Ferro · 936 · Pizzo Conca · 1002 · M.Piombino 947 · Calcarelli · Fasano
La Montagnola · Staz. di Roccapalumba · Portella del Lupo (658) · 25 · 120 · Masseria Balate · M.Fichera 871 · Casa Donna Legge · **Castellana Sicula** · Gioiotti · Raffo
65 · Cozzo San Filippo · Alia · Masseria Terzo di Iuso · la Montagna (966) · Masseria Mandragiumenta · Nero · Pianello · Gúlini · San Giovanni
Pizzo Lanzone 917 · Fattoria Tortoresi · **ÁLIA** (734) · 777 · Serra Tignino 999 · Portella Mangiante (971) · Masseria Gangitani · Blufi · Guarráia · Bompietro · Librizzi
LERCARA FRIDDI · Serra Cavero · Grotte della Gulfa o d.Saraceni · Masseria Rovitello · Pizzo Comune · Ferrarello · Casa Comenna · Locáti
Marcato Bianco · Portella d.Scavo (566) · la Purcheria · Portella Campanaro · Masseria Ceràvolo (903) · Serra di Púccia · Casa Incenso · Madonna del Bungarito
Casa Caruso · Lercara Bassa · Ponte d.Concetta · Fontanamurata · **Valledolmo** · 1081 · 1038 · 1052 · Cozzo Avvoltóio · Balza Falcone · 734
Casa Riena · Magazzinazzo · Masseria Regaleale · 862 · Masseria Nuove Susafa · 64
Cant. Masseria Carcaciotto · Staz. di Mercato Bianco · Regaleale Nuova · Cant. · Masseria Pucciatto · M.Catuso 1042 · Casale Mauro
23 · (564) · Portella Scannata · Borgo Regalmici · la Catena · 121 · Masseria Turrume · Túdia · Masseria Castello · **ALIMENA**
Ponte Morello · Pietre Cadute · Fattoria Gárcia · **Vallelunga Pratameno** (472) · Staz. di Villalba · Resuttano · Villa Casino · Granieri
Case Vécchie · Casa Lombino · Case Perciata · Staz. di Villalba · Masseria Casale · Masseria Castello · Mulino Garrasia
Piano d.Fieravécchia 1081 · Molino Cozzo · Casa Caffarelli · Portella del Morto (833) · Portella di Recattivo · M.Acquasanta 708 · 753
CASTRONUOVO DI SICILIA · Staz. di Castronuovo · Convento Domenicane · Pizzo Ficuzza 781 · Montagnola 730 · **Villalba** (632) · Minimento · Casa della Nicolizia · Cielino · Cozzo d.Dá
68 · Pizzo Lupo · Lago Fanaco 1092 · Staz.di Cammarata-San Giovanni · Casa Sparácia · Casa Marrano · la Grotta del l'auro · 891 · Cozzo Pirtusiddu · Recattivo · M.Chibbò 951 · Case Vécchie · M.Matarazzo 832
Casa Grande · Casa Martinella · **CAMMARATA** · Casa Porello · Bórgo Gallea · Valle Tumarrano · Montagnola 877 · Staz. di Marianópoli · Chibbò Nuovo · Portella Palermo · San Nicola
1578 · **S.GIOVANNI GÉMINI** · M.Cammarata · Valle Grande · Polizzello · 813 · Quattro Finàite · Torre Belici · M.Chibbò · 121

123

E 90 · 113 · A 19 · E 932 · 285 · 189 · 188

I R R E N O

Capo d'Orlando   Scoglio Brolo   Gliáca
Capo   Santuario
d'Orlando   Testa del Mónaco
San   Brolo
Gregorio   Lacco
93
551   Matini
12   Sáuro
NASO
Malvigino   Cagnano   116   Ficarra
Piscittina   Malò   Sant'   Baracche   Martini
Staz.di Zappulla   Rocca di   Sinagra
la Rocca   Capri Leone   Mirto   Castell'   Castell'Umberto
Torrenova   Capri   Umberto   Vécchio
SANT'ÁGATA   Leone   San Salvatore   Pizzo
MILITELLO   San Marco   Frazzano   di Fitália   Corvo
d'Alúnzio   Sfaranda   1077
Acquedolci   Torrecan-   Convento   Pullo
dele   di Pragala   Passo
S.Agata Mil.   Militello   (716)   della Zita
Tiranni   Rosmarino   Galati   TORTORICI
Acquedolci   Mamertino
Iria   (790)
M.S.Fratello   Serra di Furci   Longi   (892)
718   Chiesa   878   (616)
Casa Suvarita   Marina   73   Torre   delle Grázie   Alcara   Portella   Lembo
di Caronia   dell'Acqua   li Fusi   Calcatizzo
Caronia   Organ   Rocche   1282
Pizzo d.   Caronia Nicetta   del Crasto   Pizzo di Ucina
S.STÉFANO   Domenica   15   S.Fratello   1315   Serra di Curuna
Villa Margi   DI CAMASTRA   533   (675)   Eremito   1264
Castèl   Torremuzza   Ponte   S.Benedetto   di San Nicola
di Tusa   Nicoletta   Pizzo Tambulano
Ponte   Pizzo Filio   1191
Nuovo   833   Passo   Case
Madonna   dei Tre   Erbazzo   Case
TUSA   Reitano-   delle Grazie   289   (782)   Mangalaviti
Santa Maria   S.Stefano di C.   Casa   Biviere   Bosco
Motta   (614) di Palati   a Pietra   Cicalda   di Cesarò   di Scavioli
d'Affermo   Santa Croce   Pizzo di Pagano   Casa   Casa
Reitano   di Santo Stefano   860   Casa Zerbetto   Pojo della Cattiva   Serra del Re
Pettineo   Casa   Pizzo di Luminária   Case Mamma   1451   1757   Foresta
M.Trefináidi   Molara   1260   Casa   Casa Mónica   Vecchia
1167   Valle Rubino   Grassetto   Casa Forestale   Trearie
Lago   Parco   dei   Nebrodi   (1310)
Zilio   1847   Bosco Grappida
o Taverna   Pizzo Nido   M.Soro   Case
1027   Cozzo Salomone   1287   1520   Barrila
Castello   1093   Portella   Serra Rigano   Bosco
MISTRETTA   Fémmina Morta   Canalotto
o Vuturu   (983)   Casa   (1524)   Favate   Semantile
1265   Casa   Cant.   Casa   Pizzo del Pezzo
M.Canalicchio   Siracusa   Portella   Atanasio   Guardie   Porticelle
Ponte   Lago   Casa   dell'Obolo   della Miráglia   Rif.   Forestali   Soprane
Botticedda   Quattrocchi   Bruzzolino   (1509)   (1464)   1536   Case   1091   Porticelle
Punta Montagna   Casa   M.Pomiere   M.Pelato   Pizzo   Vitalone   Sottane
1237   Cozzo Bellanti   Leria   1544   1567   Camolato   M a n i a c e
CASTÈL   1149   M.Castelli   Casa   Santa Lucia   Galateo
DI LÚCIO   1347   1567   Portella   Mafauda   Fattoria   Sant'Andrea   Fóndaco
Timpa d'Ariddu   Api   dell'Obolo   Póggio Tornitore   Cazzipoli
Santa   Case Valle   Cant.   1571   Casa Zito   Vigne   Abbazia
lucia   di Frassani   Portella   Casa   di Maniace
Casa Cozzo Nobile   Cant.   Cirasa   Orto Nuceri   Casa   Pizzo d'Intrilleo
Castelli   1313   Casa Pardo   1407   Di Salvo   San
23   Pizzo Scimone   M.Acúto   Casa   Teodoro   Ponte Bolo
Case Montededro   Valle Burgisato   1343   Leanza   Castello   Casa
(1107)   C.Mezzolara   1210   CESARÒ   Santa Bárbara
Colle   Lago di   Casa
del Contrasto   Casa   Ancipa   120   Casa Carabba   Ponte
Passo   Cologno   CAPIZZI   Fiorentini   Molinello
Malopasseto   Cipoluzze   Borgo   Ponte
e   M.d.Grassa   San   M.dell'Annunziata   Giuliano   d. Cantera
(1070)   M.Sambughetti   Pietro   1234   Castello di Bolo
1121   1558   Troina   Serravalle
Chiesa   Portella   M.Timponivoli   Ponte Borgonova   Sant'Nicola
Chianazzo   Masseria   San Martino   1209   Casa
Mónaco   117   (1050)   Cerami   Pacione   BRONTE
M.Capitano   Casa Graffagna   (970)   Serra di Vito
886   M.Vaccarra   1091   Stallone   o di Cagnina
Gangi   Masseria   Pancallo   Mulini   1242   Contrada
120   Cannella   853   Serra   Portella di   di Failla   Masseria   Placa
S.Basile   Grotta   Masseria   di Falco   Nicosia   Casa   Givitti De Luca   la Cartiera
Portelle   Santa   (839)   (990)   Santa Domenica   Masseria   32
Balza di Pezzalunga   Agrippina   Cant.   120   Lercara   San Cristóforo   Valle San Cristóforo   Cappella
1053   Villa   809   M.Fémmina Morta   Casa   807   Padre Ciraldo
Marigo   910   Sollima   Masseria   Pizzo dell' Eremita
Casa   Villa Pidone   TROINA   Casa   Longhitano
Capuano   Sperlinga   Musa   (818)   Fellauto   Masseria
M.Zimmara   (750)   Soprana   Portella   Ferraro   Pietrerosse
1332   Villa   il Loco   di Mónaco   Casa   Case Andronico
Bosco di Sperlinga   Pietralunga   Squillaci   Casa   Sotto di Troina
NICOSIA   1013   Polizzi   17
Pizzo Gallo   (720)   Schino   M.San Pietro   Castello
1162   Masseria   della Croce   760   Casa   di Spanò   Castelluzzo
Serra   Ficilino   542   Marchesini   742
del Vento   Casa   1113   736
1054   la Rosa   M.Sálici   Casa   Ponte
Bordonaro   Borgo   Cant.   Cave   1142   Reccella   Cant.   d.Saraceni
Milletari   Mandre   di Pietra   Casa   Grotta Fumata   Casa
Cácchiamo   M.la Guárdia   Speciale   GAGLIANO   San Nicola Atore   Vitale
Casa Valle   1026   Casa   CASTELFERRATO   Villággio   Casa
Villadoro   dei Giunchi   M.Grosso   Sangiaimo   (651)   Santa Margherita   Giunta   Case Castelli   Cárcadi
(874)   840   926   Galate   Masseria   Ponte del
821   Portella   708   M.Magari   Sparacollo   di Bruca   Maccarone
Cozzo   Creta   Casuto   863   ex Convento   Masseria
Partesina   M.Altesina   Serra del Bosco   Sant' António   Sisto   Aragona
878   1193   M.di Mezzo   764   M.Crapuzza   Casa   121   Masseria
Capra   Case   653   Marletta   Malsalto
Aiello   Trefontane   Lago di   REGALBUTO
Belmonte   NISSORIA   117   Pozzillo   641
Cozzo Mirìo   Agira   56   M.San Giorgio   CENTÚRIPE
764   San   Bannò   670   (824)   M.Savarino   605
Leonforte   Casa Castro Giorgio   121   Renaria
OLO   Assoro   M.Sant'Agata   Serra Lupo   la Rosamarina   Staz.
761   Lago   741   520   Casa   Mandarano
Palazzo Mazzara   Nicoletti   M.Stella   M.Zimbalio   Vallone   Stancanelli   473   Centúripe
Casa   779   632   Casa   M.Pulicara
Commenda   Magazzinazzo   Di Marco
Casa Realmesi   Casa   M.Sarmara   Scardilli   455   Rocca d'Áquila   Filiciosa
Nicoletti   Ricifari   563   Casa
Casa   Staz.di Pirato   Casa Manatà   89
Bastione   121   20   Carrubba   Catenanuòva   Múglia
Santuario   Masseria   419
Buonriposo   CALASCIBETTA   24   Piana Comune   Masseria
Tuttobene

MARE

IÓNIO

San Cipirello

Chiusa Scláfani   Chiusa Scláfani

61   50

M.Magaggiaro 399

Casa Granata
Santa Rosalia

M.Rose 1436
Pizzo Mondello
1245

Torre Mendolia

Portella
Misilbes

34

Oliveto   Castello Grista
(Scirthaea)

Ob

Bivona

Séggio   Valasuso

Rocchetta

Borgo Vecchio

SAMBUCA
DI SICÍLIA

San Biágio

San Carlo

Serra di Biondo
1138

Santa Teresa

Fermata Latomie

Bivona

Serralonga

115d

Parrino

MENFI

M.Arancio

Ponte Carboi

Piana Grande di Misilifurme

Pizzo Telégrafo
950

Valle Favara

Lago Favara

BÚRGIO
(317)

Villafranca
Sícula

M.il Casino
544

Casa Salito

Santuario di Rifesi

SELINUNTE

Templi
Marinella

Casa Pignatelli

Acrópoli

Torrenuova

Porto Palo

Casa Fiore

Casa Bertolino

Piana Piccola di Misilifurme

Casa San Bartolo

Casa Vento

Rocca Ficuzza

Rocca Nadore
599

901

CALTABELLQTTA
(949)   Cattédrale

Casa Perrana

Sant' Anna

Lucca
Sícula   386

(513)

616

Pizzo di Canalicchio

M.San Nicola
646

Casa Cannatello

(390)

M.San Nicola
360

Casa Millaga

Casa Pulliccia di sopra

Casa Pulliccia di sotto

Pozzo Alto
634

Casa Cirrie

Cozzo il Pavone
247

Calamónaci

Casa Antogna

RIBERA   12

265

M.del Jerio

M.Castellúccio

Casa Finóccio   360

Casa Bissana

Fonte d Ammal

Casalinazza

Casa Maragani

Torre Ragana

Cartabubbo
Villa Di Stefano

Villa Quisisana

San Calogero

Casa Vento

Terme   115

SCIACCA

Casa Antogna

M.Sara
434

Casa Lamantia

M.d.Gú   32

123

Case San Marco

Capo San Marco

Torre Verdura

Casa Strasatto

Casa Pertuso

M.Sórcio
520

(180)

CATTÓL
ERACLEA

124

Seccagrande

Bonsignore

Pizzo della Croce   132

M.Ardicola
305

M.d.Lupo   23P

Casa Tortorici

M.S.Giórgio
400

Cant.

ERACLEA MINOA

Pizzo Sant'António   172

Montallegro
(100)

428

M.Gra Vécch
362

M.Sedita

Capo Bianco

Casa Pantano

Sella Omomorto

Torre Salsa

62

Foce Salso

Cant.   12

Siculiana Marina

il Calvario

Casa Acquanova

Punta Secca
Torre di Monterosso

Marsala

22

Alcamo Ovest 42km

Liotta

Spano

Torre Triglia

Case Caruso

Mazara d.V.

Borgo Elefante

Casa Sant'Elia

Vignale

Casa Sant'Ágata

CASTELVETRANO

Torre Mendolia

Capo Feto   123

MAZARA DEL VALLO

E 90 E 931

la Bocca

Masseria Antalbo

Campobello di Mazara

21

Castelvetrano d.Mazara

Séggio

Valasuso
Rocchetta

Santa Teresa

Borgo Vecchio

34

115d

Sciacca

21

Torre Campana

112

Staz. di S.Nícola di Mazara

CAMPOBELLO DI MAZARA

Santo Monte

Madonna di Trapani

Fermata Latomie

Parrino

Serralonga

Lago di Priola

Torre dei Gesuiti

Rocche di Cusa

Baglio Inghàm

Bresciana

Casa Calcara

SELINUNTE

Casa Pignatelli

123

Granítola-Toretta

Baglio Guardiola

Necrópoli Santuario d. Malophoros

Templi

Granítola

Torre   Tre Fontane

Triscina   Acrópoli   Marinella

Porto Palo

125

Capo Granítola

Ísola di Pantelleria

Punta della Croce

Punta Karúscia

PANTELLERIA

San Jacopo

Punta Spadillo

Cúddie Rosse   56 265

M.Sant'Elmo

Santa Chiara   Cittadella

Gadir

Ísola di Linosa

Mursia   i Sesi

Acqua

Punta Fram

Madonna delle Grazie

San Vito

San Francesco

Khamma

Punta Trácino

Trácino

Punta Paranzello

Scogli dei Bovi Marini

Grotta di Sataria

Madonna del Rosário

Montagna Grande
836

M.Vulcano   195

Punta Tre Pietre

Case Achilone

Scáuri

700

M.Gibelé

217

Linosa

Punta Calcarella

Punta del Cortiglio

Casa Bono

Punta di Ferreri

Cúddia Attalora
560

310

Punta Limarsi

Ísola di Lampedusa

Punta Polacca

Balata d.Turchi

126

Ísole Pelágie

Ísola di Lampione
36

Ísola di Lampedusa

Capo Ponente   Albero Sole

133

Capo Grecale

Ísola dei Conigli   LAMPEDUSA

Reserva Naturale

Punta Sottile

Linosa

127

MARE

EDITERRÁNEO

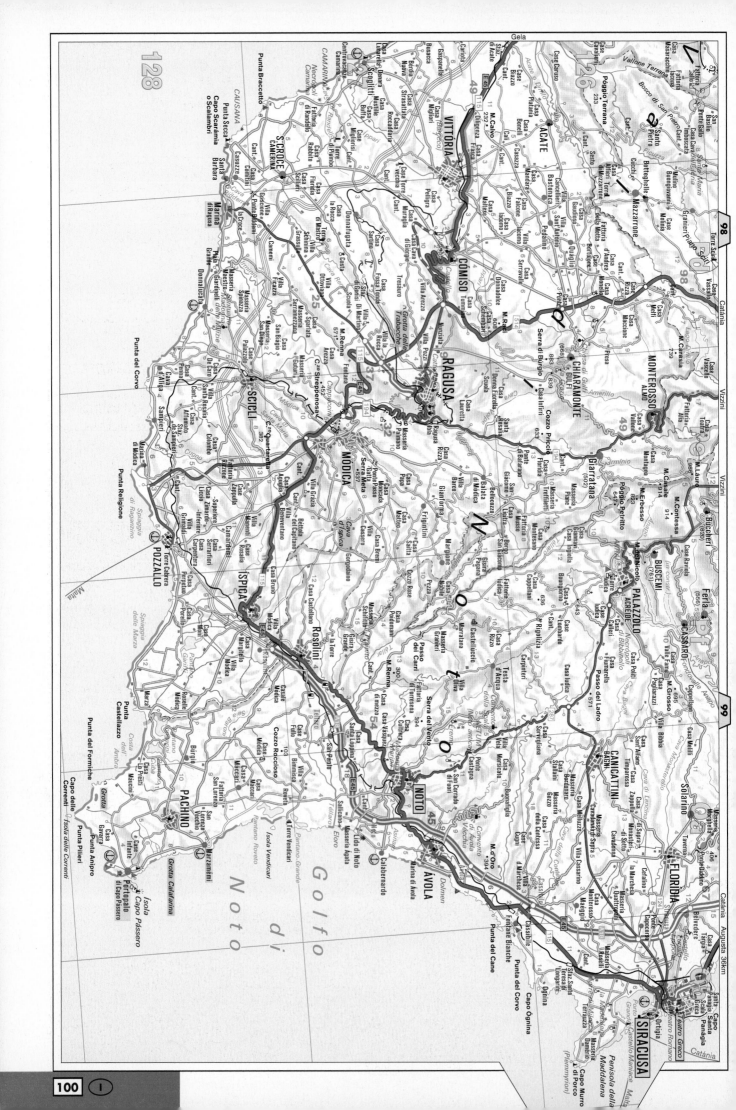

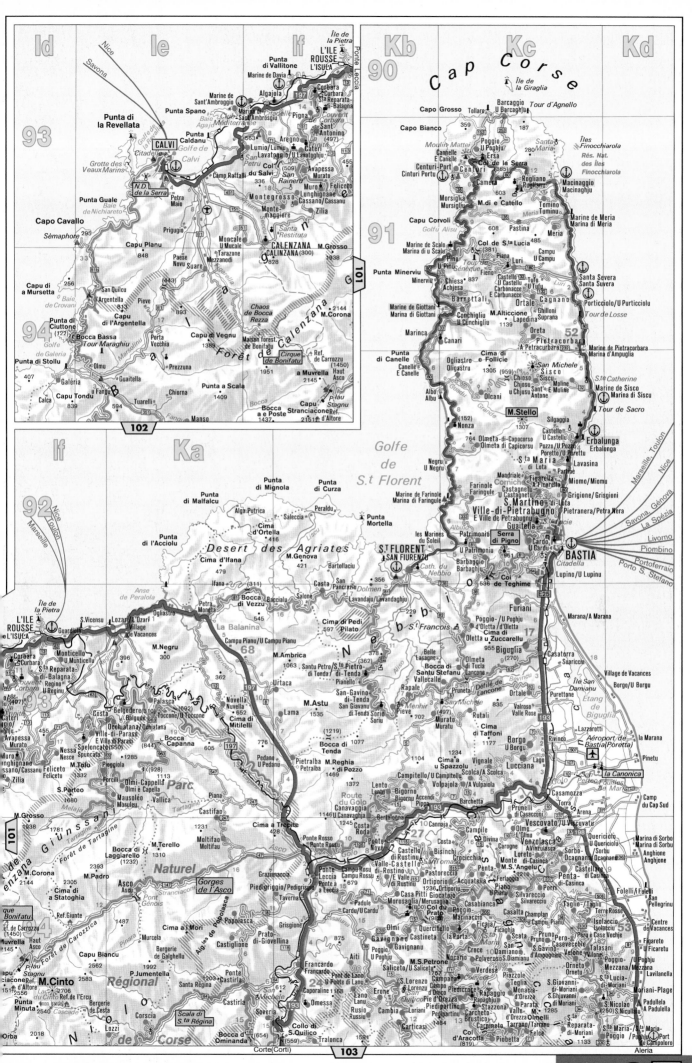

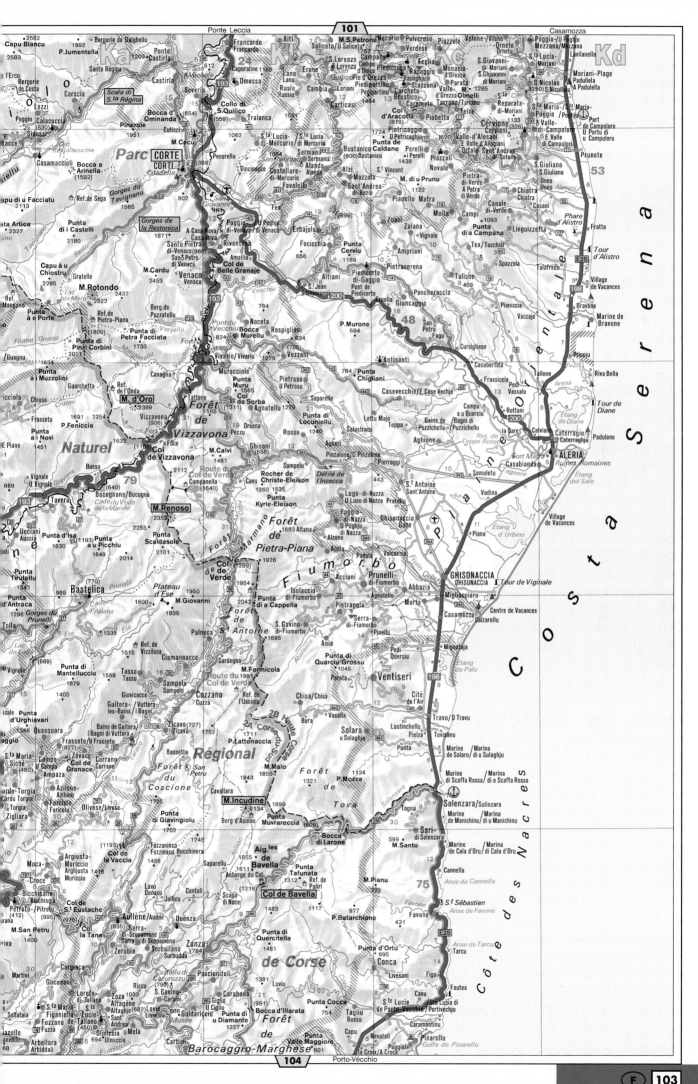

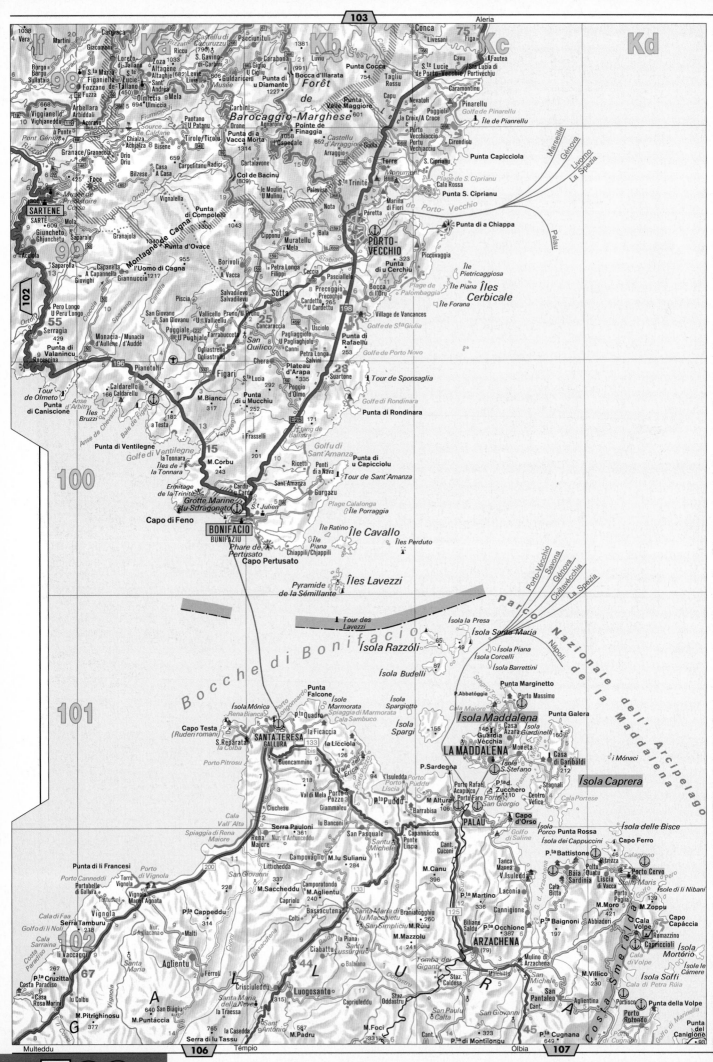

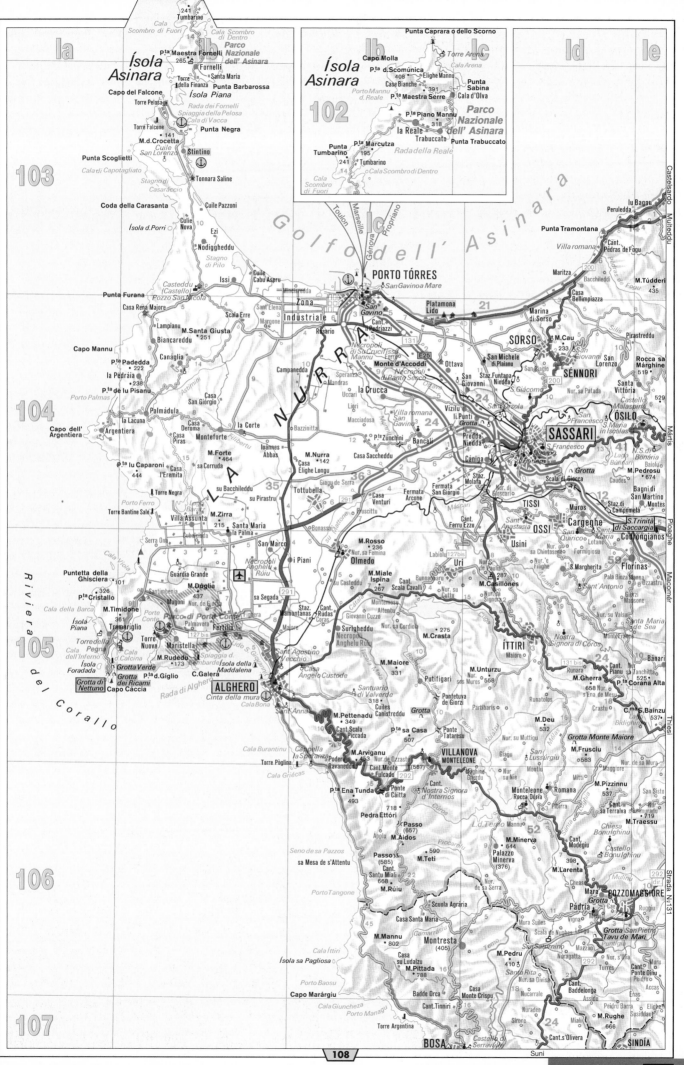

Ísola Asinara (inset)

Punta Caprara o dello Scorno
Capo Molla
P.ta d.Scomúnica
408
Case Bianche
391
Elighe Mannu
Torre Arena
Cala Arena
Punta Sabina
Cala d'Olva
P.ta Maestra Serre
Ísola Asinara
102
Porto Mannu d. Reale
P.ta Piano Mannu
318
la Reale
Trabúccato
Punta Trabúccato
Parco Nazionale dell' Asinara
Rada della Reale
Punta Tumbarino
195
P.ta Marcutza
241
Tumbarino
14
Cala Scombro di Dentro
Cala Scombro di Fuori

Main map

241
Tumbarino
14
Cala Scombro di Fuori
Cala Scombro di Dentro

Parco Nazionale dell' Asinara

Ísola Asinara

P.ta Maestra Fornelli
265
Fornelli
Torre d.della Finanza
Santa Maria
Punta Barbarossa
Capo del Falcone
Ísola Piana
Torre Pelosa
Rada dei Fornelli
Spiaggia della Pelosa
Cala di Vacca
Torre Falcone
Punta Negra
141
M.d.Crocetta
Cuile San Lorenzo
Stintino
Punta Scoglietti
Cala di Capotagliato
Stagno di Casaráccio
Tonnara Saline

103

Coda della Carasanta
Cuile Pazzoni

Culie Nova
10
Ísola d.Porri
Ezi
Nodiggheddu
Stagno di Pilo
Issi
Cuile Cabu Aspru
Punta Furana
Casteddu (Castello) Pozzo San Nicola
Casa Rena Majore
Scala Erre
Sant'Elena
Margone
Lampianu
M.Santa Giusta
251
Biancareddu
Canáglia
Capo Mannu
P.ta Padedda
222
la Pedráia
238
P.ta de lu Pisanu
Porto Palmas
Palmádula
la Lacuna

104

Capo dell' Argentiera
Argentiera
Casa Deroma
Casa Piras
Monteforte
la Corte
Ioannes Ábbas
M.Forte
464
sa Corruda
M.Nurra
142
Casa Élighe Longu
Casa Saccheddu
P.ta Zunchini
Bazzinitta
12
P.ta lu Caparoni
444
Casa l'Eremita
su Bacchileddu
35
Tottubella
su Pirastru
Giagu de Serra
291
Torre Negra
Porto Ferro
M.Zirra
215
Villa Assunta
Santa Maria la Palma
Casa Venturi
36
Torre Bantine Sale
Cuhaclalda
San Marco
i Piani
M.Rosso
236
Nur.sa Femina
Olmedo
Serra Ona
Cala Viola

105

Puntetta della Ghisciera
101
P.ta Cristallo
Cala della Barca
M.Timidone
361
Ísola Piana
Tramariglio
Torredella Pegna
Ísola Foradada
Grotta Verde
Grotta dei Ricami
Grotta di Nettuno
Capo Cáccia
Guárdia Grande
Santimbenia
M.Dóglia
437
Muroni
Nur. de Giorna
Porte Conte
Parco di Porto Conte
Palmavera
Fertília
127 bis
Torre Nuova
Maristella
M.Rudedu
173
P.ta d.Giglio
Spiaggia d.Lambedda
Ísola della Maddalena
C.Galera
Casa Ángelo Custode
Sant'Agostino Vecchio
ALGHERO
Cinta della mura
Cala Bona
Sant'Anna
Rada di Alghero
291
sa Segada
Staz. Mamuntanas
Cant. Rudas Coras
Maiore
Fighera
Nur. de Giorzi
Giovanni Cuzzo
Surigheddu
Necropoli Anghelu Rúiu
su Casteddu
M.Miale Ispina
267
Scala Cavalli
Labiolu
Altentu
Cáfaru
Nur.sa Cuttu

106

Torredella Pegna
M.Pettenadu
349
Cant.Scala Piccada
P.ta sa Casa
Ponte Tataresu
Grotta
Cala Burantinu
Cappella la Speranza
M.Arviganu
463
Nur.de Ozzastru
Cala Griecas
Torre Póglina
Podere Ravaneddu
Cant.Monte Fulcadu
292
(567)
P.ta Ena Tunda
493
Ponte di Cáitta
Cant.
Pedra Ettóri
718
Nostra Signora d'Interrios
Passo (657)
Applu
M.Aidos
Passo (585)
Cant. Santu Miali 668
22
M.Teti
590
M.Rúiu
45
Seno de sa Pazzos
sa Mesa de s'Attentu
Scuola Agrária
Porto Tangone
Casa Santa Maria
Cala Íttiri
Ísola sa Pagliosa
Montresta (405)
M.Mannu
802
Casa su Ludalzu
Porto Baosu
M.Pittada
788
16
Capo Marárgiu
Badde Orca
Cala Giunchea
Porto Managu
Cant.Tinniri
Torre Argentina
Castello di Serraveule
BOSA
Suni

107

Right side

lu Bagnu
Peruledda
Castelsardo
Multeddu
Punta Tramontana
Cant. Pédras de Fogu
Villa romana
Maritza
200
Bacchileddu
M.Túdderi
435
Pirastreddu
Marina di Sorso
Casa Bellimpiazza
SORSO
M.Cau
233
San Giovanni
San Lorenzo
Rocca sa Márghine
519
SÉNNORI
Santa Vittória
529
San Michele di Plaianu
Staz.Funtana Niedda
S.Giácomo
S.Ósula
Castello Malaspina
S.Maria in Íscalas
ÓSILO
N.S.di Bonária
Vizilu
il Punti
Grotta
San Francesco
13
Lago Bunnari
Baiolu
Caudes
M.Pedrosu
674
24
24
Predda Niedda
SASSARI
S.Francesco
S.Donori
Cániga
Grotta
Scala di Giocca
Bagni di San Martino
Montes
Staz.di Campoméla
12
Staz. Molata
Nur. di Gioscari
TISSI
S.Anastasia
Muros
Cargeghe
S.Trinitá di Saccargia
Fermata San Giórgio
Cant. Ferru Ezzu
Máscari
OSSI
San Quírico
Santa Maria
Lotane
Cotrongianos
Usini
Nur.sa Chintoseu
Nur.e Filighe
Formígiou
Florinas
Uri
287
Nur.de Paulis
M.Casillónes
Sant'Antonio
Pala Binza Manna
Giorzi
Massone
Nur.su Valsos
Santa Maria de Sea
Monte Frisca
ÍTTIRI
Maiore
275
M.Crasta
Nostra Signora di Córos
Runatolos
131 bis
24
Runara
Cant.Pianu sa Tanchitta
525
P.ta Corana Alta
M.Gherra
658 Nur. s'Ena de Mesu
Crastu
16
C.ma S.Bainzu
537
M.Unturzu
Nur. sos Muros
558
Putifigari
Pontetuva de Giorzi
Partibaris
Bidighinzu
M.Deu
532
Grotta Monte Maiore
M.Maiore
331
Cuiles Canistreddu
Grotta
Mitti
14
M.Frusciu
Nur. de sa Mura
52
VILLANOVA MONTELEONE
Giagu
San Lussúrgiu
683
Maggiore
M.Pizzinnu
537
San Sisto
Montleli
Montleone Rocca Dória
Romana
Pirbira
Cant. sa Terralva Sannuragu
M.Traessu
Chiesa Bonulghinu
M.Minerva
644
Palazzo Minerva (376)
Cant. Modegiu
Castello Bonulghinu
M.Larenta
398
292
dir.
Cheas
Mara
Mulinu
POZZOMAGGIORE
Pádria
Grotta
Ruggiu
Mura Suiles
Vigna
Scala de Nughes
Grotta San Pietro
Tavu de Mari
Puntigli
Mazzari
M.Pedru
410
Santa Rita
Nur. s'Ufia
Turres
Cant. Ponte Oinu
Peidriu
Accas
Nuragatta
Nuraddei
Nur.e Sironi
Peidri Barra
292
Cant. Baddelonga
Assidu
Élighe Sussídau
M.Rughe
666
Miali
Muru
Cant.s'Olivera
SINDÍA
Strada N°131

Golfo dell' Asinara

Riviera del Corallo

108

LA NURRA

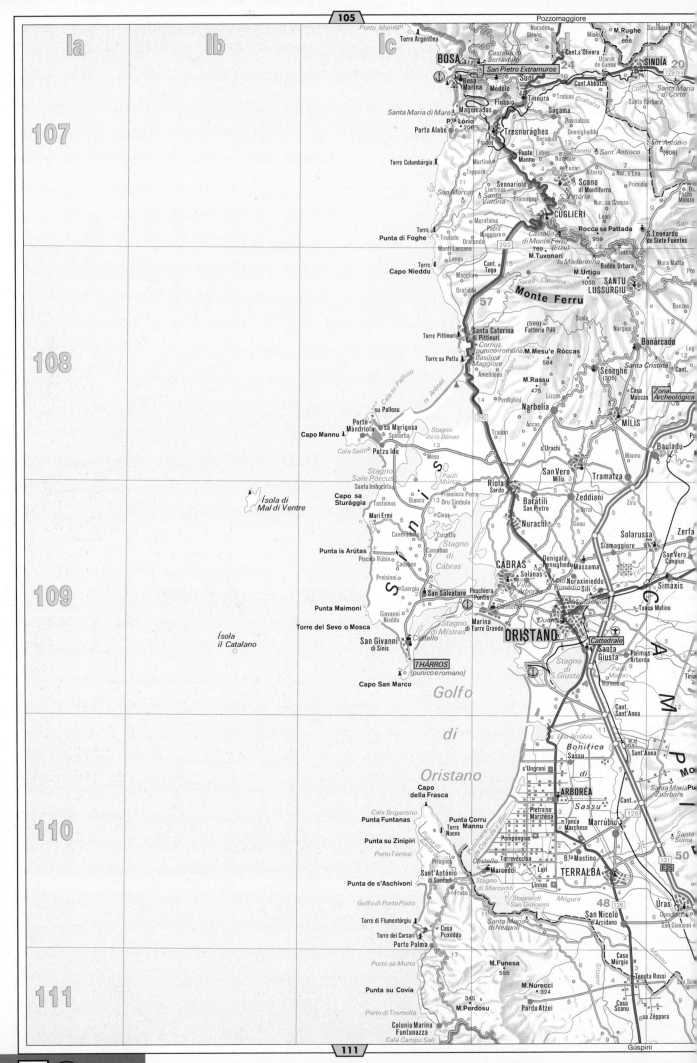

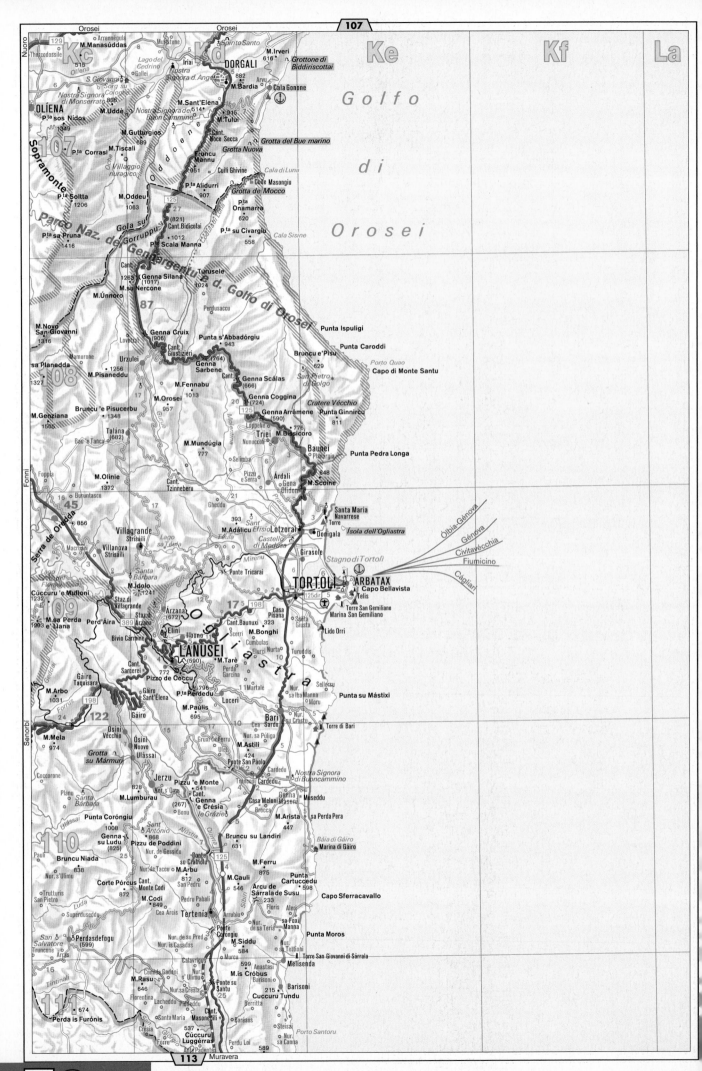

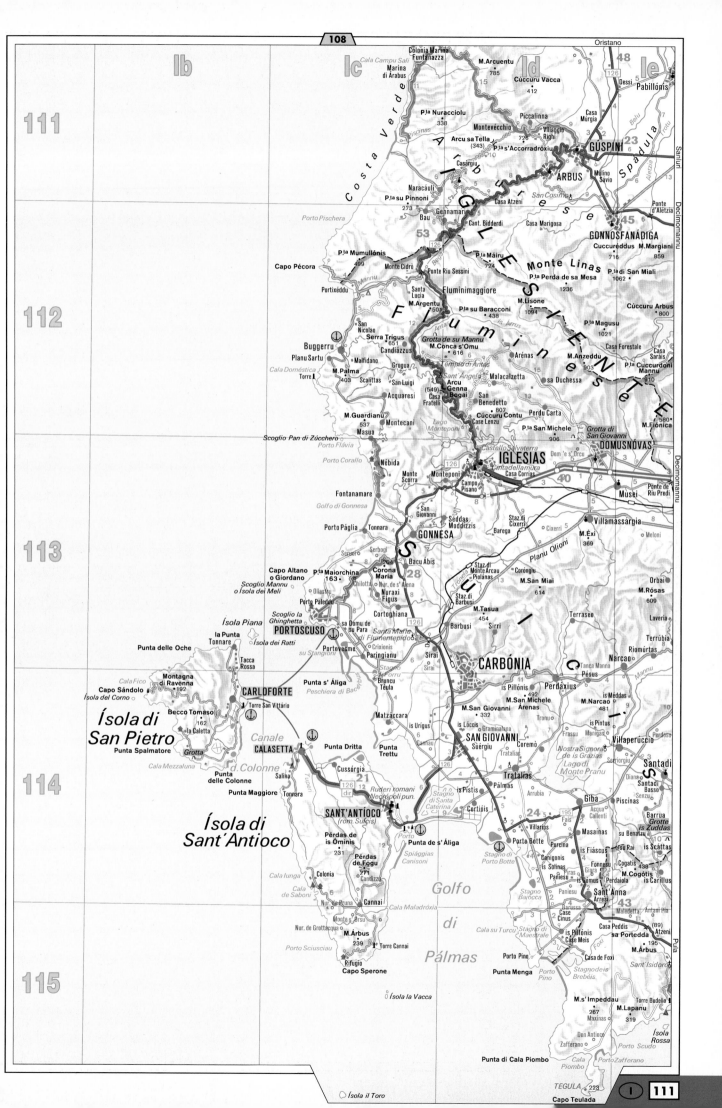

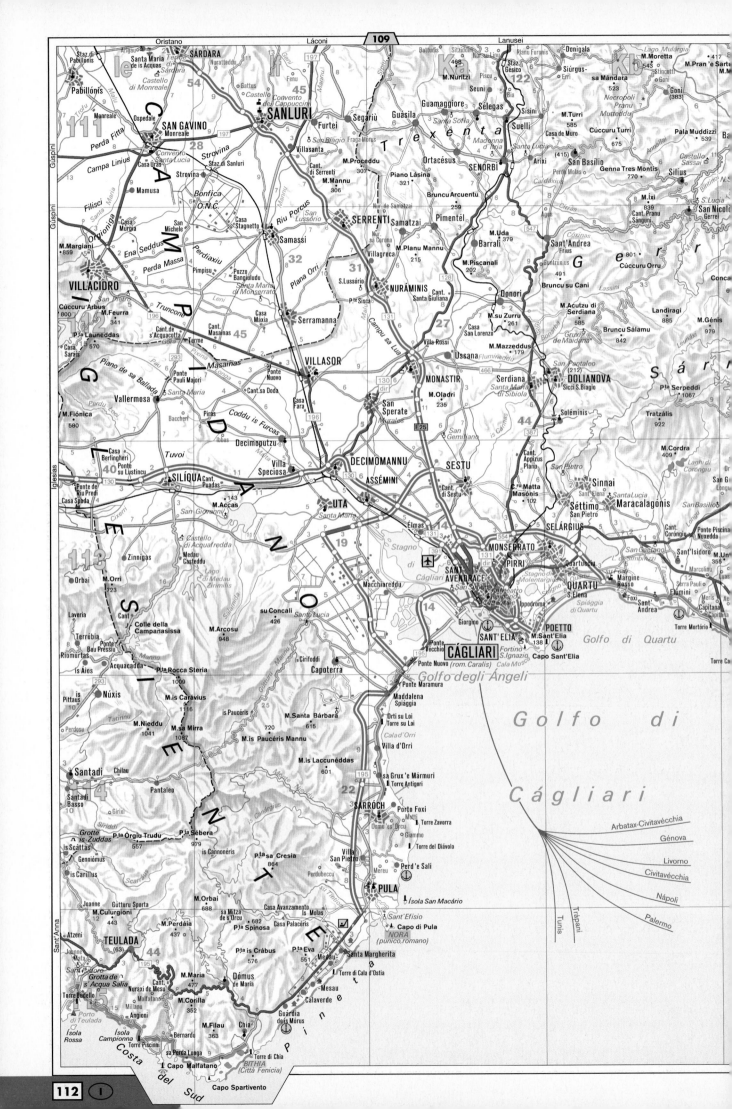

Elenco dei nomi di località · Ortsnamenverzeichnis
Index of place names · Índice de topónimos
Índice dos topónimos · Index des localités
Register van plaatsnamen · Skorowidz miejscowości
Regstřík sídel · Helységnévjegyzek
Stednavnsfortegnelse · Ortnamnsförteckning

50100 ①	Firenze ②	FI ③	46 ④	Mb 86 ⑤

	①	②	③	④	⑤
Ⓘ	N° Codice Postale	Località	Provincia	N° di pagina	Riquadro nel quale si trova il nome
Ⓓ	Postleitzahl	Ortsname	Provinz	Seitenzahl	Suchfeldangabe
ⒼⒷ	Postal code	Place name	Province	Page number	Grid search reference
Ⓔ	Código postal	Topónimo	Provincia	Nro. de página	Coordenadas de la casilla de localización
Ⓟ	Código postal	Topónimo	Província	Nº de página	Coordenadas de localização
Ⓕ	Code postal	Localité	Province	N° de page	Coordonnées
ⓃⓁ	Postcode	Plaatsnaam	Provincie	Paginanummer	Zoekfeld-gegevens
ⓅⓁ	Kod pocztowy	Nazwa miejscowości	Prowincja	Numer strony	Współrzędne skorowidzowe
ⒸⓏ	Poštovní směrovací číslo	Městská jména	Provincie	Čislo strany	Údaje hledacího čtverce
Ⓗ	Itanyitoszám	Helységnév	Tartomány	Oldalszám	Keresőhálózat megadása
ⒹⓀ	Postnummer	Stednavn	Provins	Sidetal	Kvadratangivelse
Ⓢ	Postnummer	Ortnamn	Provins	Sidnummer	Kartrudangivelse

AG	Agrigento	CI	Carbonia-Iglesias	NO	Novara
AL	Alessandria			NU	Nuoro
AN	Ancona	CL	Caltanissetta	OG	Ogliastra
AO	Aosta	CN	Cuneo	OR	Oristano
AP	Ascoli Piceno	CO	Como	OT	Olbia-Tempio
AQ	L'Aquila	CR	Cremona		Pausania
AR	Arezzo	CS	Cosenza	PA	Palermo
AT	Asti	CT	Catania	PC	Piacenza
AV	Avellino	CZ	Catanzaro	PD	Padova
BA	Bari	EN	Enna	PE	Pescara
BG	Bergamo	FE	Ferrara	PG	Perugia
BI	Biella	FG	Foggia	PI	Pisa
BL	Belluno	FI	Firenze	PN	Pordenone
BN	Benevento	FC	Forlì-Cesena	PO	Prato
BO	Bologna	FM	Fermo	PR	Parma
BR	Brindisi	FR	Frosinone	PU	Pesaro e Urbino
BS	Brescia	GE	Genova		
BT	Barletta-Andria-Trani	GO	Gorizia	PT	Pistoia
		GR	Grosseto	PV	Pavia
BZ	Bolzano/Bozen	IM	Imperia	PZ	Potenza
CA	Cagliari	IS	Isernia	RA	Ravenna
CB	Campobasso	KR	Crotone	RC	Reggio di Calabria
CE	Caserta	LC	Lecco		
CH	Chieti	LE	Lecce	RE	Reggio nell'Emilia
		LI	Livorno		
		LO	Lodi	RG	Ragusa
		LT	Latina	RI	Rieti
		LU	Lucca	RM	Roma
		MB	Monza e della Brianza	RN	Rimini
				RO	Rovigo
		MC	Macerata	SA	Salerno
				SI	Siena
				SO	Sondrio
				SP	La Spezia
				SR	Siracusa
				SS	Sassari
				SV	Savona
				TA	Taranto
		MD	Medio Campidano	TE	Teramo
		ME	Messina	TN	Trento
		MI	Milano	TO	Torino
		MN	Mantova	TP	Trapani
		MO	Modena	TR	Terni
		MS	Massa-Carrara	TS	Trieste
		MT	Matera	TV	Treviso
		NA	Napoli	UD	Udine
				VA	Varese
				VB	Verbano-Cusio-Ossola
				VC	Vercelli
				VE	Venezia
				VI	Vicenza
				VR	Verona
		(RSM)	San Marino	VT	Viterbo
		(SCV)	Città del Vaticano	VV	Vibo Valentia

A

35031 Abano Terme **PD** 24 Me 76
26834 Abbadia Cerreto **LO** 21 Kd 77
23821 Abbadia Lariana **LC** 11 Kc 73
53021 Abbadia San Salvatore **SI** 55 Me 91
09071 Abbasanta **OR** 109 Ie 108
65020 Abbatéggio **PE** 63 Pa 95
20081 Abbiategrasso **MI** 20 If 76
51021 Abetone **PT** 45 Ld 84
85010 Abriola **PZ** 78 Qe 105
39036 Abtei = Badia **BZ** 4 Mf 69
97011 Acate **RG** 100 Pc 126
71021 Accadía **FG** 72 Qc 102
12021 Accéglio **CN** 32 Gf 82
75011 Accettura **MT** 79 Ra 106
67020 Acciano **AQ** 63 Oe 95
02011 Accúmoli **RI** 58 Ob 92
85011 Acerenza **PZ** 73 Qf 104
84042 Acerno **SA** 77 Qa 104
80011 Acerra **NA** 70 Pc 103
95020 Aci Bonaccorsi **CT** 94 Qa 123
95021 Aci Castello **CT** 99 Qa 123
95022 Aci Catena **CT** 94 Qa 123
95024 Acireale **CT** 94 Qa 123
95025 Aci Sant'Antonio **CT** 94 Qa 123
62035 Acquacanina **MC** 57 Ob 90
03040 Acquafondata **FR** 70 Of 99
87010 Acquaformosa **CS** 84 Ra 110
25010 Acquafredda **BS** 23 Lc 77
61041 Acqualagna **PU** 52 Ne 87
26020 Acquanegra Cremonese **CR** 36 Kf 78
46011 Acquanegra sul Chiese **MN** 37 Lc 78
01021 Acquapendente **VT** 56 Mf 92
87020 Acquappesa **CS** 84 Qf 112
73040 Acquarica del Capo **LE** 83 Tb 109
89832 Acquaro **VV** 88 Qf 119
63041 Acquasanta Terme **AP** 58 Oc 92
05021 Acquasparta **TR** 57 Nd 92
86030 Acquaviva Collecroce **CB** 64 Pe 97
70021 Acquaviva delle Fonti **BA** 74 Rf 103
86080 Acquaviva d'Isérnia **IS** 63 Pa 99
63030 Acquaviva Picena **AP** 58 Oe 91
93010 Acquaviva Plátani **CL** 97 Oe 123
98070 Acquedolci **ME** 93 Pd 120
15011 Ácqui Terme **AL** 34 Ic 80
87041 Acri **CS** 84 Rc 112
03010 Acuto **FR** 62 Ob 98
70010 Adélfia **BA** 74 Rf 103
95031 Adrano **CT** 93 Pe 122
24060 Adrara San Martino **BG** 22 Kf 74
24060 Adrara San Rocco **BG** 22 Kf 74
45011 Ádria **RO** 39 Na 78
25030 Adro **BS** 22 Kf 75
37010 Affi **VR** 23 Le 75
00021 Affile **RM** 62 Oa 97
80021 Afragola **NA** 70 Pb 103
89030 Africo **RC** 95 Ra 120
29010 Agazzano **PC** 35 Kd 79
80051 Agerola **NA** 76 Pd 105
07020 Ággius **OT** 106 Ka 103
94011 Agira **EN** 93 Pd 122
51031 Agliana **PT** 45 Ma 85
14041 Agliano Terme **AT** 34 Ib 80
10011 Agliè **TO** 19 He 76
07020 Aglientu **OT** 104 Ka 102
35021 Agna **PD** 25 Mf 77
26020 Agnadello **CR** 21 Kd 76
89040 Agnana Cálabra **RC** 89 Rb 119
86081 Agnone **IS** 64 Pc 98
25071 Agnosine **BS** 22 Lc 75
32021 Agordo **BL** 15 Na 71
00020 Agosta **RM** 62 Oa 97
21010 Agra **VA** 10 Ie 72
20041 Agrate Brianza **MB** 21 Kc 75
28010 Agrate-Contúrbia **NO** 20 Id 74
92100 Agrigento **AG** 97 Od 124
84043 Agrópoli **SA** 77 Pf 106
60020 Agugliano **AN** 53 Oc 87
36020 Agugliaro **VI** 24 Md 77
39030 Ahrntal = Valle Aurina **BZ** 63 Oe 95
20040 Aicúrzio **MB** 21 Kc 75
09070 Aidomaggiore **OR** 109 If 107
94010 Aidone **EN** 98 Pc 124
67041 Aielli **AQ** 63 Od 96
87031 Aiello Cálabro **CS** 86 Ra 114
33041 Aiello del Friuli **UD** 17 Oc 73
83020 Aiello del Sábato **AV** 71 Pe 103
87020 Aieta **CS** 83 Qe 109
81010 Ailano **CE** 70 Pb 100
13861 Ailoche **BI** 20 Ib 74
10060 Airasca **TO** 33 Hc 79
82011 Airola **BN** 71 Pd 102
18030 Airole **IM** 41 Hd 85
23881 Airuno **LC** 21 Kc 74
12010 Aisone **CN** 40 Hb 83
38061 Ala **TN** 23 Lf 74
07020 Alà dei Sardi **OT** 106 Kb 105
10070 Ala di Stura **TO** 18 Hb 77
27020 Alagna **PV** 34 If 77
13021 Alagna Valsésia **VC** 9 Hf 73
65020 Alanno **PE** 63 Of 95
32031 Alano di Piave **BL** 15 Mf 73
17021 Alàssio **SV** 41 Ib 84
03011 Alatri **FR** 62 Oc 98
12051 Alba **CN** 33 Ia 80
64011 Alba Adriática **TE** 59 Of 91
09090 Albagiara **OR** 109 If 110
20080 Albairate **MI** 21 If 76
84044 Albanella **SA** 77 Qa 106
85010 Albano di Lucánia **PZ** 79 Ra 105
00041 Albàno Laziale **RM** 61 Ne 98
24061 Albano Sant' Alessandro **BG** 22 Ke 74
13030 Albano Vercellese **VC** 20 Ic 76
27040 Albaredo Arnaboldi **PV** 35 Kb 78
37041 Albaredo d'Adige **VR** 24 Mb 77
23010 Albaredo per San Marco **SO** 11 Kd 72
41030 Albareto **MO** 37 Lf 80
12050 Albaretto della Torre **CN** 33 Ia 81
22031 Albavilla **CO** 21 Kb 74
17031 Albenga **SV** 42 Ib 84
15060 Álbera Lígure **AL** 35 Ka 80
70011 Alberobello **BA** 75 Sb 104
71031 Alberona **FG** 71 Qa 100
22032 Albese con Cassano **CO** 21 Kb 74
36020 Albettone **VI** 24 Md 76
88055 Albi **CZ** 86 Rd 114
38041 Albiano **TN** 14 Mb 72
10010 Albiano d'Ivrea **TO** 19 Hf 76
20042 Albiate **MB** 21 Kb 75
87070 Albidona **CS** 84 Rc 109
35020 Albignásego **PD** 25 Mf 76
42020 Albinea **RE** 37 Ld 81
24021 Albino **BG** 22 Ke 74
22070 Albiolo **CO** 21 If 74
17011 Albisola Superiore **SV** 42 Id 82
17012 Albissola Marina **SV** 42 Id 83
21041 Albizzate **VA** 20 Ie 74
27020 Albonese **PV** 20 Ie 77
23100 Albosàggia **SO** 12 Kf 72
14022 Albugnano **AT** 33 Hf 78
27010 Albuzzano **PV** 21 Kb 77
91011 Àlcamo **TP** 91 Nf 120
98070 Alcara li Fusi **ME** 93 Pe 120
39040 Aldein = Aldino **BZ** 14 Mc 70
38060 Aldeno **TN** 13 Ma 73
39040 Aldino = Aldein **BZ** 14 Mc 70
09091 Áles **OR** 109 Ie 110
15100 Alessándria **AL** 34 Id 79
87070 Alessándria del Carretto **CS** 84 Rc 109
92010 Alessándria della Rocca **AG** 96 Oc 123
73031 Alessano **LE** 83 Tb 109
73011 Alézio **LE** 82 Ta 108
84040 Alfano **SA** 78 Qc 107
67030 Alfedena **AQ** 63 Pa 98
25020 Alfianello **BS** 22 La 77
15021 Alfiano Natta **AL** 34 Ib 78
48011 Alfonsine **RA** 39 Na 81
07041 Alghero **SS** 105 Ib 105
24010 Álgua **BG** 22 Ke 74
39022 Algund = Lagundo **BZ** 3 Ma 68
98020 Alì **ME** 94 Qc 120
90021 Ália **PA** 92 Oe 122
75010 Aliano **MT** 79 Rb 107
15010 Álice Bel Colle **AL** 34 Ic 80
13040 Álice Castello **VC** 19 Ia 76
10010 Álice Superiore **TO** 19 He 76
98050 Alicudi **ME** 88 III
81011 Alife **CE** 70 Pb 101
90020 Alimena **PA** 92 Pa 122
90020 Aliminusa **PA** 92 Oe 121
98021 Alì Terme **ME** 94 Qc 120
09080 Állai **OR** 109 If 109
32022 Alleghe **BL** 15 Na 70
11010 Allein **AO** 18 Hb 74
05011 Allerona **TR** 56 Mf 92
73040 Alliste **LE** 82 Ta 109
00051 Allumiere **RM** 60 Mf 96
15040 Alluvioni Cambiò **AL** 34 Ie 78
24011 Almè **BG** 21 Kd 74
24030 Almenno San Bartolomeo **BG** 21 Kd 74
24031 Almenno San Salvatore **BG** 21 Kd 74
10040 Almese **TO** 32 Hc 78
36045 Alonte **VI** 24 Mc 76
10080 Alpette **TO** 19 Hd 76
10091 Alpignano **TO** 33 Hd 78
29010 Alseno **PC** 36 Kf 79
22040 Alsério **CO** 21 Kb 74
70022 Altamura **BA** 74 Rd 104
17041 Altare **SV** 42 Ic 82
83011 Altavilla Irpina **AV** 71 Pe 102
90010 Altavilla Milicia **PA** 91 Od 120
15041 Altavilla Monferrato **AL** 34 Ic 79
84045 Altavilla Silentina **SA** 77 Qa 105
36077 Altavilla Vicentina **VI** 24 Mc 75
63016 Altidona **FM** 53 Oe 90
87040 Altília **CS** 86 Rb 114
66040 Altino **CH** 64 Pb 96
36070 Altissimo **VI** 24 Mb 75
31030 Altivole **TV** 25 Mf 74
12070 Alto **CN** 41 Hf 84
90030 Altofonte **PA** 91 Ob 120
87042 Altomonte **CS** 84 Ra 110
55011 Altopàscio **LU** 45 Le 86
39040 Altrei = Anterivo **BZ** 14 Mc 71
05020 Alviano **TR** 56 Nb 93
81012 Alvignano **CE** 70 Pb 101
03041 Alvito **FR** 63 Oe 98
24022 Alzano Lombardo **BG** 22 Ke 74
15050 Alzano Scrívia **AL** 34 If 78
22040 Alzate Brianza **CO** 21 Kb 74
84011 Amalfi **SA** 77 Pd 105
63021 Amándola **FM** 58 Oc 91
87032 Amantea **CS** 86 Ra 114
33020 Amaro **UD** 16 Oa 70
88050 Amaroni **CZ** 86 Rc 116
03021 Amaseno **FR** 69 Oc 100
88040 Amato **CZ** 86 Rc 115
02012 Amatrice **RI** 58 Ob 93
24030 Ambívere **BG** 21 Kd 74
38011 Amblar **TN** 14 Ma 70
19031 Améglia **SP** 44 Kf 84
05022 Amèlia **TR** 56 Nc 93
87071 Amendolara **CS** 84 Rd 109
28010 Ameno **NO** 20 Ic 74
82031 Amorosi **BN** 70 Pc 101
33021 Ampezzo **UD** 16 Ne 70
80071 Anacapri **NA** 76 Pb 105
03012 Anagni **FR** 62 Oa 98
64010 Ancarano **TE** 35 Kd 79
60100 Ancona **AN** 53 Od 87
88050 Ándali **CZ** 87 Re 114
38010 Andalo **TN** 13 Lf 72
23014 Andalo Valtellino **SO** 11 Kc 72
10020 Andezeno **TO** 33 Hf 78
17051 Andora **SV** 41 Ia 85
13811 Andorno Micca **BI** 19 Ia 75
73032 Andrano **LE** 82 Tc 109
10010 Andrate **TO** 19 Hf 75
33080 Andrèis **PN** 16 Nd 71
83040 Andretta **AV** 72 Qb 103
70031 Ándria **BT** 73 Rb 101
39010 Andrian = Andriano **BZ** 3 Mb 69
39010 Andriano = Andrian **BZ** 3 Mb 69
07010 Anela **SS** 106 Ka 106
25070 Anfo **BS** 23 Lc 74
21021 Angera **VA** 20 Id 74
52031 Anghiari **AR** 51 Na 87
37050 Angiari **VR** 24 Mb 77
25040 Angolo Terme **BS** 12 La 73
84012 Angri **SA** 76 Pd 104
10060 Angrogna **TO** 32 Hb 79
00061 Anguillara Sabazia **RM** 61 Nb 96
35022 Anguillara Véneta **PD** 39 Mf 78
26021 Annicco **CR** 22 Kf 77
23841 Annone di Brianza **LC** 21 Kc 74
30020 Annone Véneto **VE** 16 Ne 74
89020 Anòia **RC** 89 Ra 118
24051 Antegnate **BG** 22 Ke 76
39040 Anterivo = Altrei **BZ** 14 Mc 71
11020 Antey-Saint-André **AO** 19 Hd 74
00022 Anticoli Corrado **RM** 62 Nf 96
14010 Antignano **AT** 33 Ia 79
98030 Antillo **ME** 94 Qb 121
89040 Antonimina **RC** 89 Ra 119
02013 Antrodoco **RI** 57 Oa 94
28841 Antrona-Schieranco **VB** 9 Ia 72
67030 Anversa degli Abruzzi **AQ** 63 Oe 97
22040 Anzano del Parco **CO** 21 Kb 74
71020 Anzano di Púglia **FG** 72 Qb 102
85010 Anzi **PZ** 79 Qf 105
00042 Ánzio **RM** 68 Nd 100
40011 Anzola dell'Emília **BO** 38 Mb 81
28877 Anzola d'Óssola **VB** 10 Ic 73
11100 Aosta **AO** 18 Hb 74
61042 Apécchio **PU** 51 Nc 87
82021 Apice **BN** 71 Pf 102
62021 Apiro **MC** 52 Oa 88
82030 Apollosa **BN** 71 Pe 102
22070 Appiano Gentile **CO** 21 If 74
39057 Appiano sulla Strada del Vino = Eppan **BZ** 14 Mb 70
62010 Appignano **MC** 53 Oc 88
63031 Appignano del Tronto **AP** 58 Od 91
23031 Aprica **SO** 12 La 72
18035 Apricale **IM** 41 Hd 85
71011 Apricena **FG** 65 Qc 98
87051 Aprigliano **CS** 86 Rc 113
04011 Aprília **LT** 68 Nd 99
84020 Aquara **SA** 78 Qb 106
67100 Áquila, L' **AQ** 58 Oc 94
18020 Áquila di Arróscia **IM** 41 Ia 84
33051 Aquileia **UD** 17 Oc 74
83041 Aquilónia **AV** 72 Qc 103
03031 Aquino **FR** 69 Oe 100
73040 Aradeo **LE** 82 Ta 108
92021 Aragona **AG** 97 Od 124
14020 Aramengo **AT** 33 Ia 78
33090 Arba **PN** 16 Ne 72
09092 Arboréa **OR** 108 Id 110
13031 Arborio **VC** 20 Ic 76
09031 Árbus **MD** 111 Id 111
31030 Arcade **TV** 25 Nb 74
03032 Arce **FR** 69 Od 99
24040 Árcene **BG** 21 Kd 75
60011 Arcévia **AN** 52 Nf 87
66040 Archi **CH** 64 Pc 96
58031 Arcidosso **GR** 55 Md 91
00020 Arcinazzo Romano **RM** 62 Oa 97
21051 Arcisate **VA** 10 If 73
38062 Arco **TN** 13 Lf 73
19021 Árcola **SP** 44 Kf 84
37040 Árcole **VR** 24 Mb 76
20020 Arconate **MI** 20 If 75
20043 Arcore **MB** 21 Kb 75
36057 Arcugnano **VI** 24 Md 76
07010 Árdara **SS** 106 Ie 105
09081 Ardaúli **OR** 109 If 108
00040 Ardea **RM** 68 Nd 99
23011 Ardenno **SO** 11 Kd 71
24020 Ardésio **BG** 12 Kf 73
89031 Ardore **RC** 89 Ra 119
89832 Arena **VV** 89 Rb 117
27040 Arena Po **PV** 35 Kc 78
16011 Arenzano **GE** 42 Ie 82
20020 Arese **MI** 21 Ka 75
52100 Arezzo **AR** 51 Mf 88
22010 Argegno **CO** 11 Ka 73
40050 Argelato **BO** 38 Mc 81
44011 Argenta **FE** 39 Me 81
12010 Argentera **CN** 40 Gf 82
12050 Arguello **CN** 33 Ia 81
88060 Argusto **CZ** 89 Rc 116
66010 Ari **CH** 59 Pb 95
83031 Ariano Irpino **AV** 71 Qa 102
45012 Ariano nel Polésine **RO** 39 Na 79
00040 Aríccia **RM** 61 Ne 98
66030 Arielli **CH** 64 Pb 95
81021 Arienzo **CE** 71 Pd 102
10020 Arignano **TO** 33 Hf 78
08031 Aritzo **NU** 109 Kb 109
28811 Arizzano **VB** 10 Id 73
01010 Arlena di Castro **VT** 56 Me 94
20010 Arluno **MI** 21 If 75
28011 Armeno **NO** 20 Ic 74
85010 Armento **PZ** 79 Ra 107
18026 Armo **IM** 41 Hf 84
09040 Armúngia **CA** 113 Kc 111
11020 Arnad **AO** 19 He 75
03020 Arnara **FR** 69 Oc 99
17032 Arnasco **SV** 41 Ia 84
73010 Arnesano **LE** 82 Ta 106
81030 Arnone, Cancello- **CE** 70 Pa 102
80069 Arola **NA** 76 Pc 105
28891 Àrola **VB** 20 Ic 74
28041 Arona **NO** 20 Id 74
22060 Arósio **CO** 21 Kb 74
82011 Arpáia **BN** 71 Pd 102
82010 Arpaise **BN** 71 Pe 102
03033 Arpino **FR** 63 Od 99
35032 Arquá Petrarca **PD** 24 Me 77
45031 Arqua Polésine **RO** 38 Me 78
63043 Arquata del Tronto **AP** 58 Ob 92
15061 Arquata Scrívia **AL** 34 If 80
35020 Arre **PD** 25 Mf 77
05031 Arrone **TR** 57 Ne 93
21010 Arsago Séprio **VA** 20 Ie 74
32030 Arsiè **BL** 14 Me 73
36011 Arsiero **VI** 24 Mb 74
64031 Arsita **TE** 58 Oe 94
00023 Ársoli **RM** 62 Oa 96
33022 Arta Terme **UD** 6 Oa 70
33011 Artegna **UD** 16 Oa 71
00031 Artena **RM** 62 Nf 98
25040 Artogne **BS** 12 Lb 73
11011 Arvier **AO** 18 Ha 74
07021 Arzachena **OT** 104 Kc 102
24040 Árzago d'Adda **BG** 21 Kd 76
08040 Árzana **NU** 110 Kd 109
80022 Arzano **NA** 70 Pb 103
33098 Árzene **PN** 16 Nf 72
35020 Arzergrande **PD** 25 Na 77
36071 Arzignano **VI** 24 Mb 75
84046 Ascea **SA** 83 Qb 108
53041 Asciano **SI** 50 Md 89
63100 Áscoli Piceno **AP** 58 Od 91
71022 Áscoli Satriano **FG** 72 Qd 101
02020 Ascrea **RI** 62 Oa 95
36012 Asiago **VI** 14 Md 73
36020 Asigliano Véneto **VI** 24 Mc 77
13032 Asigliano Vercellese **VC** 20 Ic 77
07042 Asinara **SS** 105 Ib 102
46041 Asola **MN** 23 Lc 77
31011 Asolo **TV** 15 Mf 74
20090 Assago **MI** 21 Ka 76
09032 Assémini **CA** 112 If 113
06081 Ássisi **PG** 52 Nd 90
22033 Asso **CO** 11 Kb 73
09080 Ássolo **OR** 109 If 110
94010 Ássoro **EN** 93 Pc 123
14100 Asti **AT** 34 Ib 79
09080 Asuni **OR** 109 If 109
67030 Ateleta **AQ** 63 Pb 97
85020 Atella **PZ** 72 Qd 103
84030 Átena Lucana **SA** 78 Qd 106
66041 Atessa **CH** 64 Pc 96
03042 Atina **FR** 63 Oe 99
84010 Atrani **SA** 77 Pd 105
64032 Atri **TE** 59 Of 93
83042 Atripalda **AV** 71 Pf 103
05012 Attigliano **TR** 56 Nb 93
33040 Attimis **UD** 16 Ob 71
08030 Atzara **NU** 109 Ka 109
61020 Auditore **PU** 48 Nd 86
39040 Auer = Ora **BZ** 14 Mb 70
96011 Augusta **SR** 99 Qb 125
84031 Auletta **SA** 78 Qc 105
54011 Aulla **MS** 44 Kf 83
28812 Aurano **VB** 10 Id 72
18021 Aurigo **IM** 41 Hf 85
34013 Aurisina, Duíno- **TS** 17 Oe 74
32041 Auronzo di Cadore **BL** 5 Nc 69
03040 Ausonia **FR** 69 Oe 100
08030 Aústis **NU** 109 Ka 108
16030 Avegno **GE** 43 Ka 82
39010 Avelengo = Hafling **BZ** 3 Mb 69
83021 Avella **AV** 71 Pd 103
83100 Avellino **AV** 71 Pe 103
24010 Averara **BG** 11 Kd 73
81031 Aversa **CE** 70 Pb 103
74020 Avetrana **TA** 81 Se 106
67051 Avezzano **AQ** 62 Oc 96
33081 Aviano **PN** 15 Nd 72
24020 Aviático **BG** 22 Ke 74
10051 Avigliana **TO** 32 Hc 78
85021 Avigliano **PZ** 78 Qe 104
05020 Avigliano Umbro **TR** 56 Nc 93
38063 Ávio **TN** 23 Lf 74
11010 Avise **AO** 18 Ha 74
96012 Ávola **SR** 99 Qa 127
15050 Avolasca **AL** 35 If 80
11020 Ayas **AO** 19 He 74
11010 Aymavilles **AO** 18 Hb 74
10010 Azéglio **TO** 19 Hf 76
26010 Azzanello **CR** 22 Kf 77
14030 Azzano d'Asti **AT** 34 Ib 79
33082 Azzano Decimo **PN** 16 Ne 73
25020 Azzano Mella **BS** 22 La 76
24052 Azzano San Paolo **BG** 22 Ke 75
21022 Azzate **VA** 20 Ie 74
21030 Ázzio **VA** 10 Ie 73
24020 Azzone **BG** 12 La 73

B

28861 Baceno **VB** 10 Ib 71
80070 Bácoli **NA** 76 Pa 104
18010 Badalucco **IM** 41 Hf 85
07030 Badesi **OT** 106 If 103
39036 Badia = Abtei **BZ** 4 Mf 69
37030 Badia Calavena **VR** 24 Ma 75
27010 Badia Pavese **PV** 35 Kc 78
45021 Badia Polésine **RO** 38 Mc 78
52032 Badia Tedalda **AR** 51 Nb 86
88060 Badolato **CZ** 89 Rd 117
89060 Bagaladi **RC** 95 Qe 120
90011 Bagheria **PA** 91 Od 120
48012 Bagnacavallo **RA** 47 Mf 82
89011 Bagnara Cálabra **RC** 88 Qe 119
48010 Bagnara di Romagna **RA** 47 Me 82
27050 Bagnária **PV** 35 Ka 80
33050 Bagnária Arsa **UD** 16 Ob 73
12071 Bagnasco **CN** 41 Ia 83
24060 Bagnática **BG** 22 Ke 74
55022 Bagni di Lucca **LU** 45 Ld 84
50012 Bagno a Rìpoli **FI** 50 Mc 86
47021 Bagno di Romagna **FC** 47 Mf 85
86091 Bagnoli del Trigno **IS** 64 Pc 98
35023 Bagnoli di Sopra **PD** 25 Mf 77
83043 Bagnoli Irpino **AV** 77 Qa 103
42011 Bagnolo in Piano **RE** 37 Le 80
26010 Bagnolo Cremasco **CR** 21 Kd 76
73020 Bagnolo del Salento **LE** 82 Tc 108
45022 Bagnolo di Po **RO** 38 Mc 78
25021 Bagnolo Mella **BS** 22 Lb 76
12031 Bagnolo Piemonte **CN** 32 Hb 80
46031 Bagnolo San Vito **MN** 37 Lf 78
54021 Bagnone **MS** 44 La 83
01022 Bagnorégio **VT** 56 Na 93
53027 Bagno Vignoni **SI** 55 Md 90
25072 Bagolino **BS** 13 Lc 74
81010 Báia e Latina **CE** 70 Pb 101
83022 Baiano **AV** 71 Pd 103
18031 Baiardo **IM** 41 He 85
10010 Báiro **TO** 19 He 76
42031 Baiso **RE** 37 Ld 82
10070 Balangero **TO** 19 Hd 77
14011 Baldichieri d'Asti **AT** 33 Ia 79
10080 Baldissero Canavese **TO** 19 He 76
12040 Baldissero d'Alba **CN** 33 Hf 80
10020 Baldissero Torinese **TO** 33 He 78
90041 Balestrate **PA** 91 Nf 120
17020 Balestrino **SV** 41 Ia 84
23811 Ballábio **LC** 11 Kc 73
09040 Ballao **CA** 112 Kc 111
10070 Balme **TO** 18 Hb 77
13020 Balmúccia **VC** 19 Ia 74
13040 Balocco **VC** 20 Ib 76
67052 Balsorano **AQ** 63 Od 98
85050 Balvano **PZ** 78 Qd 105
15031 Balzola **AL** 18 Hb 75
07040 Bánari **SS** 105 Ie 105
10010 Banchette **TO** 19 Hf 76
28871 Bánnio Anzino **VB** 9 Ia 73
85010 Banzi **PZ** 73 Ra 103
35030 Baone **PD** 24 Me 77
09090 Barádili **OR** 109 If 110

Abano Terme – Barádili (I) 115

85050 Baragiano **PZ** 78 Qd 104
86011 Baranello **CB** 71 Pd 99
80070 Barano d'Ìschia **NA** 76 Of 104
20021 Baranzate **MI** 21 Ka 75
21020 Barasso **VA** 10 Ie 73
09070 Barátili San Pietro **OR** 108 Id 109
10070 Barbania **TO** 19 Hd 77
60010 Bárbara **AN** 52 Oa 87
01010 Barbarano Romano **VT** 60 Na 95
36021 Barbarano Vicentino **VI** 24 Md 76
12050 Barbaresco **CN** 33 Ia 80
25030 Barbariga **BS** 22 La 76
24040 Barbata **BG** 22 Ke 76
50031 Barberino di Mugello **FI** 46 Mb 84
50021 Barberino Val d'Elsa **FI** 50 Mb 87
39040 Barbian = Barbiano **BZ** 4 Md 69
27041 Barbianello **PV** 35 Kb 78
39040 Barbiano = Barbian **BZ** 4 Md 69
35040 Barbona **PD** 38 Me 78
98051 Barcellona Pozzo di Gotto **ME** 94 Qb 120
61040 Barchi **PU** 52 Nf 87
33080 Bàrcis **PN** 15 Nd 71
11020 Bard **AO** 19 He 75
21020 Bardello **VA** 10 Ie 73
43032 Bardi **PR** 36 Ke 81
17057 Bardineto **SV** 41 Ia 83
37011 Bardolino **VR** 23 Le 75
10052 Bardonècchia **TO** 32 Ge 78
20010 Baréggio **MI** 21 Ka 76
28010 Barengo **NO** 20 Id 75
09090 Baressa **OR** 109 If 110
67010 Barete **AQ** 58 Ob 94
55051 Barga **LU** 45 Lc 84
16021 Bargagli **GE** 43 Ka 82
12032 Barge **CN** 32 Hb 80
25070 Barghe **BS** 23 Lc 74
70100 Bari **BA** 74 Rf 102
24050 Bariano **BG** 22 Ke 75
40052 Baricella **BO** 38 Md 81
85022 Barile **PZ** 72 Qe 103
08042 Bari Sardo **OG** 110 Kd 109
67021 Barisciano **AQ** 58 Od 95
20030 Barlassina **MB** 21 Ka 75
70051 Barletta **BT** 73 Rb 101
22030 Barni **CO** 11 Kb 73
12060 Barolo **CN** 33 Hf 81
10010 Barone Canavese **TO** 19 Hf 77
84081 Baronissi **SA** 77 Pe 104
94012 Barrafranca **EN** 98 Pb 124
09040 Barrali **CA** 112 Ka 112
67030 Barrea **AQ** 63 Of 98
45020 Baruchella **RO** 38 Mc 78
09021 Barúmini **MD** 109 Ka 110
23890 Barzago **LC** 21 Kb 74
24030 Barzana **BG** 21 Kd 74
23891 Barzanò **LC** 21 Kb 74
23816 Bárzio **LC** 11 Kc 73
15060 Basaluzzo **AL** 34 Ie 80
27010 Bascapè **PV** 21 Kb 77
05023 Baschi **TR** 56 Nb 92
64030 Basciano **TE** 58 Oe 93
38042 Baselga di Pinè **TN** 14 Mb 72
82020 Basélice **BN** 71 Pf 100
20060 Basiano **MI** 21 Kc 75
98060 Basicò **ME** 94 Qa 120
20080 Basíglio **MI** 21 Kb 76
33031 Basiliano **UD** 16 Oa 72
01030 Bassano in Teverina **VT** 56 Nb 94
25020 Bassano Bresciano **BS** 22 La 77
36061 Bassano del Grappa **VI** 24 Me 74
01030 Bassano Romano **VT** 61 Nb 95
04010 Bassiano **LT** 68 Oa 99
15042 Bassignana **AL** 34 Ie 78
12060 Bastia Mondovì **CN** 41 Hf 82
06083 Bastia Umbra **PG** 52 Nd 90
27050 Bastida de' Dossi **PV** 35 If 78
27050 Bastida Pancarana **PV** 35 Ka 78
41030 Bastiglia **MO** 37 Lf 80
35041 Battáglia Terme **PD** 24 Me 77
12070 Battifollo **CN** 41 Ia 83
84091 Battipaglia **SA** 77 Pf 105
27020 Battuda **PV** 21 Ka 77
90020 Baucina **PA** 91 Od 121
09070 Bauladu **OR** 108 Ie 108
08040 Baunei **NU** 110 Ke 108
28831 Baveno **VB** 10 Ic 73
40053 Bazzano **BO** 38 Ma 81
21039 Bèdero Valcúvia **VA** 10 Ie 73
25081 Bedizzole **BS** 23 Lc 75
38043 Bedollo **TN** 14 Mb 71
43041 Bedónia **PR** 36 Kd 81
24030 Bedulita **BG** 21 Kd 74
28813 Bée **VB** 10 Id 73
10092 Beinasco **TO** 33 Hd 78
12081 Beinette **CN** 41 Hd 82
88050 Belcastro **CZ** 87 Re 114
37050 Belfiore **VR** 16 Ne 74
61026 Belforte all'Isauro **PU** 51 Nc 86
62020 Belforte del Chienti **MC** 53 Ob 89
15070 Belforte Monferrato **AL** 34 Id 81
27011 Belgioioso **PV** 35 Kb 78
28832 Belgirate **VB** 10 Id 73
85051 Bella **PZ** 78 Qd 104
88046 Bella **CZ** 86 Rb 115
22021 Bellágio **CO** 11 Kb 73
23822 Bellano **LC** 11 Kb 72
64020 Bellante **TE** 58 Oe 92
47814 Bellária-Igèa Marina **RN** 47 Nc 84
00030 Bellegra **RM** 62 Oa 97
12020 Bellino **CN** 32 Ha 81
20060 Bellinzago Lombardo **MI** 21 Kc 75
28043 Bellinzago Novarese **NO** 20 Id 75
84092 Bellizzi **SA** 77 Pf 105
81041 Bellona **CE** 70 Pb 102
84020 Bellosguardo **SA** 78 Qb 106
32100 Belluno **BL** 15 Nb 72
20040 Bellusco **MB** 21 Kc 75
02020 Belmonte in Sabina **RI** 62 Nf 95
87033 Belmonte Cálabro **CS** 86 Ra 114
03040 Belmonte Castello **FR** 69 Oe 99
86080 Belmonte del Sánnio **IS** 64 Pc 98
90031 Belmonte Mezzagno **PA** 91 Oc 120
63020 Belmonte Piceno **AP** 53 Od 90
95032 Belpasso **CT** 94 Pf 123
87030 Belsito **CS** 86 Rb 113
88824 Belvedere di Spinello **KR** 87 Rf 113
12060 Belvedere Langhe **CN** 33 Hf 81
87021 Belvedere Maríttimo **CS** 83 Qf 111
60030 Belvedere Ostrense **AN** 52 Oa 87
14047 Belvéglio **AT** 34 Ib 80
08030 Belvì **NU** 109 Kb 109
23010 Bema **SO** 11 Kd 72
22010 Bene Lário **CO** 11 Kb 72
89030 Benestare **RC** 89 Ra 119
07010 Benetutti **SS** 106 Kb 106
12041 Bene Vagienna **CN** 33 Hf 81
12050 Benevello **CN** 33 Ia 81
82100 Benevento **BN** 71 Pe 102
13871 Benna **BI** 19 Ia 75
40010 Bentivóglio **BO** 38 Mc 81
24030 Berbenno **BG** 21 Kd 74
23010 Berbenno di Valtellina **SO** 12 Ke 71
43042 Berceto **PR** 36 Kf 81
07022 Berchidda **OT** 106 Kb 104
22070 Beregazzo con Figliaro **CO** 21 If 74
27021 Bereguardo **PV** 21 Ka 77
15022 Bergamasco **AL** 34 Ic 79
24100 Bérgamo **BG** 22 Kd 74
45032 Bergantino **RO** 38 Mb 78
17028 Bergeggi **SV** 42 Ic 83
12074 Bérgolo **CN** 33 Ib 81
25030 Berlingo **BS** 22 La 75
75012 Bernalda **MT** 80 Re 106
20044 Bernaréggio **MB** 21 Kc 75
22070 Bernate **CO** 21 Ka 74
20010 Bernate Ticino **MI** 20 Ie 76
12010 Bernezzo **CN** 40 Hc 82
44033 Berra **FE** 38 Mf 79
38085 Bersone **TN** 13 Ld 73
47032 Bertinoro **FC** 47 Na 84
33032 Bertiolo **UD** 16 Oa 73
26821 Bertónico **LO** 22 Ke 77
14020 Berzano di San Pietro **AT** 33 Hf 78
15050 Berzano di Tortona **AL** 35 If 79
25040 Berzo Demo **BS** 12 Lb 72
25040 Berzo Inferiore **BS** 12 Lb 73
24060 Berzo San Fermo **BG** 22 Kf 74
20045 Besana in Brianza **MB** 21 Kb 74
21050 Besano **VA** 10 If 73
20080 Besate **MI** 21 If 77
38060 Besenello **TN** 13 Ma 73
29010 Besenzone **PC** 36 Kf 79
21010 Besnate **VA** 20 Ie 74
21023 Besozzo **VA** 10 Id 73
07040 Bessude **SS** 106 Ie 105
29021 Béttola **PC** 35 Kd 80
06084 Bettona **PG** 56 Nc 90
28851 Béura-Cardezza **VB** 10 Ib 72
06031 Bevagna **PG** 57 Nd 91
19020 Beverino **SP** 44 Ke 83
37040 Bevilacqua **VR** 24 Mc 77
38060 Bezzecca **TN** 13 Le 73
95033 Biancavilla **CT** 94 Pf 122
87050 Bianchi **CS** 86 Rc 114
89032 Bianco **RC** 89 Ra 120
28061 Biandrate **NO** 20 Ic 76
21024 Biandronno **VA** 20 Ie 74
24060 Bianzano **BG** 22 Kf 74
13041 Bianzè **VC** 19 Ia 77
23030 Bianzone **SO** 12 La 71
20046 Biassono **MB** 21 Kb 75
42021 Bibbiano **RE** 37 Lc 81
52011 Bibbiena **AR** 51 Me 86
57020 Bibbona **LI** 49 Ld 89
10060 Bibiana **TO** 32 Hb 80
71032 Bíccari **FG** 72 Qb 100
33050 Bicinicco **UD** 16 Ob 73
09080 Bidonì **OR** 109 If 108
13900 Biella **BI** 19 Ia 75
25040 Bienno **BS** 12 Lb 73
38050 Bieno **TN** 14 Md 72
56031 Bièntina **PI** 49 Ld 86
46030 Bigarello **MN** 23 Lf 77
22070 Binago **CO** 21 If 74
26030 Binanuova, Gabbioneta- **CR** 22 La 77
20082 Binasco **MI** 21 Ka 77
70020 Binetto **BA** 74 Re 102
13841 Bióglio **BI** 19 Ia 75
11010 Bionaz **AO** 8 Hc 73
25070 Bione **BS** 22 Lb 74
08010 Birori **NU** 109 Ie 107
83044 Bisáccia **AV** 72 Qc 102
90032 Bisacquino **PA** 91 Ob 122
70052 Biscéglie **BT** 73 Rd 101
67050 Bisegna **AQ** 63 Oe 97
64033 Bisenti **TE** 58 Oe 93
87043 Bisignano **CS** 84 Rb 111
27010 Bissone, Santa Cristina- **PV** 35 Kc 78
15012 Bistagno **AL** 34 Ic 80
21050 Bisùschio **VA** 10 If 73
70020 Bitetto **BA** 74 Re 102
70032 Bitonto **BA** 74 Re 102
70020 Bitritto **BA** 74 Re 102
08021 Bitti **NU** 107 Kc 106
92010 Bivona **AG** 96 Oc 123
89040 Bivongi **RC** 89 Rc 118
22020 Bizzarone **CO** 21 If 74
38071 Bleggio Inferiore **TN** 13 Lf 72
38071 Bleggio Superiore **TN** 13 Le 72
24012 Blello **BG** 11 Kd 73
01010 Blera **VT** 60 Na 95
22028 Blessagno **CO** 11 Ka 73
22020 Blévio **CO** 11 Ka 73
90020 Blufi **PA** 92 Pa 122
35040 Boara Pisani **PD** 38 Me 78
25041 Boario Terme, Darfo- **BS** 12 Lb 73
29022 Bóbbio **PC** 35 Kc 80
10060 Bòbbio Pellice **TO** 32 Ha 80
28010 Boca **NO** 20 Ic 74
87060 Bocchigliero **CS** 85 Re 112
13022 Boccioleto **VC** 19 Ia 74
38080 Bocenago **TN** 13 Le 72
21020 Bódio-Lomnago **VA** 20 Ie 74
26811 Boffalora d'Adda **LO** 21 Kd 76
20010 Boffalora Sopra Ticino **MI** 20 Ie 76
16031 Bogliasco **GE** 43 Ka 82
28842 Bognanco **VB** 10 Ib 72
28010 Bogogno **NO** 20 Id 75
17054 Boissano **SV** 42 Ib 84
86021 Bojano **CB** 70 Pc 100
19020 Bolano **SP** 44 Kf 83
38079 Bolbeno **TN** 13 Le 72
24060 Bólgare **BG** 22 Ke 75
20021 Bollate **MI** 21 Ka 75
10012 Bollengo **TO** 19 Hf 76
40100 Bologna **BO** 38 Mc 81
65020 Bolognano **PE** 63 Of 95
90030 Bolognetta **PA** 91 Oc 121
62035 Bolognola **MC** 58 Ob 91
08011 Bolótana **NU** 106 If 107
01023 Bolsena **VT** 56 Mf 93
24040 Boltiere **BG** 21 Kd 75
39100 Bolzano = Bozen **BZ** 4 Mc 69
28010 Bolzano Novarese **NO** 20 Ic 74
36050 Bolzano Vicentino **VI** 24 Md 75
01020 Bomarzo **VT** 56 Nb 94
66042 Bomba **CH** 64 Pc 96
93010 Bompensiere **CL** 97 Oe 123
90020 Bompietro **PA** 92 Pa 122
41030 Bomporto **MO** 37 Ma 80
09070 Bonárcado **OR** 108 Id 108
19011 Bonassola **SP** 43 Kd 83
24040 Bonate Sopra **BG** 21 Kd 74
24040 Bonate Sotto **BG** 21 Kd 74
37040 Bonavigo **VR** 24 Mb 77
44012 Bondeno **FE** 38 Mc 79
46020 Bondeno **MN** 38 Mc 79
38081 Bondo **TN** 13 Le 72
38080 Bondone **TN** 23 Ld 74
82013 Bonea **BN** 71 Pd 102
86041 Bonefro **CB** 65 Pf 98
26040 Bonemerse **CR** 36 La 78
87020 Bonifati **CS** 83 Qf 111
83032 Bonito **AV** 71 Qa 102
07043 Bonnánaro **SS** 106 Ie 105
07011 Bono **SS** 106 Ka 106
07012 Bonorva **SS** 106 Ie 106
12060 Bonvicino **CN** 33 Ia 81
02010 Borbona **RI** 57 Oa 93
32040 Borca di Cadore **BL** 15 Nb 70
33010 Bordano **UD** 16 Oa 71
18012 Bordighera **IM** 41 Hd 86
26020 Bordolano **CR** 22 Kf 77
43030 Bore **PR** 36 Ke 80
42022 Boretto **RE** 37 Ld 79
27040 Borgarello **PV** 21 Ka 77
10071 Borgaro Torinese **TO** 33 Hd 78
90042 Borgetto **PA** 91 Oa 120
18020 Borghetto d'Arroscia **IM** 41 Hf 84
15060 Borghetto di Borbera **AL** 35 If 80
19020 Borghetto di Vara **SP** 44 Ke 83
26812 Borghetto Lodigiano **LO** 21 Kd 77
17052 Borghetto Santo Spírito **SV** 42 Ib 84
47030 Borghi **FC** 47 Nc 84
88021 Bórgia **CZ** 86 Rc 116
10080 Borgiallo **TO** 19 Hd 76
17022 Bórgio-Verezzi **SV** 42 Ib 83
55023 Borgo a Mozzano **LU** 45 Ld 85
13040 Borgo d'Ale **VC** 19 Ia 76
24060 Borgo di Terzo **BG** 22 Kf 74
46030 Borgoforte **MN** 37 Le 78
10013 Borgofranco d'Ivrea **TO** 19 Hf 75
46020 Borgofranco sul Po **MN** 38 Mb 78
28071 Borgolavezzaro **NO** 20 Ie 77
12050 Borgomale **CN** 33 Ia 81
28021 Borgomanero **NO** 20 Ic 74
18021 Borgomaro **IM** 41 Hf 85
10031 Borgomasino **TO** 19 Hf 76
10050 Borgone Susa **TO** 32 Hb 78
29011 Borgonovo Val Tidone **PC** 35 Kc 78
61040 Borgo Pace **PU** 51 Nb 87
27040 Borgo Priolo **PV** 35 Ka 79
15013 Borgoratto Alessandrino **AL** 34 Id 79
27040 Borgoratto Mormorolo **PV** 35 Kb 79
35010 Borgoricco **PD** 25 Mf 75
02021 Borgorose **RI** 62 Ob 95
12011 Borgo San Dalmazzo **CN** 41 Hc 83
25022 Borgo San Giacomo **BS** 22 Kf 76
26851 Borgo San Giovanni **LO** 21 Kc 77
50032 Borgo San Lorenzo **FI** 46 Mc 85
15032 Borgo San Martino **AL** 34 Id 78
27020 Borgo San Siro **PV** 20 If 77
25010 Borgosatollo **BS** 22 Lb 76
13011 Borgosésia **VC** 20 Ib 74
28040 Borgo Ticino **NO** 20 Id 74
40021 Borgo Tossignano **BO** 46 Md 83
43043 Borgo Val di Taro **PR** 36 Ke 82
38051 Borgo Valsugana **TN** 14 Mc 72
02010 Borgo Velino **RI** 57 Oa 94
13012 Borgo Vercelli **VC** 20 Ic 76
17045 Bórmida **SV** 42 Ib 82
23032 Bòrmio **SO** 2 Lc 70
20060 Bornago **MI** 21 Kc 75
27010 Bornasco **PV** 21 Kb 77
25042 Borno **BS** 12 Lb 73
09080 Boroneddu **OR** 109 If 108
08016 Bórore **NU** 109 Ie 107
66040 Borrello **CH** 64 Pb 97
13872 Borriana **BI** 19 Ia 75
31030 Borso del Grappa **TV** 14 Me 74
08012 Bortigali **NU** 109 Ie 107
07030 Bortigiádas **OT** 106 Ka 103
07040 Borutta **SS** 106 Ie 105
16041 Borzonasca **GE** 43 Kc 82
08013 Bosa **NU** 108 Ic 107
45033 Bosaro **RO** 38 Me 79
37040 Boschi Sant'Anna **VR** 24 Mc 77
37021 Bosco Chiesanuova **VR** 23 Ma 75
15062 Bosco Marengo **AL** 34 Ie 80
10080 Bosconero **TO** 19 He 77
80041 Boscoreale **NA** 76 Pc 104
80042 Boscotrecase **NA** 76 Pc 104
38049 Bosentino **TN** 14 Mb 73
12050 Bósia **CN** 33 Ia 81
15060 Bósio **AL** 34 Ie 81
23842 Bosísio Parini **LC** 21 Kb 74
27040 Bosnasco **PV** 35 Kc 78
24060 Bóssico **BG** 12 La 73
12060 Bossolasco **CN** 33 Ia 81
88070 Botricello **CZ** 87 Rf 115
73020 Botrugno **LE** 82 Tb 108
24040 Bottanuco **BG** 21 Kd 75
27042 Bottarone, Bressana- **PV** 35 Ka 78
25082 Botticino **BS** 22 Lb 75
07010 Bóttidda **SS** 106 Ka 106
89033 Bova **RC** 95 Qf 120
89030 Bovalino **RC** 89 Rb 120
89035 Bova Marina **RC** 95 Qf 121
25061 Bóvegno **BS** 22 Lb 74
12012 Bóves **CN** 41 Hd 83
25073 Bovezzo **BS** 22 Lb 75
03022 Boville Érnica **FR** 62 Oc 99
71023 Bovino **FG** 72 Qc 101
20030 Bovísio-Masciago **MB** 21 Ka 75
35024 Bovolenta **PD** 25 Mf 77
37051 Bovolone **VR** 24 Ma 77
39100 Bozen = Bolzano **BZ** 4 Mc 69
15040 Bózzole **AL** 34 Id 78
46012 Bozzolo **MN** 37 Lc 78
12042 Bra **CN** 33 Hf 80
24010 Bracca **BG** 22 Ke 74
00062 Bracciano **RM** 61 Nb 96
84082 Bracigliano **SA** 77 Pe 104
39030 Bràies = Prags **BZ** 5 Na 68
27050 Brallo di Pregola **PV** 35 Kb 80
89036 Brancaleone **RC** 95 Ra 121
25030 Brandíco **BS** 22 La 76
10032 Brandizzo **TO** 19 Hf 77
24010 Branzi **BG** 12 Ke 72
39051 Branzoll = Bronzolo **BZ** 14 Mb 70
25040 Braone **BS** 12 Lc 73
21020 Brébbia **VA** 20 Id 74
31030 Breda di Piave **TV** 25 Nc 74
21020 Brégano **VA** 20 Ie 74
36042 Breganze **VI** 24 Md 74
22070 Bregnano **CO** 21 Ka 74
38081 Breguzzo **TN** 13 Le 72
13020 Bréia **VC** 20 Ib 74
24041 Brembate **BG** 21 Kd 75
24030 Brembate di sopra **BG** 21 Kd 74
24012 Brembilla **BG** 21 Kd 74
26822 Brémbio **LO** 21 Kd 77
27020 Breme **PV** 34 Id 78
36040 Brendola **VI** 24 Mc 76
22040 Brenna **CO** 21 Kb 74
39041 Brenner = Brennero **BZ** 4 Mc 67
39041 Brennero = Brenner **BZ** 4 Mc 67
25043 Breno **BS** 12 Lb 73
21030 Brenta **VA** 10 Ie 73
37020 Brentino Belluno **VR** 23 Lf 75
38060 Brentónico **TN** 13 Lf 74
37010 Brenzone **VR** 23 Le 74
42041 Brescello **RE** 37 Ld 79
25100 Brescia **BS** 22 Lb 75
38020 Brèsimo **TN** 13 Lf 70
27042 Bressana-Bottarone **PV** 35 Ka 78
39042 Bressanone = Brixen **BZ** 4 Md 68
36050 Bressanvido **VI** 24 Md 75
20091 Bresso **MI** 21 Kb 75
11021 Breuil-Cervinia **AO** 9 Hd 73
38021 Brez **TN** 13 Ma 70
21010 Brezzo di Bedero **VA** 10 Ie 73
12080 Briáglia **CN** 41 Hf 82
89817 Briático **VV** 86 Ra 116
10060 Bricheràsio **TO** 32 Hb 80
22010 Brienno **CO** 11 Ka 73
85050 Brienza **PZ** 78 Qd 106
18025 Briga Alta **IM** 41 He 84
28010 Briga Novarese **NO** 20 Ic 74
15050 Brignano-Frascata **AL** 35 Ka 80
24053 Brignano Gera d'Adda **BG** 22 Kd 75
72100 Bríndisi **BR** 81 Sf 105
85010 Bríndisi Montagna **PZ** 79 Qf 105
21030 Brínzio **VA** 10 Ie 73
28072 Briona **NO** 20 Ic 75
25060 Brione **BS** 22 La 75
38083 Brione **TN** 13 Ld 73
20040 Briosco **MB** 21 Kb 74
48013 Brisighella **RA** 46 Me 83
21030 Brissago Valtravaglia **VA** 10 Ie 73
11020 Brissogne **AO** 18 Hc 74
65010 Brittoli **PE** 63 Of 95
23883 Brívio **LC** 21 Kc 74
39042 Brixen = Bressanone **BZ** 4 Md 68
03030 Broccostella **FR** 63 Od 98
36070 Brogliano **VI** 24 Mc 75
89822 Brognaturo **VV** 89 Rb 117
98061 Brolo **ME** 93 Pe 119
12030 Brondello **CN** 32 Hc 81
27043 Broni **PV** 35 Kb 78
95034 Bronte **CT** 94 Pe 122
39051 Bronzolo = Branzoll **BZ** 14 Mb 70
12020 Brossasco **CN** 32 Hc 81
10080 Brosso **TO** 19 He 76
28833 Brovello-Carpugnino **VB** 10 Id 73
10020 Brózolo **TO** 33 Ia 78
20047 Brughério **MB** 21 Kb 75
35020 Brúgine **PD** 25 Mf 77
19020 Brugnato **SP** 44 Ke 83
33070 Brugnera **PN** 16 Nd 73
10090 Bruino **TO** 33 Hc 78
24037 Brumano **BG** 11 Kc 73
22034 Brunate **CO** 21 Ka 74
39031 Bruneck = Brunico **BZ** 4 Mf 68
21020 Brunello **VA** 20 Ie 74
39031 Brunico = Bruneck **BZ** 4 Mf 68
14046 Bruno **AT** 34 Ic 80
24060 Brusaporto **BG** 22 Ke 74
10020 Brusasco **TO** 33 Ia 78
80031 Brusciano **NA** 70 Pc 103
21050 Brusimpiano **VA** 10 If 73
13862 Brusnengo **BI** 20 Ib 75
11022 Brusson **AO** 19 He 74
10050 Bruzolo **TO** 32 Hb 78
89030 Bruzzano Zeffírio **RC** 95 Ra 120
20080 Bubbiano **MI** 21 Ka 77
14051 Búbbio **AT** 34 Ib 80
96010 Buccheri **SR** 100 Pe 126
66011 Bucchiánico **CH** 59 Pb 95
82010 Bucciano **BN** 71 Pd 102
20090 Buccinasco **MI** 21 Ka 76
84021 Buccino **SA** 78 Qc 105
52021 Búcine **AR** 50 Md 88
07020 Buddusò **OT** 106 Kb 105
33070 Budóia **PN** 15 Nd 72
08020 Budoni **OT** 107 Ke 104
40054 Búdrio **BO** 38 Md 81
09010 Buggerru **CI** 111 Ic 112
51011 Buggiano **PT** 45 Le 85
23010 Búglio in Monte **SO** 12 Kd 71
67030 Bugnara **AQ** 63 Of 96
21020 Buguggiate **VA** 20 Ie 74
33030 Búia **UD** 16 Oa 71
23892 Bulciago **LC** 21 Kb 74
22070 Bulgarograsso **CO** 21 Ka 74
07010 Bultei **SS** 106 Ka 106
07030 Bulzi **SS** 106 If 103
84032 Buonabitácolo **SA** 78 Qd 107
82020 Buonalbergo **BN** 71 Pf 101
53022 Buonconvento **SI** 50 Mc 90
87020 Buonvicino **CS** 83 Qf 110
20040 Burago di Mólgora **MB** 21 Kc 75
30012 Burano **VE** 25 Nc 76
09040 Burcei **CA** 112 Kc 112
92010 Búrgio **AG** 96 Ob 123
07010 Búrgos **SS** 106 If 106
39014 Burgstall = Pòstal **BZ** 3 Mb 69
10060 Buriasco **TO** 32 Hc 79
10010 Burolo **TO** 19 Hf 76
13040 Buronzo **VC** 20 Ib 76
09082 Busachi **OR** 109 If 108
16012 Busalla **GE** 35 If 81

116 (I) Baragiano – Busalla

26041 Casalmaggiore **CR** 37 Lc 79
26831 Casalmaiocco **LO** 21 Kc 76
26020 Casalmorano **CR** 22 Kf 77
46040 Casalmoro **MN** 23 Lc 77
15052 Casalnoceto **AL** 35 If 79
80013 Casalnuovo di Nápoli **NA** 70 Pc 103
71033 Casalnuovo Monterotaro **FG** 65 Qa 99
46040 Casaloldo **MN** 23 Lc 77
26841 Casalpusterlengo **LO** 22 Kd 77
46040 Casalromano **MN** 22 Lc 77
35020 Casalserugo **PD** 25 Mf 77
81030 Casaluce **CE** 70 Pb 102
71030 Casalvécchio di Púglia **FG** 65 Qa 99
98032 Casalvécchio Sículo **ME** 94 Qb 121
84040 Casal Velino **SA** 77 Qa 107
03034 Casalvieri **FR** 63 Oe 99
28060 Casalvolone **NO** 20 Ic 76
21030 Casalzuigno **VA** 10 Ie 73
80032 Casamarciano **NA** 71 Pd 103
70010 Casamássima **BA** 74 Rf 103
80074 Casamicciola Terme **NA** 76 Of 104
80025 Casandrino **NA** 70 Pb 103
13030 Casanova Elvo **VC** 20 Ib 76
17033 Casanova Lerrone **SV** 41 Ia 84
27041 Casanova Lonati **PV** 35 Kb 78
00010 Casape **RM** 62 Nf 97
81030 Casapesenna **CE** 70 Pa 103
13823 Casapinta **BI** 20 Ib 75
02030 Casaprota **RI** 61 Ne 95
81020 Casapulla **CE** 70 Pb 102
73042 Casarano **LE** 82 Ta 108
96016 Casarano **SR** 99 Qa 125
23831 Casargo **LC** 11 Kc 72
20080 Casarile **MI** 21 Ka 77
33072 Casarsa della Delizia **PN** 16 Nf 73
16030 Casarza Lígure **GE** 43 Kc 83
15050 Casasco **AL** 35 Ka 80
22022 Casasco d'Intelvi **CO** 11 Ka 73
23880 Casatenovo **LC** 21 Kb 74
27040 Casatisma **PV** 35 Ka 78
80020 Casavatore **NA** 76 Pb 103
24060 Casazza **BG** 22 Kf 74
06043 Càscia **PG** 57 Oa 92
21020 Casciago **VA** 20 Ie 74
56034 Casciana Terme **PI** 49 Ld 87
56021 Cáscina **PI** 49 Ld 86
10010 Cascinette d'Ivrea **TO** 19 Hf 76
27050 Casei Gerola **PV** 35 If 79
10040 Caselette **TO** 33 Hc 78
16015 Casella **GE** 35 If 81
84030 Caselle in Pittari **SA** 78 Qd 107
26842 Caselle Landi **LO** 36 Ke 78
26853 Caselle Lurani **LO** 21 Kc 77
10072 Caselle Torinese **TO** 19 Hd 77
81100 Caserta **CE** 70 Pc 102
31030 Casier **TV** 25 Nb 75
89030 Casignana **RC** 89 Ra 120
42034 Casina **RE** 37 Lc 81
24040 Casirate d'Adda **BG** 21 Kd 76
22030 Caslino d'Erba **CO** 11 Kb 73
22070 Casnate con Bernate **CO** 21 Ka 74
24020 Casnigo **BG** 22 Kf 74
54014 Cásola in Lunigiana **MS** 44 Lb 83
80050 Casola di Napoli **NA** 76 Pd 104
48010 Càsola Valsènio **RA** 46 Md 83
87050 Casole Brúzio **CS** 86 Rb 113
53031 Càsole d'Elsa **SI** 49 Ma 88
66043 Càsoli **CH** 64 Pb 96
64030 Cásoli **TE** 59 Of 93
27022 Casorate Primo **PV** 21 Ka 77
21011 Casorate Sempione **VA** 20 Ie 74
20010 Casorezzo **MI** 20 If 75
80026 Casória **NA** 76 Pb 103
14032 Casorzo **AT** 34 Ib 78
02041 Caspéria **RI** 61 Ne 95
23020 Caspòggio **SO** 12 Kf 71
10040 Cassa, La **TO** 19 Hd 77
33010 Cassacco **UD** 16 Ob 71
23893 Cassago Brianza **LC** 21 Kb 74
87011 Cassano allo Jònio **CS** 84 Rb 110
20062 Cassano d'Adda **MI** 21 Kd 75
70020 Cassano delle Murge **BA** 74 Re 103
83040 Cassano Irpino **AV** 71 Qa 103
21012 Cassano Magnago **VA** 20 If 74
15063 Cassano Spinola **AL** 34 If 80
21030 Cassano Valcùvia **VA** 10 Ie 73
96010 Cássaro **SR** 99 Pf 126
24010 Cassíglio **BG** 11 Kd 73
20060 Cassina de'Pecchi **MI** 21 Kc 75
22070 Cassina Rizzardi **CO** 21 Ka 74
14050 Cassinasco **AT** 34 Ib 80
23814 Cassina Valsassina **LC** 11 Kc 73
15016 Cassine **AL** 34 Id 80
15070 Cassinelle **AL** 34 Id 81
20081 Cassinetta di Lugagnano **MI** 20 If 76
03043 Cassino **FR** 70 Of 100
33080 Casso **PN** 15 Nb 71
36022 Cassola **VI** 24 Me 74
27023 Cassolnovo **PV** 20 Ie 76
37043 Castagnaro **VR** 38 Mc 78
57022 Castagneto Carducci **LI** 49 Ld 90
10090 Castagneto Po **TO** 33 Hf 77
12050 Castagnito **CN** 33 Ia 80
14054 Castagnole delle Lanze **AT** 33 Ia 80
14030 Castagnole Monferrato **AT** 34 Ib 79
10060 Castagnole Piemonte **TO** 33 Hd 79
27040 Castana **PV** 35 Kb 78
20022 Cástano Primo **MI** 20 Ie 75
27045 Castéggio **PV** 35 Ka 78
25045 Castegnato **BS** 22 La 75
36020 Castegnero **VI** 24 Md 76
35040 Castelbaldo **PD** 38 Mc 78
83040 Castèl Baronia **AV** 72 Qb 102
46032 Castelbelforte **MN** 23 Lf 77
60030 Castelbellino **AN** 52 Oa 88
39020 Castelbello-Ciàrdes = Kastelbell-Tschars **BZ** 3 Lf 69
17030 Castelbianco **SV** 41 Ia 84
14040 Castèl Boglione **AT** 34 Ic 80
48014 Castel Bolognese **RA** 47 Me 83
86030 Castelbottáccio **CB** 64 Pe 98
90013 Castelbuono **PA** 92 Pa 121
81010 Castèl Campagnano **CE** 70 Pc 101
64030 Castel Castagna **TE** 58 Oe 93
84020 Castelcívita **SA** 78 Qb 106
60010 Castel Colonna **AN** 52 Oa 86
38082 Castel Condino **TN** 13 Ld 73
25030 Castelcovati **BS** 22 Kf 76
31030 Castelcucco **TV** 15 Mf 73
90014 Casteldáccia **PA** 91 Od 120
40034 Castel d'Aiano **BO** 45 Ma 83
46033 Castel d'Ario **MN** 23 Lf 77
37060 Castel d'Azzano **VR** 23 Lf 76
61010 Casteldelci **PU** 47 Na 86
12020 Casteldelfino **CN** 32 Ha 81
86080 Castel del Giúdice **IS** 64 Pb 97
67023 Castel del Monte **AQ** 58 Oe 94
70031 Castel del Monte **BA** 73 Rb 102
58033 Castel del Piano **GR** 55 Md 91
40022 Castel del Rio **BO** 46 Md 83
40030 Castel di Cásio **BO** 45 Ma 84
26030 Casteldidone **CR** 37 Lc 78
67020 Castel di Ieri **AQ** 63 Oe 96
95040 Castèl di Iudica **CT** 98 Pd 123
63031 Castel di Lama **AP** 58 Oe 91
98070 Castèl di Lúcio **ME** 93 Pb 121
67031 Castel di Sangro **AQ** 63 Pa 98
81040 Castèl di Sasso **CE** 70 Pb 101
02020 Castel di Tora **RI** 62 Nf 95
60022 Castelfidardo **AN** 53 Od 88
50051 Castelfiorentino **FI** 49 Lf 87
52016 Castel Focognano **AR** 50 Me 87
38020 Castelfondo **TN** 3 Ma 70
04021 Castelforte **LT** 70 Oe 101
83040 Castelfranci **AV** 71 Qa 103
82022 Castelfranco in Miscano **BN** 71 Qa 101
52020 Castelfranco di Sopra **AR** 50 Md 87
56022 Castelfranco di Sotto **PI** 49 Le 86
41013 Castelfranco Emília **MO** 37 Ma 81
31033 Castelfranco Veneto **TV** 25 Mf 74
66032 Castel Frentano **CH** 64 Pc 95
26010 Castel Gabbiano **CR** 22 Ke 76
00040 Castel Gandolfo **RM** 61 Nd 98
05013 Castel Giòrgio **TR** 56 Mf 92
46042 Castel Goffredo **MN** 23 Lc 77
36070 Castelgomberto **VI** 24 Mc 75
85050 Castelgrande **PZ** 78 Qc 104
40023 Castel Guelfo di Bologna **BO** 46 Me 82
45020 Castelguglielmo **RO** 38 Md 78
66040 Castelguidone **CH** 64 Pd 98
84048 Castellabate **SA** 77 Pf 107
67050 Castellafiume **AQ** 62 Oc 97
14033 Castell 'Alfero **AT** 34 Ib 79
64020 Castellalto **TE** 58 Oe 92
91014 Castellammare del Golfo **TP** 90 Nf 120
80053 Castellammare di Stábia **NA** 76 Pc 104
10081 Castellamonte **TO** 19 He 76
70013 Castellana Grotte **BA** 75 Sb 103
90020 Castellana Sícula **PA** 92 Pa 122
74011 Castellaneta **TA** 80 Rf 105
15051 Castellanía **AL** 35 If 80
21053 Castellanza **VA** 20 If 75
12030 Castellar **CN** 32 Hc 81
42014 Castellarano **RE** 37 Le 81
15050 Castellar Guidobono **AL** 35 If 79
18011 Castellaro **IM** 41 Ia 84
27030 Castellaro de' Giorgi **PV** 34 Ie 78
29014 Castell 'Arquato **PC** 36 Kf 79
58034 Castell'Azzara **GR** 55 Me 92
15073 Castellazzo Bórmida **AL** 34 Id 79
28060 Castellazzo Novarese **NO** 20 Id 75
26012 Castelleone **CR** 22 Ke 77
60010 Castelleone di Suasa **AN** 52 Nf 87
14013 Castellero **AT** 33 Ia 79
13851 Castelletto Cervo **BI** 20 Ib 75
15010 Castelletto d'Erro **AL** 34 Ic 81
27040 Castelletto di Branduzzo **PV** 35 Ka 78
15060 Castelletto d'Orba **AL** 34 Ie 80
15020 Castelletto Merli **AL** 34 Ib 78
14040 Castelletto Molina **AT** 34 Ic 80
15040 Castelletto Monferrato **AL** 34 Id 79
28053 Castelletto Sopra Ticino **NO** 20 Id 74
12040 Castelletto Stura **CN** 41 Hd 82
12070 Castelletto Uzzone **CN** 34 Ib 82
64041 Castelli **TE** 58 Oe 94
24060 Castelli Calépio **BG** 22 Kf 75
53011 Castellina in Chianti **SI** 50 Mb 88
12050 Castellinaldo **CN** 33 Ia 80
56040 Castellina Maríttima **PI** 49 Ld 88
86020 Castellino del Biferno **CB** 64 Pe 98
12060 Castellino Tánaro **CN** 41 Hf 82
03030 Castelliri **FR** 63 Od 98
21030 Castello Cabiáglio **VA** 10 Ie 73
27030 Castello d'Agogna **PV** 20 Ie 77
40050 Castello d'Argile **BO** 38 Mb 80
23030 Castello dell' Acqua **SO** 12 La 72
81016 Castello del Matese **CE** 70 Pc 100
14034 Castello di Annone **AT** 34 Ib 79
23884 Castello di Brianza **LC** 21 Kc 74
80030 Castello di Cisterna **NA** 70 Pc 103
31030 Castello di Gódego **TV** 25 Mf 74
40050 Castello di Serravalle **BO** 45 Ma 82
32013 Castello Lavazzo **BL** 15 Nb 71
38030 Castello Molina di Fiemme **TN** 14 Mc 71
38053 Castello Tesino **TN** 14 Md 72
46014 Castellúcchio **MN** 37 Ld 78
71025 Castellúccio dei Sáuri **FG** 72 Qc 101
85040 Castellúccio Inferiore **PZ** 84 Qf 108
85040 Castellúccio Superiore **PZ** 84 Qf 108
71020 Castellúccio Valmaggiore **FG** 72 Qb 100
98070 Castell 'Umberto **ME** 93 Pe 120
00024 Castel Madama **RM** 62 Nf 97
40013 Castel Maggiore **BO** 38 Mc 81
12020 Castelmagno **CN** 40 Ha 82
22030 Castelmarte **CO** 11 Kb 73
45035 Castelmassa **RO** 38 Mb 78
86031 Castelmàuro **CB** 64 Pe 98
25030 Castel Mella **BS** 22 La 76
85010 Castelmezzano **PZ** 79 Ra 105
98030 Castelmola **ME** 94 Qb 121
81020 Castel Morrone **CE** 70 Pc 102
27030 Castelnovetto **PV** 20 Id 77
45030 Castelnovo Bariano **RO** 38 Mb 78
33090 Castelnovo del Friuli **PN** 16 Nf 71
42024 Castelnovo di Sotto **RE** 37 Ld 80
42035 Castelnovo ne'Monti **RE** 45 Lc 82
38050 Castelnuovo **TN** 14 Mc 72
14043 Castelnuovo Belbo **AT** 34 Ic 80
53019 Castelnuovo Berardenga **SI** 50 Md 88
26843 Castelnuovo Bocca d'Adda **LO** 36 Kf 78
15017 Castelnuovo Bórmida **AL** 34 Id 80
22070 Castelnuovo Bozzente **CO** 21 If 74
14040 Castelnuovo Calcea **AT** 34 Ib 80
84040 Castelnuovo Cilento **SA** 77 Qb 107
37014 Castelnuovo del Garda **VR** 23 Le 76
71034 Castelnuovo della Dáunia **FG** 65 Qa 99
12070 Castelnuovo di Ceva **CN** 41 Ia 82
84020 Castelnuovo di Conza **SA** 72 Qb 104
02031 Castelnuovo di Farfa **RI** 61 Ne 95
55032 Castelnuovo di Garfagnana **LU** 45 Lc 84
00060 Castelnuovo di Porto **RM** 61 Nd 96
56041 Castelnuovo di Val di Cécina **PI** 49 Lf 89
14022 Castelnuovo Don Bosco **AT** 33 Hf 78
19030 Castelnuovo Magra **SP** 44 La 84
10080 Castelnuovo Nigra **TO** 19 He 76
03040 Castelnuovo Parano **FR** 69 Oe 100
41051 Castelnuovo Rangone **MO** 37 Lf 81
15053 Castelnuovo Scrívia **AL** 34 If 79
82024 Castelpagano **BN** 71 Pe 100
86090 Castelpetroso **IS** 70 Pc 99
86090 Castelpizzuto **IS** 70 Pb 99
60031 Castelplánio **AN** 52 Oa 88
82030 Castelpoto **BN** 71 Pe 102
62022 Castelraimondo **MC** 52 Oa 89
06044 Castel Ritaldi **PG** 57 Ne 92
14044 Castèl Rocchero **AT** 34 Ic 80
39040 Castelrotto = Kastelruth **BZ** 4 Md 69
24040 Castèl Rozzone **BG** 21 Kd 75
84083 Castèl San Giórgio **SA** 77 Pe 104
29015 Castel San Giovanni **PC** 35 Kc 78
84049 Castèl San Lorenzo **SA** 78 Qb 106
52018 Castel San Niccolo **AR** 50 Me 86
00030 Castel San Pietro Romano **RM** 62 Nf 97
40024 Castel San Pietro Terme **BO** 46 Md 82
02010 Castel Sant'Ángelo **RI** 57 Oa 94
62039 Castelsantángelo sul Nera **MC** 57 Oa 91
01030 Castel Sant'Elia **VT** 61 Nc 95
86071 Castel San Vincenzo **IS** 63 Pa 99
85031 Castelsaraceno **PZ** 79 Qf 108
07031 Castelsardo **SS** 106 Ie 103
21050 Castelséprio **VA** 20 If 74
88834 Castelsilano **KR** 87 Re 113
15070 Castelspina **AL** 34 Id 80
92025 Casteltérmini **AG** 97 Od 123
21010 Castelveccana **VA** 10 Id 73
67020 Castelvécchio Calvísio **AQ** 58 Oe 95
17034 Castelvécchio di Rocca Barbena **SV** 41 Ia 84
67024 Castelvècchio Subèquo **AQ** 63 Oe 96
82037 Castelvénere **BN** 71 Pd 101
26022 Castelverde **CR** 22 Kf 77
86081 Castelverrino **IS** 64 Pc 98
82023 Castelvétere in Val Fortore **BN** 71 Pf 100
83040 Castelvétere sul Calore **AV** 71 Pf 103
91022 Castelvetrano **TP** 90 Ne 122
41014 Castelvetro di Modena **MO** 37 Lf 81
29010 Castelvetro Piacentino **PC** 36 Kf 78
05014 Castel Viscardo **TR** 56 Na 92
26010 Castelvisconti **CR** 22 Kf 77
18037 Castel Vittório **IM** 41 He 85
81030 Castel Volturno **CE** 70 Of 102
40055 Castenaso **BO** 38 Mc 81
25014 Castenedolo **BS** 22 Lb 76
09040 Castiádas **CA** 113 Kc 113
01024 Castiglione in Teverina **VT** 56 Nb 93
65020 Castiglione a Casáuria **PE** 63 Of 95
16030 Castiglione Chiavarese **GE** 43 Kd 83
87040 Castiglione Cosentino **CS** 86 Rb 112
26823 Castiglione d'Adda **LO** 22 Ke 77
40035 Castiglione dei Pèpoli **BO** 46 Ma 84
84090 Castiglione del Genovesi **SA** 77 Pf 104
06061 Castiglione del Lago **PG** 51 Na 90
58043 Castiglione della Pescàia **GR** 54 Lf 92
46043 Castiglione delle Stiviere **MN** 23 Lc 76
55033 Castiglione di Garfagnana **LU** 45 Lc 84
22023 Castiglione d'Intelvi **CO** 11 Ka 73
95012 Castiglione di Sicília **CT** 94 Qa 121
53023 Castiglione d'Òrcia **SI** 55 Md 90
12060 Castiglione Falletto **CN** 33 Hf 81
66033 Castiglione Messer Marino **CH** 64 Pc 97
64034 Castiglione Messer Raimondo **TE** 59 Of 93
21043 Castiglione Olona **VA** 20 If 74
12053 Castiglione Tinella **CN** 34 Ib 80
10090 Castiglione Torinese **TO** 33 He 78
52029 Castiglion Fibocchi **AR** 50 Me 87
52043 Castiglion Fiorentino **AR** 51 Mf 88
63032 Castignano **AP** 58 Od 91
64035 Castilenti **TE** 59 Of 93
12050 Cástino **CN** 33 Ib 81
23012 Castione Andevenno **SO** 12 Ke 71
24020 Castione della Presolana **BG** 12 La 73
33050 Castions di Strada **UD** 16 Ob 73
26866 Castiraga-Vidardo **LO** 21 Kc 77
25070 Casto **BS** 22 Lb 74
63030 Castorano **AP** 58 Oe 91
25030 Castrezzato **BS** 22 Kf 75
73020 Castri di Lecce **LE** 82 Tb 107
73020 Castrignano de'Greci **LE** 82 Tb 107
73040 Castrignano del Capo **LE** 83 Tc 110
24063 Castro **BG** 22 La 74
73030 Castro **LE** 82 Tc 108
47011 Castrocaro Terme e Terra del Sole **FC** 47 Mf 83
03030 Castrocielo **FR** 69 Oe 99
03020 Castro dei Volsci **FR** 69 Oc 99
92020 Castrofilippo **AG** 97 Oe 124
87040 Castrolíbero **CS** 86 Rb 113
21040 Castronno **VA** 20 Ie 74
85030 Castronuovo di Sant'Andrea **PZ** 79 Rb 107
90030 Castronuovo di Sicília **PA** 92 Od 122
86010 Castropignano **CB** 64 Pd 99
98053 Castroreale **ME** 94 Qb 120
87070 Castrorégio **CS** 84 Rc 109
87012 Castrovíllari **CS** 84 Rb 110
95100 Catània **CT** 99 Qa 123
88100 Catanzaro **CZ** 86 Rd 115
94010 Catenanuova **EN** 93 Pd 123
65011 Catignano **PE** 59 Of 94
47841 Cattòlica **RN** 48 Ne 85
92011 Cattólica Eraclea **AG** 96 Oc 124
89041 Caulónia **RC** 89 Rc 118
82030 Cautano **BN** 71 Pd 102
26844 Cavacurta **LO** 22 Ke 77
84013 Cava de'Tirreni **SA** 77 Pe 104
13881 Cavaglià **BI** 19 Ia 76
28010 Cavaglietto **NO** 20 Id 75
28010 Caváglio d'Agogna **NO** 20 Ic 75
28825 Cavaglio Spóccia **VB** 10 Id 72
10020 Cavagnolo **TO** 33 Ia 78
37010 Cavaión Veronese **VR** 23 Le 75
38033 Cavalese **TN** 14 Mc 71
22020 Cavallasca **CO** 21 Ka 74
12030 Cavallerleone **CN** 33 Hd 80
12030 Cavallermaggiore **CN** 33 He 80
73020 Cavallino **LE** 82 Tb 107
30013 Cavallino-Treporti **VE** 25 Nd 76
28010 Cavallírio **NO** 20 Ic 75
27051 Cava Manara **PV** 35 Ka 78
38011 Cavareno **TN** 13 Ma 70
22010 Cavargna **CO** 11 Ka 72
21044 Cavária con Premezzo **VA** 20 Ie 74
30014 Cavárzere **VE** 25 Na 78
31034 Cavaso del Tomba **TV** 15 Mf 73
33092 Cavasso Nuovo **PN** 16 Ne 71
15010 Cavatore **AL** 34 Ic 81
33020 Cavazzo Càrnico **UD** 16 Oa 70
00033 Cave **RM** 62 Nf 98
38010 Cavedago **TN** 13 Ma 71
38073 Cavèdine **TN** 13 Lf 73
26824 Cavenago d'Adda **LO** 21 Kd 77
20040 Cavenago di Brianza **MB** 21 Kc 75
24050 Cavernago **BG** 22 Ke 75
41032 Cavezzo **MO** 37 Ma 79
38022 Cavizzana **TN** 13 Lf 70
10061 Cavour **TO** 32 Hc 80
42025 Cavriago **RE** 37 Ld 80
46040 Cavriana **MN** 23 Ld 76
52022 Cavríglia **AR** 50 Mc 87
21020 Cazzago Brábbia **VA** 20 Ie 74
25046 Cazzago San Martino **BS** 22 La 75

118 (I) Casalmaggiore – Cazzago San Martino

37030 Cazzano di Tramigna **VR** 24 Mb 76
24024 Cazzano Sant'Andrea **BG** 22 Kf 74
03023 Ceccano **FR** 69 Ob 99
27050 Cécima **PV** 35 Ka 79
51036 Cécina **PT** 45 Lf 85
57023 Cécina **LI** 49 Ld 89
25051 Cedègolo **BS** 12 Lc 72
23010 Cedrasco **SO** 12 Ke 72
90030 Cefalà Diana **PA** 91 Oc 121
90015 Cefalù **PA** 92 Pa 120
30022 Ceggia **VE** 26 Nd 74
72013 Céglie Messápica **BR** 81 Sd 105
67043 Celano **AQ** 63 Od 96
66050 Celenza sul Trigno **CH** 64 Pd 97
71035 Celenza Valfortore **FG** 71 Pf 99
87053 Célico **CS** 86 Rb 113
26040 Cella Dati **CR** 36 Lb 78
70010 Cellamare **BA** 74 Rf 102
15034 Cella Monte **AL** 34 Ic 78
87050 Cellara **CS** 86 Rb 113
14010 Cellarengo **AT** 33 Hf 79
25060 Cellática **BS** 22 Lb 75
84040 Celle di Bulgheria **SA** 83 Qc 108
12020 Celle di Macra **CN** 32 Hb 82
71020 Celle di San Vito **FG** 72 Qb 101
14010 Celle Enomondo **AT** 33 Ia 79
17015 Celle Lìgure **SV** 42 Id 82
01020 Celleno **VT** 56 Na 93
01010 Céllere **VT** 56 Me 93
64036 Cellino Attanásio **TE** 59 Of 93
72020 Cellino San Marco **BR** 82 Sf 106
13024 Céllio **VC** 20 Ib 74
81030 Céllole **CE** 70 Of 101
38034 Cembra **TN** 14 Mb 71
88067 Cenadi **CZ** 86 Rc 116
24060 Cenate Sopra **BG** 22 Ke 74
24069 Cenate Sotto **BG** 22 Ke 74
32020 Cencenighe Agordino **BL** 15 Mf 70
24020 Cene **BG** 22 Kf 74
45030 Ceneselli **RO** 38 Mc 78
17056 Céngio **SV** 41 Ib 82
12044 Centallo **CN** 33 Hd 82
38040 Centa San Nicolò **TN** 14 Mb 73
44042 Cento **FE** 38 Mb 80
84051 Céntola **SA** 83 Qb 108
88067 Céntrache **CZ** 86 Rc 116
94010 Centúripe **EN** 93 Pe 123
65012 Cepagatti **PE** 59 Pa 94
82010 Ceppaloni **BN** 71 Pe 102
28875 Ceppo Morelli **VB** 9 Ia 73
03024 Ceprano **FR** 69 Od 99
94010 Cerami **EN** 93 Pc 122
16014 Cerànesi **GE** 34 If 81
28065 Cerano **NO** 20 Ie 76
22020 Cerano d'Intelvi **CO** 11 Ka 73
27010 Ceranova **PV** 21 Kb 77
84052 Ceraso **SA** 78 Qb 107
86012 Cercemaggiore **CB** 71 Pe 100
10060 Cercenasco **TO** 33 Hd 79
86010 Cercepíccola **CB** 71 Pe 100
87070 Cerchiara di Calábria **CS** 84 Rc 109
67044 Cérchio **AQ** 63 Od 96
23016 Cercino **SO** 11 Kc 71
33020 Cercivento **UD** 6 Nf 69
80040 Cércola **NA** 76 Pc 103
90010 Cerda **PA** 92 Oe 121
37053 Cerea **VR** 24 Mb 77
45010 Ceregnano **RO** 39 Mf 78
88833 Cerenzía **KR** 87 Re 113
10070 Céres **TO** 18 Hc 77
46040 Ceresara **MN** 23 Ld 77
15020 Cereseto **AL** 34 Ib 78
12040 Ceresole Alba **CN** 33 He 80
10080 Ceresole Reale **TO** 18 Hb 76
24020 Cerete **BG** 12 Kf 73
27030 Ceretto Lomellina **PV** 20 Ie 77
27020 Cergnago **PV** 20 Ie 77
17023 Ceriale **SV** 41 Ib 84
18034 Ceriana **IM** 41 He 85
20020 Ceriano Laghetto **MB** 21 Ka 75
29020 Cerignale **PC** 35 Kc 80
71042 Cerignola **FG** 73 Qf 101
87044 Cerisano **CS** 86 Rb 113
22072 Cermenate **CO** 21 Ka 74
39010 Cèrmes = Tscherms **BZ** 3 Ma 69
64037 Cermignano **TE** 58 Oe 93
22012 Cernóbbio **CO** 11 Ka 73
23870 Cernusco Lombardone **LC** 21 Kc 74
20063 Cernusco sul Navíglio **MI** 21 Kb 75
13852 Cerreto Castello **BI** 19 Ia 75
14020 Cerreto d'Asti **AT** 33 Ia 78
60043 Cerreto d'Esi **AN** 52 Nf 89
06040 Cerreto di Spoleto **PG** 57 Nf 92
15050 Cerreto Grue **AL** 35 If 79
50050 Cerreto Guidi **FI** 49 Lf 86
00020 Cerreto Laziale **RM** 62 Nf 97
82032 Cerreto Sannita **BN** 71 Pd 101
12050 Cerretto Langhe **CN** 33 Ia 81
15020 Cerrina Monferrato **AL** 34 Ib 78
13882 Cerrione **BI** 19 Ia 76
20077 Cerro al Lambro **MI** 21 Kc 77
86072 Cerro al Volturno **IS** 63 Pa 99
20023 Cerro Maggiore **MI** 21 If 75
14030 Cerro Tánaro **AT** 34 Ic 79
37020 Cerro Veronese **VR** 23 Ma 75
85030 Cersósimo **PZ** 84 Rc 108
50052 Certaldo **FI** 49 Ma 87
16040 Certénoli, San Colombano- **GE** 43 Kc 82
27012 Certosa di Pavia **PV** 21 Ka 77
88050 Cerva **CZ** 87 Re 114
00020 Cervara di Roma **RM** 62 Oa 97
35030 Cervarese Santa Croce **PD** 24 Me 76
03044 Cervaro **FR** 70 Of 100
12010 Cervasca **CN** 40 Hc 82
13025 Cervatto **VC** 9 Ia 73
25040 Cerveno **BS** 12 Lb 72
12040 Cervere **CN** 33 He 81
27050 Cervesina **PV** 35 Ka 78
00052 Cervéteri **RM** 60 Na 97
48015 Cèrvia **RA** 47 Nc 83
87010 Cervicati **CS** 84 Ra 111
26832 Cervignano d'Adda **LO** 21 Kc 76
33052 Cervignano del Friuli **UD** 17 Ob 74
83012 Cervinara **AV** 71 Pd 102
11021 Cervinia, Breuil- **AO** 9 Hd 73
81023 Cervino **CE** 70 Pc 102
18010 Cervo **IM** 41 Ia 85
87040 Cerzeto **CS** 84 Ra 111
81030 Cesa **CE** 70 Pb 103
23861 Cesana Brianza **LC** 21 Kb 74
10054 Cesana Torinese **TO** 32 Ge 79
20090 Cesano Boscone **MI** 21 Ka 76
20031 Cesano Maderno **MB** 21 Ka 75
28891 Césara **VB** 10 Ic 73
98033 Cesarò **ME** 93 Pe 121
20020 Cesate **MI** 21 Ka 75
47023 Cesena **FC** 47 Nb 84
47042 Cesenàtico **FC** 47 Nc 83
83020 Cesinali **AV** 71 Pe 103
18022 Césio **IM** 41 Hf 84
32030 Cesiomaggiore **BL** 15 Mf 72
31040 Cessalto **TV** 26 Nd 74
89816 Cessaniti **VV** 88 Ra 117
62020 Cessapalombo **MC** 53 Ob 90
14050 Céssole **AT** 34 Ib 81
84010 Cetara **SA** 77 Pe 105
25040 Ceto **BS** 12 Lc 72
53040 Cetona **SI** 56 Mf 91
87022 Cetraro **CS** 84 Qf 111
12073 Ceva **CN** 41 Ia 82
25040 Cevo **BS** 12 Lc 72
11020 Challand-Saint-Anselme **AO** 19 He 74
11020 Challand-Saint-Victor **AO** 19 He 74
11023 Chambave **AO** 19 Hd 74
11020 Chamois **AO** 9 Hd 73
11020 Champdepraz **AO** 19 Hd 74
11020 Champoluc **AO** 9 He 73
11020 Champorcher **AO** 19 Hd 75
11020 Charvensod **AO** 18 Hb 74
11024 Châtillon **AO** 19 Hd 74
12062 Cherasco **CN** 33 Hf 81
07040 Cherémule **SS** 106 Ie 105
10070 Chialamberto **TO** 18 Hc 76
36072 Chiampo **VI** 24 Mb 75
83010 Chianche **AV** 71 Pe 102
53042 Chianciano Terme **SI** 56 Mf 90
56034 Chianni **PI** 49 Ld 88
10050 Chianocco **TO** 32 Ha 78
97012 Chiaramonte Gulfi **RG** 100 Pe 126
07030 Chiaramonti **SS** 106 Ie 104
31040 Chiarano **TV** 25 Nd 74
38062 Chiarano **TN** 13 Lf 73
60033 Chiaravalle **AN** 53 Ob 87
88064 Chiaravalle Centrale **CZ** 89 Rc 116
25032 Chiari **BS** 22 Kf 75
85032 Chiaromonte **PZ** 79 Rb 108
86097 Chiáuci **IS** 64 Pc 98
16043 Chiávari **GE** 43 Kb 83
23022 Chiavenna **SO** 11 Kc 71
10010 Chiaverano **TO** 19 Hf 75
39030 Chiènes = Kiens **BZ** 4 Mf 68
38060 Chienis, Ronzo- **TN** 13 Lf 73
10023 Chieri **TO** 33 Hf 78
23023 Chiesa in Valmalenco **SO** 12 Ke 71
10080 Chiesanuova **TO** 19 Hd 76
32010 Chies d'Alpago **BL** 15 Nc 71
51013 Chiesina Uzzanese **PT** 45 Le 86
66100 Chieti **CH** 59 Pb 94
71010 Chièuti **FG** 65 Qa 97
26010 Chieve **CR** 21 Kd 76
24040 Chignolo d'Isola **BG** 21 Kd 74
27013 Chignolo Po **PV** 35 Kc 78
30015 Chióggia **VE** 25 Nb 77
10050 Chiomonte **TO** 32 Gf 78
33083 Chions **PN** 16 Ne 73
33048 Chiòpris-Viscone **UD** 17 Oc 73
52010 Chitignano **AR** 51 Mf 87
24060 Chiuduno **BG** 22 Kf 75
36010 Chiuppano **VI** 24 Mc 74
23030 Chiuro **SO** 12 Kf 71
39043 Chiusa = Klausen **BZ** 4 Md 69
12013 Chiusa di Pésio **CN** 41 He 83
10050 Chiusa di San Michele **TO** 32 Hb 78
33010 Chiusaforte **UD** 6 Ob 70
18027 Chiusánico **IM** 41 Hf 85
14025 Chiusano d'Asti **AT** 33 Ia 79
83040 Chiusano di San Doménico **AV** 71 Pf 103
90033 Chiusa Sclàfani **PA** 91 Ob 122
18027 Chiusavécchia **IM** 41 Hf 85
53012 Chiusdino **SI** 50 Ma 90
53043 Chiusi **SI** 56 Mf 90
52010 Chiusi della Verna **AR** 51 Mf 86
10034 Chivasso **TO** 19 Hf 77
00043 Ciampino **RM** 61 Nd 98
92012 Cianciana **AG** 96 Oc 123
42026 Ciano d'Enza **RE** 37 Lc 81
32040 Cibiana di Cadore **BL** 15 Nb 70
16044 Cicagna **GE** 43 Kb 82
88040 Cicala **CZ** 86 Rc 114
80033 Cicciano **NA** 71 Pd 103
84053 Cicerale **SA** 77 Qa 106
00020 Ciciliano **RM** 62 Nf 97
26030 Cicognolo **CR** 36 Lb 77
10080 Cicònio **TO** 19 He 76
13043 Cigliano **VC** 19 Ia 77
12060 Cigliè **CN** 41 Hf 82
27040 Cigognola **PV** 35 Kb 78
25020 Cígole **BS** 22 Lb 77
27024 Cilavegna **PV** 20 Ie 77
31010 Cimadolmo **TV** 25 Nc 74
25050 Cimbergo **BS** 12 Lc 72
38082 Címego **TN** 13 Ld 73
89040 Ciminà **RC** 89 Ra 119
90023 Ciminna **PA** 92 Od 121
80030 Cimitile **NA** 71 Pd 103
33080 Cimolàis **PN** 15 Nc 71
38060 Cimone **TN** 13 Ma 73
14020 Cináglio **AT** 33 Ia 79
00020 Cineto Romano **RM** 62 Nf 96
26042 Cingia de'Botti **CR** 36 Lb 78
62011 Cíngoli **MC** 52 Ob 88
58044 Cinigiano **GR** 55 Mc 91
20092 Cinisello Balsamo **MI** 21 Kb 75
90045 Cínisi **PA** 91 Oa 119
23010 Cino **SO** 11 Kc 71
89021 Cinquefrondi **RC** 89 Ra 118
10080 Cintano **TO** 19 He 76
38050 Cinte Tesino **TN** 14 Md 72
30020 Cinto Caomaggiore **VE** 16 Ne 74
35030 Cinto Eugáneo **PD** 24 Md 77
10090 Cinzano **TO** 33 Hf 78
81010 Ciorlano **CE** 70 Pa 100
18017 Cipressa **IM** 41 Hf 85
82020 Circello **BN** 71 Pe 100
10073 Ciriè **TO** 19 Hd 77
75010 Cirigliano **MT** 79 Rb 106
22070 Cirimido **CO** 21 Ka 74
88813 Cirò **KR** 85 Sa 112
88811 Cirò Marina **KR** 85 Sa 112
38020 Cis **TN** 13 Lf 70
24034 Cisano Bergamasco **BG** 21 Kc 74
17035 Cisano sul Neva **SV** 41 Ia 84
24040 Ciserano **BG** 21 Kd 75
21040 Cislago **VA** 21 If 75
20080 Cisliano **MI** 21 If 76
36020 Cismon del Grappa **VI** 14 Me 73
31030 Cison di Valmarino **TV** 15 Na 73
12050 Cissone **CN** 33 Ia 81
14010 Cisterna d'Asti **AT** 33 Hf 80
04012 Cisterna di Latina **LT** 68 Nf 99
72014 Cisternino **BR** 75 Sc 104
06010 Citerna **PG** 51 Na 88
35013 Cittadella **PD** 24 Me 75
06062 Città della Pieve **PG** 56 Mf 91
00120 Città del Vaticano (SCV) 61 Nc 97
06012 Città di Castello **PG** 51 Nb 88
02015 Cittàducale **RI** 57 Nf 94
89022 Cittanova **RC** 89 Ra 118
02010 Cittàreale **RI** 58 Oa 93
65013 Città Sant'Àngelo **PE** 59 Pa 93
21033 Cittiglio **VA** 10 Id 73
23862 Civate **LC** 21 Kc 74
22030 Civenna **CO** 11 Kb 73
18017 Civezza **IM** 41 Hf 85
38045 Civezzano **TN** 14 Ma 72
13010 Civiasco **VC** 20 Ib 74
33043 Cividale del Friuli **UD** 17 Oc 72
24050 Cividate al Piano **BG** 22 Ke 75
25040 Cividate Camuno **BS** 12 Lb 73
06043 Civita **PG** 57 Oa 92
87010 Civita **CS** 84 Rb 110
86030 Civitacampomarano **CB** 64 Pe 98
01033 Civita Castellana **VT** 61 Nc 95
67050 Civita d'Antino **AQ** 62 Oc 97
66040 Civitaluparella **CH** 64 Pb 97
86094 Civitanova del Sánnio **IS** 64 Pc 99
62012 Civitanova Marche **MC** 53 Oe 89
65010 Civitaquana **PE** 59 Of 95
00053 Civitavècchia **RM** 60 Me 96
52040 Civitella in Val di Chiana **AR** 50 Me 88
67030 Civitella Alfedena **AQ** 63 Of 98
65010 Civitella Casanova **PE** 59 Of 94
01020 Civitella d'Agliano **VT** 56 Nb 93
64010 Civitella del Tronto **TE** 58 Oe 92
47012 Civitella di Romagna **FC** 47 Mf 84
66010 Civitella Messer Raimondo **CH** 63 Pb 96
58045 Civitella Paganico **GR** 55 Mb 91
67054 Civitella Roveto **AQ** 62 Oc 97
00060 Civitella San Pàolo **RM** 61 Nd 95
23010 Civo **SO** 11 Kd 72
25030 Cizzago, Comezzano- **BS** 22 Kf 76
22010 Claìno con Òsteno **CO** 11 Ka 72
33080 Claùt **PN** 15 Nd 71
33090 Clauzetto **PN** 16 Nf 71
12060 Clavesana **CN** 33 Hf 82
10050 Claviere **TO** 32 Ge 79
38023 Cles **TN** 13 Ma 70
87030 Cleto **CS** 86 Ra 114
21050 Clívio **VA** 11 If 73
38020 Cloz **TN** 13 Ma 70
24023 Clusone **BG** 12 Kf 73
10070 Coassolo Torinese **TO** 19 Hc 77
10050 Coazze **TO** 32 Hb 78
14054 Coazzolo **AT** 33 Ia 80
25030 Coccáglio **BS** 22 Kf 75
14023 Cocconato **AT** 33 Ia 78
21034 Cócquio-Trevisago **VA** 10 Ie 73
67030 Cocullo **AQ** 63 Oe 96
35020 Codevigo **PD** 25 Na 77
27050 Codevilla **PV** 35 Ka 79
44021 Codigoro **FE** 39 Na 80
31013 Codognè **TV** 15 Nc 73
26845 Codogno **LO** 36 Ke 77
33033 Codròipo **UD** 16 Nf 73
07040 Codrongianos **SS** 105 Ie 105
13863 Cóggiola **BI** 20 Ib 74
20020 Cogliate **MB** 21 Ka 75
11012 Cogne **AO** 18 Hc 75
16016 Cogoleto **GE** 42 Id 82
36010 Cogollo del Céngio **VI** 24 Mc 74
16030 Cogorno **GE** 43 Kc 83
28010 Colazza **NO** 20 Ic 74
61022 Colbórdolo **PU** 48 Ne 86
14026 Colcavagno **AT** 33 Ia 78
24020 Cólere **BG** 12 La 73
03030 Colfelice **FR** 69 Od 99
29020 Coli **PC** 35 Kc 80
23823 Còlico **LC** 11 Kc 72
42037 Collagna **RE** 44 Lb 82
02022 Collalto Sabino **RI** 62 Oa 96
67040 Collarmele **AQ** 63 Od 96
06050 Collazzone **PG** 56 Nc 91
25060 Collebeato **BS** 22 Lb 75
23886 Colle Brianza **LC** 21 Kc 74
43044 Collécchio **PR** 36 Lb 80
58052 Collécchio **GR** 55 Ma 93
65010 Collecorvino **PE** 59 Pa 94
86020 Colle d'Anchise **CB** 71 Pd 99
64042 Colledara **TE** 58 Oe 93
66010 Colledimácine **CH** 63 Pb 97
66040 Colledimezzo **CH** 64 Pc 97
02020 Colle di Tora **RI** 62 Nf 95
53034 Colle di Val d'Elsa **SI** 50 Ma 88
00034 Colleferro **RM** 62 Oa 98
02020 Collegiove **RI** 62 Oa 95
10093 Collegno **TO** 33 Hd 78
67050 Collelongo **AQ** 63 Od 97
03010 Collepardo **FR** 62 Oc 98
73040 Collepasso **LE** 82 Ta 108
67020 Collepietro **AQ** 63 Oe 95
10080 Colleretto Castelnuovo **TO** 19 He 76
10010 Colleretto Giacosa **TO** 19 He 76
57014 Collesalvetti **LI** 49 Lc 87
03030 Colle San Magno **FR** 69 Oe 99
82024 Colle Sannita **BN** 71 Pf 100
90016 Collesano **PA** 92 Of 121
32020 Colle Santa Lucia **BL** 15 Na 70
86044 Colletorto **CB** 65 Pf 99
31014 Colle Umberto **TV** 15 Nc 73
02042 Collevécchio **RI** 61 Nd 95
84020 Colliano **SA** 78 Qb 104
86073 Colli a Volturno **IS** 70 Pa 99
63030 Colli del Tronto **AP** 58 Oe 91
09020 Collínas **CA** 109 If 111
25060 Cóllio **BS** 22 Lb 74
02010 Colli sul Velino **RI** 57 Ne 94
13030 Collobiano **VC** 20 Ic 76
33010 Colloredo di Monte Albano **UD** 16 Oa 72
62020 Colmurano **MC** 53 Oc 90
75021 Colobraro **MT** 79 Rc 107
37044 Cologna Veneta **VR** 24 Mc 77
25033 Cologne **BS** 22 Kf 75
24055 Cologno al Sério **BG** 22 Ke 75
37030 Colognola ai Colli **VR** 24 Mb 76
20093 Cologno Monzese **MI** 21 Kb 75
00030 Colonna **RM** 61 Ne 97
64010 Colonnella **TE** 58 Of 91
22010 Colonno **CO** 11 Ka 73
23010 Colorina **SO** 12 Ke 72
43052 Colorno **PR** 37 Lc 79
87050 Colósimi **CS** 86 Rc 114
20060 Colturano **MI** 21 Kc 76
20050 Colzano **MB** 21 Kb 74
24020 Colzate **BG** 22 Kf 74
21020 Comábbio **VA** 20 Ie 74
44022 Comácchio **FE** 39 Na 80
54015 Comano **MS** 44 La 83
26833 Comazzo **LO** 21 Kc 76
33023 Comegliáns **UD** 6 Nf 69
32040 Comèlico Superiore **BL** 5 Nd 69
21025 Comério **VA** 10 Ie 73
25030 Comezzano-Cizzago **BS** 22 Kf 76
28060 Comignago **NO** 20 Id 74
97013 Cómiso **RG** 100 Pd 127
92020 Comitini **AG** 97 Od 124
80030 Comiziano **NA** 71 Pd 103
46010 Commessággio **MN** 37 Ld 78
38020 Commezzadura **TN** 13 Le 70
22100 Como **CO** 21 Ka 74
43053 Compiano **PR** 36 Ke 81
63044 Comunanza **AP** 58 Oc 91
24040 Comùn Nuovo **BG** 22 Ke 75
30010 Cona **VE** 25 Na 77
86079 Conca Casale **IS** 70 Of 100
84010 Conca dei Marini **SA** 77 Pd 105
81044 Conca della Campánia **CE** 70 Of 101
37050 Concamarise **VR** 24 Ma 77
38060 Concei **TN** 13 Le 73
02020 Concerviano **RI** 62 Nf 95
25062 Concesio **BS** 22 Lb 75
36062 Conco **VI** 24 Md 74
30023 Concórdia Sagittária **VE** 26 Nf 74
41033 Concórdia sulla Sécchia **MO** 37 Lf 79
20049 Concorezzo **MB** 21 Kc 75
38083 Condino **TN** 13 Ld 73
89030 Condofuri **RC** 95 Qf 120
10055 Condove **TO** 32 Hb 78
98040 Condrò **ME** 94 Qb 119
31015 Conegliano **TV** 15 Nb 73
27030 Confienza **PV** 20 Id 77
02040 Configni **RI** 57 Nd 94
88040 Conflenti **CZ** 86 Rb 114
15030 Coniolo **AL** 34 Ic 78
48017 Consélice **RA** 39 Me 81
35026 Conselve **PD** 25 Mf 77
22010 Consiglio di Rumo **CO** 11 Kb 72
45014 Contarina **RO** 39 Nb 78
90030 Contessa Entellina **PA** 91 Ob 122
02043 Contigliano **RI** 57 Ne 94
83020 Contrada **AV** 71 Pe 103
64010 Controguerra **TE** 58 Oe 91
84020 Controne **SA** 77 Qb 105
28010 Contùrbia, Agrate- **NO** 20 Id 75
84024 Contursi Terme **SA** 77 Qb 105
70014 Conversano **BA** 74 Sa 103
83040 Conza della Campania **AV** 72 Qc 103
15030 Conzano **AL** 34 Ic 78
73043 Copertino **LE** 82 Ta 107
27010 Copiano **PV** 21 Kb 77
44034 Copparo **FE** 39 Me 79
27050 Corana **PV** 35 If 78
70033 Corato **BA** 73 Rc 102
84010 Corbara **SA** 77 Pd 104
20011 Corbetta **MI** 21 If 76
45015 Córbola **RO** 39 Na 78
01030 Corchiano **VT** 61 Nc 94
06073 Corciano **PG** 51 Nb 90
33084 Cordenons **PN** 16 Ne 72
31016 Cordignano **TV** 15 Nc 73
33075 Cordovado **PN** 16 Nf 73
38010 Còredo **TN** 13 Ma 70
55025 Coréglia Antelminelli **LU** 45 Ld 84
16040 Coreglia Lígure **GE** 43 Kb 82
03040 Coreno Ausónio **FR** 69 Oe 100
67030 Corfinio **AQ** 63 Of 96
04010 Cori **LT** 68 Nf 99
42030 Coriano **RE** 45 Lc 83
47853 Coriano **RN** 48 Nd 85
87064 Corigliano Cálabro **CS** 84 Rd 111
73022 Corigliano d'Ótranto **LE** 82 Tb 108
60013 Corinaldo **AN** 52 Oa 87
10070 Cório **TO** 19 Hd 77
90034 Corleone **PA** 91 Ob 121
84020 Corleto Monforte **SA** 78 Qc 106
85012 Corleto Perticara **PZ** 79 Ra 106
20032 Cormano **MI** 21 Kb 75
34071 Cormòns **GO** 17 Oc 73
24030 Corna Imagna **BG** 11 Kd 73
24017 Cornalba **BG** 12 Ke 73
27050 Cornale **PV** 35 If 78
20010 Cornaredo **MI** 21 Ka 75
20040 Cornate d'Adda **MI** 21 Kc 75
39050 Cornedo all'Isarco = Karneid **BZ** 4 Mc 70
36073 Cornedo Vicentino **VI** 24 Mb 75
26854 Cornegliano Laudense **LO** 21 Kc 77
12040 Corneliano d'Alba **CN** 33 Hf 80

Cazzano di Tramigna – Corneliano d'Alba (I) **119**

43021 Corníglio **PR** 36 La 82
33040 Corno di Rosazzo **UD** 17 Oc 72
26846 Corno Gióvine **LO** 36 Ke 78
26847 Cornovécchio **LO** 36 Ke 78
31041 Cornuda **TV** 15 Mf 74
42015 Corréggio **RE** 37 Le 80
20050 Correzzana **MB** 21 Kb 74
35020 Correzzola **PD** 25 Na 77
22010 Corrido **CO** 11 Ka 72
62014 Corridònia **MC** 53 Od 89
64013 Corrópoli **TE** 58 Of 92
53010 Corsano **SI** 50 Mc 89
73033 Corsano **LE** 83 Tc 109
20094 Córsico **MI** 21 Ka 76
14020 Corsione **AT** 33 Ia 78
39040 Cortàccia sulla Strada del Vino = Kurtatsch **BZ** 14 Mb 71
88024 Cortale **CZ** 86 Rc 115
14013 Cortandone **AT** 33 Ia 79
14020 Cortanze **AT** 33 Ia 78
14010 Cortazzone **AT** 33 Ia 79
29020 Corte Brugnatella **PC** 35 Kc 80
26020 Corte de'Cortesi **CR** 22 Kf 77
26010 Corte de'Frati **CR** 22 La 77
25040 Corte Franca **BS** 22 Kf 75
29016 Cortemaggiore **PC** 36 Kf 78
12074 Cortemília **CN** 34 Ib 81
25040 Corteno Golgi **BS** 12 Lb 72
23813 Cortenova **LC** 11 Kc 72
24050 Cortenuova **BG** 22 Ke 75
27014 Corteolona **PV** 35 Kc 78
26834 Corte Palásio **LO** 21 Kd 77
14045 Cortiglione **AT** 34 Ic 80
32043 Cortina d'Ampezzo **BL** 5 Na 69
39040 Cortina sulla Strada del Vino = Kurtinig **BZ** 14 Mb 71
64040 Cortino **TE** 58 Od 93
52044 Cortona **AR** 51 Mf 89
65020 Corvara **PE** 63 Of 95
39033 Corvara = Corvara in Badia **BZ** 4 Mf 69
39033 Corvara in Badia = Corvara **BZ** 4 Mf 69
27050 Corvino San Quirico **PV** 35 Kb 78
25030 Corzano **BS** 22 La 76
33030 Coseano **UD** 16 Oa 72
87100 Cosenza **CS** 86 Rb 112
18023 Cósio d'Arróscia **IM** 41 He 84
23013 Còsio Valtellino **SO** 11 Kd 72
89050 Cosoleto **RC** 88 Qf 119
12054 Cossano Belbo **CN** 34 Ib 80
10010 Cossano Canavese **TO** 19 Hf 76
13836 Cossato **BI** 20 Ib 75
17017 Cosséria **SV** 42 Ib 82
63030 Cossignano **AP** 58 Oe 91
28801 Cossogno **VB** 10 Id 73
07010 Cossoine **SS** 106 Ie 106
14020 Cossombrato **AT** 33 Ia 79
36030 Costabissara **VI** 24 Mc 75
06021 Costacciaro **PG** 52 Ne 88
27010 Costa de Nóbili **PV** 35 Kc 78
24060 Costa di Mezzate **BG** 22 Ke 75
45023 Costa di Rovigo **RO** 38 Me 78
24010 Costa di Serina **BG** 12 Ke 73
23845 Costa Masnaga **LC** 21 Kb 74
13033 Costanzana **VC** 20 Ic 77
18017 Costarainera **IM** 41 Hf 85
24030 Costa Valle Imagna **BG** 21 Kd 74
15050 Costa Vescovato **AL** 35 If 80
24062 Costa Volpino **BG** 12 La 73
37010 Costermano **VR** 23 Le 75
14055 Costigliole d'Asti **AT** 33 Ib 80
12024 Costigliole Saluzzo **CN** 33 Hc 81
48010 Cotignola **RA** 47 Mf 82
88836 Cotronei **KR** 87 Re 114
02040 Cottanello **RI** 57 Ne 94
11013 Courmayeur **AO** 18 Gf 74
24050 Covo **BG** 22 Ke 75
51010 Cozzile **PT** 45 Le 85
27030 Cozzo **PV** 20 Id 77
75010 Craco **MT** 79 Rc 106
23832 Crandola Valsassina **LC** 11 Kc 72
13020 Cravagliana **VC** 10 Ib 73
12050 Cravanzana **CN** 33 Ia 81
28852 Cravéggia **VB** 10 Ic 72
36051 Creazzo **VI** 24 Mc 75
66014 Crécchio **CH** 59 Pb 95
24060 Credaro **BG** 22 Kf 75
26010 Credera-Rubbiano **CR** 22 Kd 77
26013 Crema **CR** 22 Ke 76
23894 Cremella **LC** 21 Kb 74
21030 Cremenaga **VA** 10 Ie 73
23814 Cremeno **LC** 11 Kc 73
22010 Crémia **CO** 11 Kb 72
15010 Cremolino **AL** 34 Id 81
26100 Cremona **CR** 36 La 78
26010 Cremosano **CR** 22 Kd 76
13044 Crescentino **VC** 19 Ia 77
36070 Crespadoro **VI** 24 Mb 75
31017 Crespano del Grappa **TV** 14 Mf 74
40056 Crespellano **BO** 38 Ma 81
26835 Crespiática **LO** 21 Kd 76
56040 Créspina **PI** 49 Ld 87
45030 Crespino **RO** 39 Mf 79
28012 Cressa **NO** 20 Id 75
13864 Crevacuore **BI** 20 Ib 74
40014 Crevalcore **BO** 38 Ma 80
28865 Crevoladòssola **VB** 10 Ib 72
88050 Crichi, Símeri- **CZ** 87 Rd 115
80020 Crispano **NA** 70 Pb 103
74012 Crispiano **TA** 80 Sb 105
12030 Crissolo **CN** 32 Ha 80
16010 Crocefieschi **GE** 35 Ka 81
31035 Crocetta del Montello **TV** 15 Na 73
28862 Crodo **VB** 10 Ib 71
64043 Crognaleto **TE** 58 Oc 93
87060 Cropalati **CS** 85 Re 111
88051 Cròpani **CZ** 87 Re 115
85030 Cròpani **PZ** 84 Ra 108
13853 Crosa **BI** 20 Ib 75
87060 Crosía **CS** 85 Re 111
21020 Crosio della Valle **VA** 20 Ie 74
88900 Crotone **KR** 87 Sa 114
26020 Crotta d'Adda **CR** 36 Kf 78
13040 Crova **VC** 20 Ib 77
38027 Croviana **TN** 13 Lf 70
88812 Crúcoli **KR** 85 Sa 112
21050 Cuasso al Monte **VA** 10 If 73
15040 Cuccaro Monferrato **AL** 34 Ic 79
84050 Cúccaro Vétere **SA** 78 Qb 108
22060 Cucciago **CO** 21 Ka 74
10090 Cucéglio **TO** 19 He 76
20012 Cuggiono **MI** 20 Ie 75
21030 Cugliate Fabiasco **VA** 10 Ie 73
09073 Cúglieri **OR** 108 Id 107
65020 Cúgnoli **PE** 63 Of 95
10040 Cumiana **TO** 32 Hc 79
26020 Cumignano sul Navíglio **CR** 22 Kf 76
21035 Cunardo **VA** 10 Ie 73
12100 Cúneo **CN** 41 Hd 82
38010 Cunevo **TN** 13 Ma 71
14026 Cúnico **AT** 33 Ia 78
10082 Cuorgnè **TO** 19 Hd 76
66051 Cupello **CH** 64 Pe 96
63012 Cupra Marìttima **AP** 53 Of 90
60034 Cupramontana **AN** 52 Oa 88
27010 Cura Carpignano **PV** 21 Kb 77
09090 Curcúris **OR** 109 Ie 110
28060 Curéggio **NO** 20 Ic 74
21010 Curìglia con Monteviasco **VA** 10 Ie 72
88022 Curinga **CZ** 86 Rb 116
13865 Curino **BI** 20 Ib 75
24035 Curno **BG** 21 Kd 74
39020 Curon Venosta = Graun im Vinschgau **BZ** 3 Ld 68
73020 Cursi **LE** 82 Tb 108
28825 Cúrsolo-Orasso **VB** 10 Id 72
35010 Curtarolo **PD** 24 Me 75
46010 Curtatone **MN** 37 Le 78
81040 Curti **CE** 70 Pb 102
20090 Cusago **MI** 21 Ka 76
20095 Cusano Milanino **MI** 21 Kb 75
82033 Cusano Mutri **BN** 71 Pc 100
22010 Cusino **CO** 11 Ka 72
24010 Cùsio **BG** 11 Kd 72
91015 Custonaci **TP** 90 Nd 120
51024 Cutigliano **PT** 45 Le 84
88842 Cutro **KR** 87 Rf 114
73020 Cutrofiano **LE** 82 Tb 108
21030 Cuvéglio **VA** 10 Ie 73
21030 Cúvio **VA** 10 Ie 73

D

38030 Daiano **TN** 14 Mc 71
20020 Dairago **MI** 20 If 75
24044 Dálmine **BG** 21 Kd 75
38010 Dàmbel **TN** 13 Ma 70
32040 Danta di Cadore **BL** 5 Nd 69
38080 Daone **TN** 13 Ld 73
38080 Darè **TN** 13 Le 72
25047 Darfo-Boario Terme **BS** 12 Lb 73
89832 Dasà **VV** 89 Rb 117
16022 Davagna **GE** 43 Ka 82
21020 Davério **VA** 20 Ie 74
88060 Dávoli **CZ** 89 Rc 117
23010 Dázio **SO** 11 Kd 71
09033 Decimomannu **CA** 112 If 113
09010 Decimoputzu **CA** 112 If 113
88041 Decollatura **CZ** 86 Rb 114
17058 Dego **SV** 42 Ib 82
19013 Deiva Marina **SP** 43 Kd 83
23014 Delèbio **SO** 11 Kc 72
93010 Délia **CL** 97 Of 124
89012 Delianuova **RC** 88 Qf 119
71026 Deliceto **FG** 72 Qc 101
25020 Dello **BS** 22 La 76
12014 Demonte **CN** 40 Hb 83
15010 Dénice **AL** 34 Ib 81
38010 Denno **TN** 13 Ma 71
15056 Dernice **AL** 35 Ka 80
26040 Deróvere **CR** 36 Lb 78
06053 Deruta **PG** 56 Nc 91
23824 Dérvio **LC** 11 Kb 72
13034 Desana **VC** 20 Ic 77
25015 Desenzano del Garda **BS** 23 Ld 76
20033 Désio **MB** 21 Kb 75
08032 Desulo **NU** 109 Kb 108
39050 Deutschnofen = Nova Ponente **BZ** 14 Mc 70
87023 Diamante **CS** 83 Qe 110
18013 Diano Arentino **IM** 41 Ia 85
18013 Diano Castello **IM** 41 Ia 85
12055 Diano d'Alba **CN** 33 Ia 81
18013 Diano Marina **IM** 41 Ia 85
18013 Diano San Pietro **IM** 41 Ia 85
50062 Dicomano **FI** 46 Md 85
33030 Dignano **UD** 16 Nf 72
38025 Dimaro **TN** 13 Lf 71
89833 Dinami **VV** 89 Ra 117
87045 Dipignano **CS** 86 Rb 113
73030 Diso **LE** 82 Tc 108
28010 Divignano **NO** 20 Id 75
22020 Dizzasco **CO** 11 Ka 73
39034 Dobbiaco = Toblach **BZ** 5 Nb 68
34070 Doberdò del Lago **GO** 17 Od 73
12063 Dogliani **CN** 33 Hf 81
66050 Dogliola **CH** 64 Pd 97
33010 Dogna **UD** 6 Ob 70
37020 Dolcè **VR** 23 Lf 75
18035 Dolceacqua **IM** 41 Hd 85
18100 Dolcedo **IM** 41 Hf 85
34070 Dolegna del Collio **GO** 17 Oc 72
09041 Dolianova **CA** 112 Kb 112
30031 Dolo **VE** 25 Na 76
23843 Dolzago **LC** 21 Kc 74
87030 Dománico **CS** 86 Rb 113
22013 Domaso **CO** 11 Kb 72
32040 Domegge di Cadore **BL** 5 Nc 70
83020 Domicella **AV** 71 Pd 103
28845 Domodóssola **VB** 10 Ib 72
09010 Dómus de Maria **CA** 112 If 115
09015 Domusnóvas **CI** 111 Id 113
38011 Don **TN** 13 Ma 70
45014 Donada **RO** 39 Nb 78
13893 Donato **BI** 19 Hf 75
22014 Dongo **CO** 11 Kb 72
09040 Donigala, Siúrgus- **CA** 112 Kb 111
11020 Donnas **AO** 19 He 75
09040 Donori **CA** 112 Ka 112
39019 Dorf Tirol = Tirolo **BZ** 3 Ma 68
08022 Dorgali **OT** 110 Kd 107
23824 Dório **LC** 11 Kb 72
28040 Dormelletto **NO** 20 Id 74
27020 Dorno **PV** 35 Ka 78
38070 Dorsino **TN** 13 Lf 72
13881 Dorzano **BI** 19 Ia 76
26043 Dosimo, Pérsico- **CR** 22 La 77
46030 Dósolo **MN** 37 Ld 79
24010 Dossena **BG** 12 Ke 73
22010 Dosso del Liro **CO** 11 Kb 71
11010 Doues **AO** 8 Hb 74
47013 Dovàdola **FC** 47 Mf 84
26010 Dovera **CR** 21 Kd 76
40060 Dozza **BO** 46 Md 82
81010 Dragoni **CE** 70 Pb 101
89862 Drápia **VV** 88 Qf 117
38074 Drena **TN** 13 Lf 73
33040 Drènchia **UD** 17 Od 71
20070 Dresano **MI** 21 Kc 76
22020 Drezzo **CO** 21 If 74
26034 Drizzona **CR** 36 Lc 78
38074 Drò **TN** 13 Lf 73
12025 Dronero **CN** 40 Hc 82
10040 Druento **TO** 33 Hd 78
28853 Druogno **VB** 10 Ic 72
08010 Dualchi **NU** 109 If 107
23015 Dubino **SO** 11 Kc 72
81038 Ducenta, Tréntola- **CE** 70 Pb 103
35020 Due Carrare **PD** 24 Me 77
36031 Dueville **VI** 24 Md 75
82030 Dugenta **BN** 70 Pc 102
34013 Duino-Aurisina **TS** 17 Od 74
21010 Dumenza **VA** 10 Ie 72
21030 Duno **VA** 10 Ie 73
82015 Durazzano **BN** 70 Pc 102
86020 Durónia **CB** 64 Pc 99
14010 Dusino-San Michele **AT** 33 Hf 79

E

84025 Éboli **SA** 77 Qa 105
25048 Édolo **BS** 12 Lb 71
39044 Egna = Neumarkt **BZ** 14 Mb 71
65010 Élice **PE** 59 Of 93
08040 Elini **OG** 110 Kd 109
23848 Ello **LC** 21 Kc 74
91320 Élmas **CA** 112 Ka 113
12020 Elva **CN** 32 Ha 81
11020 Emarese **AO** 19 He 74
50053 Émpoli **FI** 49 Lf 86
24060 Éndine Gaiano **BG** 22 Kf 74
36052 Enego **VI** 14 Me 73
33020 Enemonzo **UD** 16 Nf 70
94100 Enna **EN** 98 Pb 123
39044 Enneberg = Marebbe **BZ** 4 Mf 68
39020 Ennewasser = Transàcqua **BZ** 3 Le 69
12010 Entràcque **CN** 40 Hc 83
24060 Entrático **BG** 22 Kf 74
12030 Envie **CN** 32 Hc 80
85033 Episcopía **PZ** 84 Ra 108
39057 Eppan = Appiano sulla Strada del Vino **BZ** 14 Mb 70
30020 Eraclea **VE** 26 Ne 75
22036 Erba **CO** 21 Kb 74
37060 Erbè **VR** 23 Lf 77
37020 Erbezzo **VR** 23 Lf 75
25030 Erbusco **BS** 22 Kf 75
72020 Érchie **BR** 81 Se 106
80056 Ercolano **NA** 76 Pc 104
91016 Érice **TP** 90 Nd 120
17039 Erli **SV** 41 Ia 84
33080 Erto e Casso **PN** 15 Nc 71
70340 Èrula **SS** 106 If 104
23805 Erve **LC** 21 Kc 74
62024 Esanatóglia **MC** 52 Nf 89
08043 Escalaplano **NU** 109 Kc 111
08030 Escolca **NU** 109 Ka 110
25040 Ésine **BS** 12 Lb 73
23825 Èsino Lario **LC** 11 Kc 72
03045 Espéria **FR** 69 Oe 100
07010 Esporlatu **SS** 106 If 106
35042 Este **PD** 24 Me 77
08030 Esterzili **NU** 109 Kb 110
11014 Etroubles **AO** 8 Hb 74
22030 Eupílio **CO** 21 Kb 74
10050 Exilles **TO** 32 Gf 78

F

15050 Fábbrica Curone **AL** 35 Ka 80
55020 Fábbriche di Vàllico **LU** 45 Ld 84
42042 Fabbrico **RE** 37 Le 79
60044 Fabriano **AN** 52 Nf 88
01034 Fábrica di Roma **VT** 61 Nb 94
89823 Fabrízia **VV** 89 Rb 118
05015 Fabro **TR** 56 Na 91
33040 Faedis **UD** 16 Oc 72
38010 Faedo **TN** 14 Ma 71
23100 Faedo Valtellino **SO** 12 Kf 72
48018 Faenza **RA** 47 Mf 83
47896 Faetano (RSM) 48 Nc 85
71020 Faeto **FG** 71 Qa 101
33034 Fagagna **UD** 16 Oa 72
22020 Faggeto Lario **CO** 11 Ka 73
74020 Faggiano **TA** 81 Sc 106
67020 Fagnano Alto **AQ** 63 Od 95
87013 Fagnano Castello **CS** 84 Ra 111
21054 Fagnano Olona **VA** 20 If 74
84093 Faiano, Pontecagnano- **SA** 77 Pf 105
82030 Faicchio **BN** 70 Pc 101
38010 Fai della Paganella **TN** 13 Ma 71
32020 Falcade **BL** 14 Mf 70
81030 Falciano del Mássico **CE** 70 Of 102
87030 Falconara Albanese **CS** 86 Ra 113
60015 Falconara Marìttima **AN** 53 Oc 87
98060 Falcone **ME** 94 Qa 120
01030 Faléria **VT** 61 Nc 95
88042 Falerna **CZ** 86 Ra 114
63020 Falerone **FM** 53 Oc 90
38057 Falésina, Vignola- **TN** 14 Mb 72
66040 Fallo **CH** 64 Pb 97
28825 Falmenta **VB** 10 Id 72
22020 Faloppio **CO** 21 If 74
03020 Falvaterra **FR** 69 Od 99
39030 Fàlzes = Pfalzen **BZ** 4 Mf 68
41021 Fanano **MO** 45 Le 83
33092 Fanna **PN** 16 Ne 71
61032 Fano **PU** 48 Oa 85
64044 Fano Adriano **TE** 58 Od 93
02032 Fara in Sabina **RI** 61 Ne 95
66010 Fara Filiorum Petri **CH** 63 Pb 95
24045 Fara Gera d'Adda **BG** 21 Kd 75
28073 Fara Novarese **NO** 20 Ic 75
24058 Fara Olivana con Sola **BG** 22 Ke 76
66015 Fara San Martino **CH** 63 Pb 96
36030 Fara Vicentino **VI** 24 Md 74
85032 Fardella **PZ** 79 Ra 108
12060 Farigliano **CN** 33 Hf 81
65010 Faríndola **PE** 58 Oe 94
29023 Farini **PC** 35 Kd 80
01010 Farnese **VT** 55 Me 93
32016 Farra d' Alpago **BL** 15 Nc 72
31010 Farra di Soligo **TV** 15 Na 73
34072 Farra d'Isonzo **GO** 17 Od 73
72015 Fasano **BR** 75 Sc 104
16020 Fáscia **GE** 35 Kb 81
56043 Fauglia **PI** 49 Ld 87
12033 Fàule **CN** 33 Hd 80
16040 Favale di Málvaro **GE** 43 Kb 82
92026 Favara **AG** 97 Od 124
38030 Fàver **TN** 14 Mb 71
91023 Favignana **TP** 90 Nb 121
10083 Fávria **TO** 19 He 77
17024 Feglino, Orco- **SV** 42 Ib 83
12050 Feisóglio **CN** 33 Ia 81
39040 Feldthurns = Velturno **BZ** 4 Md 68
10080 Feletto **TO** 19 He 77
43035 Felino **PR** 36 Lb 80
84055 Felitto **SA** 78 Qb 106
15023 Felizzano **AL** 34 Ic 79
46022 Felónica **MN** 38 Mc 79
32032 Feltre **BL** 15 Mf 72
22070 Fenegrò **CO** 21 If 74
10060 Fenestrelle **TO** 32 Ha 78
10060 Fenile, Campiglione- **TO** 32 Hb 80
11020 Fénis **AO** 19 Hc 74
05034 Ferentillo **TR** 57 Ne 93
03013 Ferentino **FR** 62 Ob 98
96010 Ferla **SR** 99 Pf 126
61033 Fermignano **PU** 52 Nd 86
63023 Fermo **FM** 53 Oe 90
21010 Ferno **VA** 20 Ie 75
88043 Feroleto Antico **CZ** 86 Rc 115
89050 Feroleto della Chiesa **RC** 89 Ra 118
75013 Ferrandina **MT** 79 Rc 106
44100 Ferrara **FE** 38 Md 79
37020 Ferrara di Monte Baldo **VR** 23 Lf 74
86010 Ferrazzano **CB** 71 Pe 99
21030 Ferrera di Varese **VA** 10 Ie 73
27032 Ferrera Erbognone **PV** 34 If 78
14012 Ferrere **AT** 33 Hf 79
16024 Ferriere **GE** 43 Ka 82
29024 Ferriere **PC** 35 Kd 81
89030 Ferruzzano **RC** 95 Ra 120
02023 Fiamignano **RI** 62 Oa 95
10070 Fiano **TO** 19 Hd 77
00065 Fiano Romano **RM** 61 Nd 95
62035 Fiastra **MC** 52 Oa 90
38075 Fiavè **TN** 13 Lf 72
90010 Ficarazzi **PA** 91 Oc 120
45036 Ficarolo **RO** 38 Mc 79
98062 Ficarra **ME** 93 Pe 120
05016 Ficulle **TR** 56 Na 91
43036 Fidenza **PR** 36 La 79
39050 Fiè allo Sciliar = Völs am Schlern **BZ** 4 Mc 69
38054 Fiera di Primiero **TN** 14 Me 71
38050 Fierozzo **TN** 14 Mb 72
26010 Fiesco **CR** 22 Ke 77
50014 Fiésole **FI** 46 Mb 86
25020 Fiesse **BS** 22 Lb 77
30032 Fiesso d'Artico **VE** 25 Na 76
45024 Fiesso Umbertiano **RO** 38 Md 79
22060 Figino Serenza **CO** 21 Ka 74
22070 Figliaro **CO** 21 If 74
59027 Figline **PO** 46 Ma 85
50063 Figline Valdarno **FI** 50 Mc 87
87050 Figline Vegliaturo **CS** 86 Rb 113
00060 Filacciano **RM** 61 Nd 95
89814 Filadélfia **VV** 86 Rb 116
24040 Filago **BG** 21 Kd 75
89851 Filandari **VV** 89 Ra 117
54023 Filattiera **MS** 44 Kf 82
03010 Filettino **FR** 62 Ob 97
66030 Filetto **CH** 63 Pb 95
85020 Filiano **PZ** 78 Qe 104
98050 Filicudi **ME** 88 III
27010 Filighera **PV** 35 Kb 77
86074 Filignano **IS** 70 Pa 99
89843 Filogaso **VV** 86 Rb 116
60024 Filottrano **AN** 53 Oc 88
41034 Finale Emília **MO** 38 Mb 79
17024 Finale Lígure **SV** 42 Ic 83
24020 Fino del Monte **BG** 12 Kf 73
22073 Fino Mornasco **CO** 21 Ka 74
24020 Fiorano al Serio **BG** 22 Kf 74
10010 Fiorano Canavese **TO** 19 He 76
41042 Fiorano Modenese **MO** 37 Le 81
62035 Fiordimonte **MC** 57 Oa 90
47897 Fiorentino (RSM) 47 Nc 85
29017 Fiorenzuola d'Arda **PC** 36 Kf 79
50100 Firenze **FI** 50 Mb 86
50033 Firenzuola **FI** 46 Mc 84
87010 Firmo **CS** 84 Rb 110
84084 Fisciano **SA** 77 Pe 104
03014 Fiuggi **FR** 62 Ob 98
41022 Fiumalbo **MO** 45 Ld 83
89050 Fiumara **RC** 88 Qd 119
98022 Fiumedinísi **ME** 94 Qc 120
87030 Fiumefreddo Brúzio **CS** 86 Ra 113
95013 Fiumefreddo di Sicília **CT** 94 Qb 122
33080 Fiume Véneto **PN** 16 Ne 73
33050 Fiumicello **UD** 17 Oc 74
00054 Fiumicino **RM** 61 Nb 98
62025 Fiuminata **MC** 52 Nf 89
54013 Fivizzano **MS** 44 La 83
33030 Flaibano **UD** 16 Nf 72
38010 Flavon **TN** 13 Ma 71
25020 Flero **BS** 22 La 76
98030 Floresta **ME** 94 Pf 120
96014 Florídia **SR** 99 Qa 126
07030 Florínas **SS** 105 Ie 105
83040 Flúmeri **AV** 72 Qa 102
09010 Fluminimaggiore **CA** 111 Id 112
08010 Flussío **NU** 108 Id 107
13025 Fobello **VC** 9 Ia 73
71100 Fóggia **FG** 72 Qd 100
82030 Foglianise **BN** 71 Pe 102
34070 Fogliano Redipuglia **GO** 17 Oc 73
10090 Foglizzo **TO** 19 He 77
52045 Foiano della Chiana **AR** 51 Me 89
82020 Foiano di Val Fortore **BN** 71 Pf 100
38064 Folgaria **TN** 14 Ma 73
29028 Folignano **PC** 36 Kf 79
63040 Folignano **AP** 58 Od 92
06034 Foligno **PG** 57 Ne 91
31051 Follina **TV** 15 Na 73
19020 Follo **SP** 44 Kf 83
58022 Follònica **GR** 54 Le 91
26861 Fómbio **LO** 36 Ke 78
98050 Fondachelli Fantina **ME** 94 Qa 121
04022 Fondi **LT** 69 Oc 100
38013 Fondo **TN** 13 Ma 70
08023 Fonni **NU** 109 Kb 108

120 (I) Corníglio – Fonni

11020 Fontainemore **AO** 19 Hf 75
80070 Fontana, Serrara- **NA** 76 Of 104
33074 Fontana Fredda **PN** 15 Nd 73
03035 Fontana Liri **FR** 69 Od 99
83040 Fontanarosa **AV** 71 Qa 102
40025 Fontanelice **BO** 46 Md 83
24056 Fontanella **BG** 22 Ke 76
43012 Fontanellato **PR** 36 Lb 79
31043 Fontanelle **TV** 15 Nc 73
28010 Fontaneto d'Agogna **NO** 20 Ic 75
13040 Fontanetto Po **VC** 20 Ib 77
16023 Fontanigorda **GE** 35 Kb 81
14044 Fontanile **AT** 34 Ic 80
35014 Fontaniva **PD** 24 Me 75
31010 Fonte **TV** 25 Mf 74
67020 Fontècchio **AQ** 63 Od 95
03030 Fontechiari **FR** 63 Oe 98
81014 Fontegreca **CE** 70 Pb 100
24060 Fonteno **BG** 22 La 74
00010 Fonte Nuova **RM** 61 Nd 96
43010 Fontevivo **PR** 36 Lb 79
32030 Fonzaso **BL** 14 Me 72
24010 Fòppolo **BG** 12 Ke 72
02044 Forano **RI** 61 Nd 95
63045 Force **AP** 58 Oc 91
82011 Fórchia **BN** 71 Pd 102
23010 Forcola **SO** 12 Ke 71
09083 Fordongiánus **OR** 109 Ie 108
85023 Forenza **PZ** 73 Qf 103
24060 Foresto Sparso **BG** 22 Kf 74
33030 Forgària nel Friuli **UD** 16 Nf 71
83020 Forino **AV** 71 Pe 103
80075 Forío **NA** 76 Of 104
47100 Forlì **FC** 47 Na 83
86084 Forlì del Sànnio **IS** 63 Pb 98
47034 Forlimpòpoli **FC** 47 Na 83
28863 Formazza = Pomat **VB** 10 Ic 70
00060 Formello **RM** 61 Nc 96
04023 Formia **LT** 69 Od 101
81040 Formícola **CE** 70 Pb 101
26020 Formigara **CR** 22 Ke 77
41043 Formígine **MO** 37 Lf 81
13030 Formigliana **VC** 20 Ib 76
44035 Formignana **FE** 39 Mf 79
38040 Fornace **TN** 14 Mb 72
86070 Fornelli **IS** 70 Pa 99
33020 Forni Avoltri **UD** 6 Ne 69
33024 Forni di Sopra **UD** 5 Nd 70
33020 Forni di Sotto **UD** 16 Ne 70
10084 Forno Canavese **TO** 19 Hd 76
32012 Forno di Zoldo **BL** 15 Nb 70
43045 Fornovo di Taro **PR** 36 La 80
24040 Fornovo San Giovanni **BG** 22 Ke 75
55042 Forte dei Marmi **LU** 44 La 84
39045 Fortezza = Franzensfeste **BZ** 4 Md 68
27040 Fortunago **PV** 35 Kb 79
98030 Forza d'Agrò **ME** 94 Qb 121
55020 Fosciándora **LU** 45 Lc 84
54035 Fosdinovo **MS** 44 La 84
67020 Fossa **AQ** 62 Oc 95
66022 Fossacèsia **CH** 64 Pc 95
30020 Fossalta di Piave **VE** 25 Nd 75
30025 Fossalta di Portogruaro **VE** 16 Nf 74
86020 Fossalto **CB** 64 Pd 98
12045 Fossano **CN** 33 He 81
06022 Fossato di Vico **PG** 52 Ne 89
88050 Fossato Serralta **CZ** 86 Rd 115
30030 Fossò **VE** 25 Na 76
41012 Fossoli **MO** 37 Lf 79
61034 Fossombrone **PU** 52 Ne 86
36010 Foza **VI** 14 Md 73
12082 Frabosa Soprana **CN** 41 He 83
12083 Frabosa Sottana **CN** 41 He 83
15060 Fraconalto **AL** 34 If 81
74022 Fragagnano **TA** 81 Sc 106
82020 Fragneto l'Abate **BN** 71 Pe 101
82020 Fragneto Monforte **BN** 71 Pe 101
66050 Fraíne **CH** 64 Pc 97
19014 Framura **SP** 43 Kd 83
85034 Francavilla in Sinni **PZ** 84 Rb 108
66023 Francavilla al Mare **CH** 59 Pb 94
89815 Francavilla Angítola **VV** 86 Rb 116
15060 Francavilla Bísio **AL** 34 Ie 80
63010 Francavilla d'Ete **FM** 53 Od 89
98034 Francavilla di Sicília **ME** 94 Qa 121
72021 Francavilla Fontana **BR** 81 Sd 105
87072 Francavilla Maríttima **CS** 84 Rc 110
89851 Fráncica **VV** 89 Ra 117
96015 Francofonte **SR** 99 Pf 125
81050 Francolise **CE** 70 Pa 101
39045 Franzensfeste = Fortezza **BZ** 4 Md 68
15010 Frascaro **AL** 34 Id 80
27030 Frascarolo **PV** 34 Ie 78
15050 Frascata, Brignano- **AL** 35 Ka 80
00044 Frascati **RM** 61 Ne 98
87010 Frascineto **CS** 84 Rb 109
38050 Frassilongo **TN** 14 Mb 72
45030 Frassinelle Polésine **RO** 38 Me 79
15035 Frassinello Monferrato **AL** 34 Ic 78
15040 Frassineto Po **AL** 34 Id 78
10080 Frassinetto **TO** 19 Hd 76
12020 Fràssino **CN** 32 Hb 81
41044 Frassinoro **MO** 45 Ld 83
02030 Frasso Sabino **RI** 61 Ne 95
82030 Frasso Telesino **BN** 71 Pd 102
80027 Frattamaggiore **NA** 70 Pb 103
80020 Frattaminore **NA** 70 Pb 103
45025 Fratta Polésine **RO** 38 Md 78
06054 Fratta Todina **PG** 56 Nc 91
61040 Fratte Rosa **PU** 52 Nf 87
98070 Frazzanò **ME** 93 Pe 120
00050 Fregene **RM** 61 Nb 97
31010 Fregona **TV** 15 Nc 72
39040 Freienfeld = Campo di Trens **BZ** 4 Mc 67
66050 Fresagrandinária **CH** 64 Pd 97
15064 Fresonara **AL** 34 Ie 80
83040 Frigento **AV** 71 Qa 102
81030 Frignano **CE** 70 Pb 103
14030 Frinco **AT** 33 Ib 78
66030 Frisa **CH** 64 Pc 95
33080 Frisanco **PN** 16 Ne 71
10070 Front **TO** 19 He 77
61021 Frontino **PU** 47 Nc 86
61040 Frontone **PU** 52 Ne 87
03100 Frosinone **FR** 62 Oc 99
86095 Frosolone **IS** 64 Pc 99
10060 Frossasco **TO** 32 Hc 79
15065 Frugarolo **AL** 34 Ie 79
15043 Fubine **AL** 34 Ic 79
50054 Fucècchio **FI** 49 Le 86
24030 Fuipiano Valle Imagna **BG** 11 Kd 73
37022 Fumane **VR** 23 Lf 75
03010 Fumone **FR** 62 Ob 98
39040 Funès = Villnöß **BZ** 4 Md 69
66050 Furci **CH** 64 Pd 96
98023 Furci Sículo **ME** 94 Qc 121
98054 Fúrnari **ME** 94 Qa 120
84010 Furore **SA** 76 Pd 105
09040 Furtei **MD** 112 If 111
87024 Fuscaldo **CS** 84 Ra 112
48010 Fusignano **RA** 39 Mf 82
23020 Fusine **SO** 12 Ke 72
84050 Futani **SA** 78 Qb 108

G

26030 Gabbioneta-Binanuova **CR** 22 Lb 77
15020 Gabiano **AL** 34 Ib 78
61011 Gabicce Mare **PU** 48 Ne 85
11020 Gaby **AO** 19 Hf 74
26030 Gadesco-Pieve Delmona **CR** 36 La 78
08030 Gadoni **NU** 109 Kb 109
04024 Gaeta **LT** 69 Od 101
98030 Gaggi **ME** 94 Qb 121
20083 Gaggiano **MI** 21 Ka 76
40041 Gàggio Montano **BO** 45 Lf 83
13894 Gaglianico **BI** 19 Ia 75
67020 Gagliano Aterno **AQ** 63 Oe 96
94010 Gagliano Castelferrato **EN** 93 Pd 122
73034 Gagliano del Capo **LE** 83 Tc 109
88060 Gagliato **CZ** 89 Rc 116
62022 Gagliole **MC** 52 Oa 89
31018 Gaiarine **TV** 15 Nc 73
45030 Gàiba **RO** 38 Mc 79
12010 Gaiola **CN** 40 Hc 83
53013 Gaiole in Chianti **SI** 50 Mc 88
08040 Gáiro **OG** 110 Kd 109
39030 Gáis **BZ** 4 Mf 67
98070 Galati Mamertino **ME** 93 Pe 120
73013 Galatina **LE** 82 Ta 107
73044 Galatone **LE** 82 Ta 108
89054 Gálatro **RC** 89 Ra 118
23851 Galbiate **LC** 21 Kc 74
47010 Galeata **FC** 47 Mf 85
26832 Galgagnano **LO** 21 Kc 76
21013 Gallarate **VA** 20 Ie 75
01035 Gallese **VT** 61 Nc 94
28066 Galliate **NO** 20 Ie 76
21020 Galliate Lombardo **VA** 20 Ie 74
27034 Galliàvola **PV** 34 Ie 78
55027 Gallicano **LU** 45 Lc 84
00010 Gallicano nel Lázio **RM** 61 Ne 97
85010 Gallícchio **PZ** 79 Ra 107
40015 Galliera **BO** 38 Mc 80
35015 Galliera Véneta **PD** 24 Me 75
03040 Gallinaro **FR** 63 Oe 99
36032 Gallio **VI** 14 Md 73
73014 Gallípoli **LE** 82 Sf 108
98030 Gallodoro **ME** 94 Qb 121
81010 Gallo Matese **CE** 70 Pb 100
81044 Gallúccio **CE** 70 Of 100
08020 Galtellì **OT** 107 Kd 106
35030 Galzignano Terme **PD** 24 Me 77
15010 Gamalero **AL** 34 Id 80
25020 Gàmbara **BS** 22 Lb 77
27030 Gambarana **PV** 34 Ie 78
12030 Gambasca **CN** 32 Hc 81
50050 Gambassi Terme **FI** 49 Lf 87
86013 Gambatesa **CB** 71 Pf 99
36053 Gambellara **VI** 24 Mb 76
66040 Gamberale **CH** 63 Pb 97
47035 Gambéttola **FC** 47 Nc 84
27025 Gambolò **PV** 20 If 77
36050 Gambugliano **VI** 24 Mc 75
24020 Gandellino **BG** 12 Kf 72
24024 Gandino **BG** 22 Kf 74
24060 Gandosso **BG** 22 Kf 74
90024 Gangi **PA** 93 Pb 122
75010 Garaguso **MT** 79 Rb 105
15050 Garbagna **AL** 35 If 80
28070 Garbagna Novarese **NO** 20 Id 76
20024 Garbagnate Milanese **MI** 21 Ka 75
23846 Garbagnate Monastero **LC** 21 Kb 74
37016 Garda **VR** 23 Le 75
25083 Gardone Riviera **BS** 23 Ld 75
25063 Gardone Val Trompia **BS** 22 Lb 74
12075 Garéssio **CN** 41 Ia 83
28010 Gargallo **NO** 20 Ic 74
39010 Gargazon = Gargazzone **BZ** 3 Mb 69
39010 Gargazzone = Gargazon **BZ** 3 Mb 69
25084 Gargnano **BS** 23 Ld 74
27026 Garlasco **PV** 21 If 77
23852 Garlate **LC** 21 Kc 74
17033 Garlenda **SV** 41 Ia 84
38060 Garniga Terme **TN** 13 Ma 72
22010 Garzeno **CO** 11 Kb 72
10060 Garzigliana **TO** 32 Hc 79
88060 Gasperina **CZ** 86 Rc 116
10090 Gàssino Torinese **TO** 33 He 78
42043 Gattático **RE** 37 Lc 80
47043 Gattèo **FC** 47 Nc 84
47043 Gatteo a Mare **FC** 47 Nc 83
28013 Gattico **NO** 20 Id 74
13045 Gattinara **VC** 20 Ic 75
25085 Gavardo **BS** 23 Lc 75
15063 Gavazzana **AL** 34 If 80
45010 Gavello **RO** 39 Mf 78
24060 Gaverina Terme **BG** 22 Kf 74
15066 Gavi **AL** 34 Ie 80
00030 Gavignano **RM** 62 Oa 98
21026 Gavirate **VA** 10 Ie 73
08020 Gavoi **NU** 109 Kb 108
58023 Gavorrano **GR** 54 Lf 91
46040 Gazoldo degli Ippóliti **MN** 23 Ld 77
21045 Gazzada Schianno **VA** 20 Ie 74
24025 Gazzaniga **BG** 22 Ke 74
35010 Gazzo **PD** 24 Me 75
29010 Gazzola **PC** 35 Kd 79
37060 Gazzo Veronese **VR** 37 Ma 78
46010 Gazzuolo **MN** 37 Ld 78
93012 Gela **CL** 98 Pb 126
47855 Gemmano **RN** 48 Nd 85
33013 Gemona del Friuli **UD** 16 Oa 71
21036 Gemónio **VA** 10 Ie 73
00030 Genazzano **RM** 62 Nf 97
60040 Genga **AN** 52 Nf 88
26020 Genivolta **CR** 22 Kf 76
12040 Genola **CN** 33 Hd 81
08030 Genoni **NU** 109 Ka 110
16100 Genova **GE** 43 If 82
09020 Genuri **MD** 109 If 110
85013 Genzano di Lucánia **PZ** 73 Ra 103
00045 Genzano di Roma **RM** 61 Ne 98
27014 Genzone **PV** 35 Kc 77
89040 Gerace **RC** 89 Rb 119
90010 Geraci Sículo **PA** 92 Pa 121
22010 Gera Lário **CO** 11 Kc 71
00025 Gerano **RM** 62 Nf 97
27010 Gerenzago **PV** 21 Kc 77
21040 Gerenzano **VA** 21 Ka 75
08030 Gergei **NU** 109 Ka 110
10070 Germagnano **TO** 19 Hc 77
28887 Germagno **VB** 10 Ic 73
22010 Germásino **CO** 11 Kb 72
21010 Germignaga **VA** 10 Ie 73
89831 Gerocarne **VV** 89 Rb 117
23010 Gerola Alta **SO** 11 Kd 72
24010 Gerosa **BG** 11 Kd 73
26040 Gerre de'Caprioli **CR** 36 La 78
09040 Gésico **CA** 109 Ka 111
20060 Gessate **MI** 21 Kc 75
66010 Gessopalena **CH** 64 Pb 96
09020 Gésturi **MD** 109 Ka 110
83040 Gesualdo **AV** 71 Qa 102
25016 Ghedi **BS** 22 Lb 76
28074 Ghemme **NO** 20 Ic 75
28823 Ghiffa **VB** 10 Id 73
09074 Ghilarza **OR** 109 Ie 108
24050 Ghisalba **BG** 22 Ke 75
13030 Ghislarengo **VC** 20 Ic 75
45020 Giacciano con Baruchella **RO** 38 Mc 78
10050 Giaglione **TO** 32 Ha 78
25040 Giánico **BS** 12 Lb 73
06030 Giano dell'Umbria **PG** 57 Nd 92
81042 Giano Vetusto **CE** 70 Pb 101
90040 Giardinello **PA** 91 Oa 120
98030 Giardini-Naxos **ME** 94 Qb 121
15036 Giarole **AL** 34 Id 78
97010 Giarratana **RG** 100 Pe 126
95014 Giarre **CT** 94 Qa 122
07010 Giave **SS** 106 Ie 106
10094 Giaveno **TO** 32 Hc 78
31040 Giávera del Montello **TV** 15 Na 74
09010 Giba **CI** 111 Id 114
91024 Gibellina **TP** 90 Nf 121
13874 Gifflenga **BI** 20 Ib 76
89020 Giffone **RC** 89 Ra 118
84090 Giffoni sei Casali **SA** 77 Pf 104
84095 Giffoni Valle Piana **SA** 77 Pf 104
28836 Gignese **VB** 10 Id 73
11010 Gignod **AO** 18 Hb 74
86010 Gildone **CB** 71 Pe 99
88045 Gimigliano **CZ** 86 Rd 115
85020 Ginestra **PZ** 72 Qe 103
82020 Ginestra degli Schiavoni **BN** 71 Qa 101
74013 Ginosa **TA** 80 Re 105
84056 Giói **SA** 78 Qb 107
67055 Giòia dei Marsi **AQ** 63 Oe 97
70023 Gióia del Colle **BA** 74 Rf 104
81010 Gióia Sannítica **CE** 70 Pc 101
89013 Gióia Táuro **RC** 88 Qf 118
89042 Gioiosa Iónica **RC** 89 Rb 118
98063 Gioiosa Marea **ME** 94 Pf 119
05024 Giove **TR** 56 Nc 93
70054 Giovinazzo **BA** 74 Re 101
38030 Giovo **TN** 13 Ma 72
08040 Girasole **NU** 110 Kd 109
88024 Girifalco **CZ** 86 Rc 116
22020 Girónico **CO** 21 If 74
66052 Gissi **CH** 64 Pd 96
73030 Giuggianello **LE** 82 Tc 108
80014 Giugliano in Campania **NA** 70 Pb 103
90030 Giuliana **PA** 91 Ob 122
03020 Giuliano di Roma **FR** 69 Ob 99
66010 Giuliano Teatino **CH** 59 Pb 95
64021 Giulianova **TE** 59 Of 92
55030 Giuncugnano **LU** 44 Lb 83
84050 Giungano **SA** 77 Qa 106
73020 Giurdignano **LE** 82 Tc 108
27010 Giussago **PV** 21 Ka 77
30026 Giussago **VE** 26 Nf 74
20034 Giussano **MB** 21 Kb 74
17027 Giusténice **SV** 42 Ib 83
38086 Giustino **TN** 13 Le 72
17010 Giusvalla **SV** 42 Ic 82
10040 Givoletto **TO** 33 Hc 78
88040 Gizzeria **CZ** 86 Rb 115
39024 Glorenza = Glurns **BZ** 3 Ld 69
39024 Glurns = Glorenza **BZ** 3 Ld 69
31010 Godega di Sant'Urbano **TV** 15 Nc 73
27052 Godiasco **PV** 35 Ka 79
90030 Godrano **PA** 91 Oc 121
46044 Gòito **MN** 23 Le 77
21010 Golasecca **VA** 20 Id 74
27047 Golferenzo **PV** 35 Kb 79
07020 Golfo Aranci **OT** 107 Kd 103
26020 Gómbito **CR** 22 Ke 77
33050 Gonars **UD** 16 Ob 73
09040 Goni **CA** 112 Kb 111
09010 Gonnesa **CI** 111 Ic 113
09090 Gonnoscodina **OR** 109 If 110
09035 Gonnosfanádiga **MD** 111 Ie 112
09090 Gonnosnò **OR** 109 If 110
09093 Gonnostramatza **OR** 109 If 110
46023 Gonzaga **MN** 37 Le 79
23020 Gordona **SO** 11 Kc 71
00030 Gorga **RM** 62 Oa 99
31040 Gorgo al Monticano **TV** 15 Nd 74
75010 Gorgoglione **MT** 79 Ra 106
20064 Gorgonzola **MI** 21 Kc 75
67030 Goriano Sicoli **AQ** 63 Oe 96
34170 Gorìzia **GO** 17 Od 73
24060 Gorlago **BG** 22 Kf 74
21050 Gorla Maggiore **VA** 20 If 74
21055 Gorla Minore **VA** 20 If 75
24020 Gorle **BG** 22 Ke 74
21040 Gornate Olona **VA** 20 If 74
24020 Gorno **BG** 12 Kf 73
44020 Goro **FE** 39 Nb 79
16020 Gorreto **GE** 35 Kb 81
12070 Gorzegno **CN** 33 Ia 81
32020 Gosaldo **BL** 15 Mf 71
29020 Gossolengo **PC** 35 Kd 79
12070 Gottasecca **CN** 41 Ia 82
25023 Gottolengo **BS** 22 Lb 77
12040 Govone **CN** 33 Ia 80
28024 Gozzano **NO** 20 Ic 74
61012 Gradara **PU** 48 Ne 85
33030 Gradisca **UD** 16 Nf 72
34072 Gradisca d'Isonzo **GO** 17 Od 73
34073 Grado **GO** 27 Oc 74
01010 Gràdoli **VT** 56 Mf 93
26813 Graffignana **LO** 21 Kc 77
01020 Graffignano **VT** 56 Nb 93
13895 Graglia **BI** 19 Hf 75
80054 Gragnano **NA** 76 Pd 104
29010 Gragnano Trébbiense **PC** 35 Kd 78
95042 Grammichele **CT** 98 Pd 125
14031 Grana **AT** 34 Ib 79
40045 Granaglione **BO** 45 Lf 84
40057 Granarolo dell'Emília **BO** 38 Mc 81
36040 Grancona **VI** 24 Mc 76
22070 Grandate **CO** 21 Ka 74
22010 Grándola ed Uniti **CO** 11 Kb 72
98036 Graniti **ME** 94 Qb 121
28060 Granozzo con Monticello **NO** 20 Id 76
21030 Grántola **VA** 10 Ie 73
35010 Grantorto **PD** 24 Me 75
35040 Granze **PD** 38 Me 78
75014 Grassano **MT** 79 Rb 105
24050 Grassóbbio **BG** 22 Ke 75
90010 Gratteri **PA** 92 Of 121
39020 Graun im Vinschgau = Curon Venosta **BZ** 3 Ld 68
38030 Grauno **TN** 14 Mb 71
22015 Gravedona **CO** 11 Kb 72
27020 Gravellona Lomellina **PV** 20 Ie 77
28883 Gravellona Toce **VB** 10 Ic 73
10050 Gravere **TO** 32 Ha 78
70024 Gravina in Puglia **BA** 73 Rc 104
95030 Gravina di Catánia **CT** 99 Qa 123
19025 Grazie, le **SP** 44 Kf 84
81046 Grazzanise **CE** 70 Pa 102
14035 Grazzano Badóglio **AT** 34 Ib 78
29020 Grazzano Visconti **PC** 36 Ke 79
02040 Gréccio **RI** 57 Ne 94
83030 Greci **AV** 72 Qa 101
13030 Gréggio **VC** 20 Ic 76
15056 Gremiasco **AL** 35 Ka 80
11020 Gressan **AO** 18 Hb 74
11020 Gressoney-la-Trinité **AO** 9 He 74
11025 Gressoney-Saint-Jean **AO** 19 He 74
50022 Greve in Chianti **FI** 50 Mb 87
20056 Grezzago **MI** 21 Kd 75
37023 Grezzana **VR** 23 Ma 75
22011 Griante **CO** 11 Kb 72
81030 Gricignano di Aversa **CE** 70 Pb 103
34014 Grignano **TS** 27 Oe 74
28075 Grignasco **NO** 20 Ic 74
38055 Grigno **TN** 14 Md 73
33040 Grimacco **UD** 17 Od 72
87034 Grimaldi **CS** 86 Rb 114
12060 Grinzane Cavour **CN** 33 Hf 81
36040 Grisignano di Zocco **VI** 24 Me 76
87020 Grisolia **CS** 83 Qf 110
40030 Grizzana Morandi **BO** 46 Ma 83
15010 Grognardo **AL** 34 Ic 81
24020 Gromo **BG** 12 Kf 73
15060 Grondona **AL** 35 If 80
24060 Grone **BG** 22 Kf 74
26044 Grontardo **CR** 22 La 77
27027 Gropello Cairoli **PV** 35 If 77
29025 Gropparello **PC** 36 Ke 80
10070 Groscavallo **TO** 18 Hb 76
23033 Gròsio **SO** 12 Lb 71
23034 Grosotto **SO** 12 Lb 71
58100 Grosseto **GR** 55 Ma 92
10070 Grosso **TO** 19 Hd 77
00046 Grottaferrata **RM** 61 Ne 98
74023 Grottáglie **TA** 81 Sc 105
83035 Grottaminarda **AV** 71 Qa 102
63013 Grottammare **AP** 58 Of 91
63024 Grottazzolina **FM** 53 Od 90
92020 Grotte **AG** 97 Oe 124
01025 Grotte di Castro **VT** 56 Mf 93
89043 Grotteria **RC** 89 Rb 118
75010 Gróttole **MT** 79 Rc 105
83010 Grottolella **AV** 71 Pe 103
30020 Gruaro **VE** 16 Nf 74
10095 Grugliasco **TO** 33 Hd 78
26023 Grumello Cremonese ed Uniti **CR** 22 Kf 77
24064 Grumello del Monte **BG** 22 Kf 75
85050 Grumento Nova **PZ** 78 Qf 107
38030 Grumes **TN** 14 Mb 71
70025 Grumo Áppula **BA** 74 Re 102
36040 Grùmolo delle Abbadesse **VI** 24 Md 75
80028 Grumo Nevano **NA** 70 Pb 103
39030 Gsieser Tal = Valle di Casies **BZ** 5 Nb 68
73010 Guagnano **LE** 82 Sf 106
62020 Gualdo **MC** 53 Ob 90
06035 Gualdo Cattáneo **PG** 57 Nd 91
06023 Gualdo Tadino **PG** 52 Ne 89
42044 Gualtieri **RE** 37 Ld 79
98040 Gualtieri Sicaminò **ME** 94 Qb 119
09040 Guamaggiore **CA** 112 Ka 111
22070 Guanzate **CO** 21 Ka 74
03016 Guarcino **FR** 62 Ob 98
13010 Guardabosone **VC** 20 Ib 74
26862 Guardamíglio **LO** 36 Ke 78
88065 Guardavalle **CZ** 89 Rc 117
45030 Guarda Véneta **RO** 38 Me 79
05025 Guardea **TR** 56 Nb 93
66016 Guardiagrele **CH** 63 Pb 95
86030 Guardialfiera **CB** 64 Pe 98
83040 Guárdia Lombardi **AV** 72 Qb 103
85010 Guárdia Perticara **PZ** 79 Ra 106
87020 Guárdia Piemontese **CS** 84 Ra 112
86014 Guardiarégia **CB** 71 Pd 100
82034 Guárdia Sanframondi **BN** 71 Pd 101

Fontainemore – Guárdia Sanframondi (I) **121**

56040 Guardistallo **PI** 49 Ld 89
12050 Guarene **CN** 33 Ia 80
09040 Guàsila **CA** 112 Ka 111
42016 Guastalla **RE** 37 Ld 79
15050 Guazzora **AL** 34 If 78
06024 Gùbbio **PG** 52 Nd 88
20088 Gudo Visconti **MI** 21 Ka 76
86034 Guglionesi **CB** 64 Pf 97
46040 Guidizzolo **MN** 23 Ld 77
00012 Guidònia-Montecèlio **RM** 61 Ne 96
41052 Guíglia **MO** 45 Lf 82
66050 Guilmi **CH** 64 Pc 97
28825 Gurro **VB** 10 Id 72
09036 Gúspini **MD** 111 Id 111
25064 Gussago **BS** 22 La 75
26040 Gussola **CR** 36 Lb 78

H

39010 Hafling = Avelengo **BZ** 3 Mb 69
11020 Hône **AO** 19 He 75

I

25074 Idro **BS** 23 Lc 74
47814 Igèa Marina, Bellària- **RN** 48 Nc 84
09016 Iglesias **CI** 111 Id 113
12060 Igliano **CN** 41 Ia 82
08040 Ilbono **NU** 110 Kd 109
37031 Illasi **VR** 24 Mb 76
07010 Illorai **SS** 106 If 106
23898 Imbersago **LC** 21 Kc 74
38050 Imer **TN** 14 Me 72
40026 Ímola **BO** 46 Me 82
18100 Imperia **IM** 41 Ia 85
50023 Impruneta **FI** 50 Mb 86
21020 Inarzo **VA** 20 Ie 74
50064 Incisa in Val d'Arno **FI** 50 Mc 87
14045 Incisa Scapaccino **AT** 34 Ic 80
25040 Incudine **BS** 12 Lc 71
21056 Induno Olona **VA** 10 If 73
10080 Ingria **TO** 19 Hd 76
39038 Innichen = San Càndido **BZ** 5 Nb 68
28900 Intra **VB** 10 Id 73
28816 Intragna **VB** 10 Ie 71
23815 Intròbio **LC** 11 Kc 73
11010 Introd **AO** 18 Hb 74
67030 Introdácqua **AQ** 63 Of 97
23835 Introzzo **LC** 11 Kc 72
22044 Inverigo **CO** 21 Kb 74
27010 Inverno e Monteleone **PV** 21 Kc 77
10060 Inverso Pinasca **TO** 32 Hb 79
20010 Inveruno **MI** 20 If 75
28045 Invório **NO** 20 Ic 74
20065 Inzago **MI** 21 Kc 75
89851 Ionadi **VV** 89 Ra 117
08020 Irgoli **OT** 107 Kd 106
25061 Irma **BS** 22 Lb 74
75022 Irsina **MT** 79 Rb 104
12020 Isasca **CN** 32 Hc 81
88060 Isca sullo Ionio **CZ** 89 Rc 117
80077 Íschia **NA** 76 Of 104
01010 Íschia di Castro **VT** 55 Me 93
71010 Ischitella **FG** 66 Qf 97
25049 Iseo **BS** 22 La 75
38060 Isera **TN** 13 Lf 73
86170 Isérnia **IS** 70 Pb 99
08033 Ísili **NU** 109 Ka 110
90010 Isnello **PA** 92 Of 121
23020 Ísola **SO** 11 Kb 70
10046 Isolabella **TO** 33 Hf 79
18035 Isolabona **IM** 41 Hd 85
14057 Ísola d'Asti **AT** 34 Ib 79
16017 Ísola del Cantone **GE** 35 If 81
58012 Ísola del Gìglio **GR** 54 Lf 94
64045 Ísola del Gran Sasso d'Itália **TE** 58 Oe 93
37063 Ísola della Scala **VR** 23 Lf 77
90040 Ísola delle Fémmine **PA** 91 Ob 119
03036 Ísola del Liri **FR** 63 Od 98
61030 Ísola del Piano **PU** 48 Ne 86
88841 Isola di Capo Rizzuto **KR** 87 Sa 115
24010 Isola di Fondra **BG** 12 Ke 73
26031 Ísola Dovarese **CR** 36 Lb 77
37050 Ísola Rizza **VR** 24 Mb 77
15050 Ísola Sant'António **AL** 34 If 78
36033 Isola Vicentina **VI** 24 Mc 75
71040 Ísole Trèmiti **FG** 65 Qc 96
25010 Isorella **BS** 22 Lb 77
84050 Ispani **SA** 83 Qd 108
97014 Íspica **RG** 100 Pf 128
21027 Ispra **VA** 20 Id 74
10080 Issiglio **TO** 19 He 76
11020 Issime **AO** 19 Hf 74
24040 Isso **BG** 22 Ke 76
11020 Issogne **AO** 19 He 75
31036 Istrana **TV** 25 Na 74
98025 Itála **ME** 94 Qc 120
04020 Itri **LT** 69 Od 101
07010 Ittireddu **SS** 106 If 105
07044 Íttiri **SS** 105 Id 105
38059 Ivano Fracena **TN** 14 Md 72
10015 Ivrea **TO** 19 Hf 76
26010 Izano **CR** 22 Ke 76

J

88020 Jacurso **CZ** 86 Rc 115
86015 Jelsi **CB** 71 Pe 99
39050 Jenesien = San Genèsio Atesino **BZ** 4 Mb 69
00020 Jenne **RM** 62 Oa 97
21040 Jerago con Orago **VA** 20 Ie 74
08044 Jerzu **OG** 110 Kd 110
60035 Jesi **AN** 52 Ob 87
30016 Jesolo **VE** 26 Nd 75
44037 Jolanda di Savoia **FE** 39 Mf 79
89863 Jóppolo **VV** 88 Qf 117
92010 Jóppolo Giancáxio **AG** 97 Od 124
11020 Jovençan **AO** 18 Hb 74

K

39052 Kaltern = Caldaro sulla Strada del Vino **BZ** 14 Mb 70
39050 Karneid = Cornedo all'Isarco **BZ** 14 Mc 70
39020 Kastelbell-Tschars = Castelbello-Ciàrdes **BZ** 3 Lf 69
39040 Kastelruth = Castelrotto **BZ** 4 Md 69
39030 Kiens = Chiènes **BZ** 4 Mf 68
39043 Klausen = Chiusa **BZ** 4 Md 69
39010 Kuens = Càines **BZ** 3 Ma 68
39040 Kurtatsch = Cortàccia sulla Strada del Vino **BZ** 14 Mb 71
39040 Kurtinig = Cortina sulla Strada del Vino **BZ** 14 Mb 71

L

39023 Laas = Lasa **BZ** 3 Le 69
00030 Labico **RM** 62 Nf 98
02010 Labro **RI** 57 Ne 93
10040 La Cassa **TO** 19 Hd 77
20084 Lacchiarella **MI** 21 Ka 77
80076 Lacco Ameno **NA** 76 Of 104
83046 Lacedónia **AV** 72 Qc 102
39021 Làces = Latsch **BZ** 3 Lf 69
08034 Láconi **NU** 109 Ka 109
00055 Ladíspoli **RM** 60 Na 97
07030 Laerru **SS** 106 Ie 104
89050 Laganadi **RC** 88 Qe 119
36010 Laghi **VI** 14 Mb 74
22010 Láglio **CO** 11 Ka 73
12030 Lagnasco **CN** 33 Hd 81
87035 Lago **CS** 86 Ra 113
31020 Lago, Revine- **TV** 15 Nb 72
85042 Lagonegro **PZ** 78 Qe 108
44023 Lagosanto **FE** 39 Na 80
39022 Lagundo = Algund **BZ** 3 Ma 68
17053 Laiguéglia **SV** 41 Ia 85
20020 Lainate **MI** 21 Ka 75
22020 Laino **CO** 11 Ka 73
87014 Laino Borgo **CS** 84 Qf 109
87015 Laino Castello **CS** 84 Qf 109
39040 Laion = Lajen **BZ** 4 Md 69
39055 Làives = Leifers **BZ** 14 Mc 70
56030 Lajatico **PI** 49 Le 88
39040 Lajen = Laion **BZ** 4 Md 69
24040 Lállio **BG** 21 Kd 74
07024 La Maddalena **OT** 104 Kc 101
66010 Lama dei Peligni **CH** 63 Pb 96
11020 La Magdeleine **AO** 19 Hd 74
41023 Lama Mocogno **MO** 45 Le 83
22045 Lambrugo **CO** 21 Kb 74
88046 Lamézia Terme **CZ** 86 Rb 115
32033 Lamon **BL** 14 Me 72
12064 La Morra **CN** 33 Hf 81
92010 Lampedusa **AG** 96 III
92010 Lampedusa e Linosa 96 III
51035 Lamporécchio **PT** 45 Lf 86
13046 Lamporo **VC** 19 Ia 77
39011 Lana **BZ** 3 Ma 69
66034 Lanciano **CH** 64 Pc 95
28064 Landiona **NO** 20 Ic 76
27015 Landriano **PV** 21 Kb 77
43013 Langhirano **PR** 36 Lb 81
27030 Langosco **PV** 20 Id 77
08045 Lanusei **OG** 110 Kd 109
00040 Lanúvio **RM** 68 Ne 99
23020 Lanzada **SO** 12 Kf 71
22024 Lanzo d'Intelvi **CO** 11 Ka 73
10074 Lanzo Torinese **TO** 19 Hc 77
63026 Lapedona **FM** 53 Oe 90
83030 Lapío **AV** 71 Pf 103
87050 Lappano **CS** 86 Rb 113
67100 L'Áquila **AQ** 58 Oc 94
51036 Larciano **PT** 45 Lf 85
38087 Lardaro **TN** 13 Ld 73
27016 Lardirago **PV** 21 Kb 77
56035 Lari **PI** 49 Ld 87
00040 Lariano **RM** 61 Ne 98
86035 Larino **CB** 64 Pf 98
39023 Lasa = Laas **BZ** 3 Le 69
11015 La Salle **AO** 18 Ha 74
90010 Láscari **PA** 92 Of 120
38040 Lases, Lona- **TN** 14 Mb 72
38076 Lasino **TN** 13 Lf 72
22030 Lasnigo **CO** 11 Kb 73
19100 La Spézia **SP** 44 Ke 84
90200 Las Plàssas **MD** 109 If 110
36040 Lastebasse **VI** 14 Mb 73
50055 Lastra a Signa **FI** 49 Ma 86
01010 Látera **VT** 56 Me 93
52020 Laterina **AR** 50 Me 87
74014 Laterza **TA** 80 Re 105
11016 La Thuile **AO** 18 Gf 74
72022 Latiano **BR** 81 Se 105
04100 Latina **LT** 68 Nf 100
33053 Latisana **UD** 16 Oa 74
85043 Latrónico **PZ** 79 Ra 108
39021 Latsch = Làces **BZ** 3 Lf 69
87010 Lattárico **CS** 84 Ra 112
33029 Làuco **UD** 16 Nf 70
84050 Laureana Cilento **SA** 77 Qa 107
89023 Laureana di Borrello **RC** 89 Ra 118
39040 Lauregno = Laurein **BZ** 13 Ma 70
39040 Laurein = Lauregno **BZ** 13 Ma 70
85014 Laurenzana **PZ** 79 Qf 106
85044 Lauría **PZ** 83 Qf 108
10020 Lauriano **TO** 33 Hf 78
84057 Laurino **SA** 78 Qc 106
84050 Laurito **SA** 78 Qc 107
83023 Láuro **AV** 71 Pd 103
16033 Lavagna **GE** 43 Kc 83
37030 Lavagno **VR** 24 Ma 76
39030 La Valle = Wengen **BZ** 4 Mf 69
32020 La Valle Agordina **BL** 15 Na 71
38046 Lavarone **TN** 14 Mb 73
85024 Lavello **PZ** 72 Qe 102
21037 Lavena Ponte Tresa **VA** 10 If 73
21014 Laveno Mombello **VA** 10 Id 73
25074 Lavenone **BS** 23 Lc 74
84020 Laviano **SA** 78 Qb 104
38015 Lavis **TN** 13 Ma 72
37017 Lazise **VR** 23 Le 75
20020 Lazzate **MB** 21 Ka 74
73100 Lecce **LE** 82 Tb 106
67050 Lecce nei Marsi **AQ** 63 Oe 97
23900 Lecco **LC** 11 Kc 73
24026 Leffe **BG** 22 Kf 74
21038 Leggiuno **VA** 10 Id 73
37045 Legnago **VR** 24 Mb 77
20025 Legnano **MI** 20 If 75
19015 Legnaro **SP** 44 Kd 83
35020 Legnaro **PD** 25 Mf 76
08010 Lei **NU** 106 If 107
39055 Leifers = Làives **BZ** 14 Mc 70
10040 Leinì **TO** 19 He 77
16040 Léivi **GE** 43 Kb 82
10070 Lèmie **TO** 18 Hb 77
45026 Lendinara **RO** 38 Md 78
98050 Leni **ME** 88 II
24010 Lenna **BG** 12 Ke 73
22016 Lenno **CO** 11 Kb 73
25024 Leno **BS** 22 Lb 76
04025 Lénola **LT** 69 Oc 100
13035 Lenta **VC** 20 Ic 75
20030 Lentate sul Séveso **MI** 21 Ka 74
66050 Lentella **CH** 64 Pe 96
32020 Lentiai **BL** 15 Na 72
96016 Lentini **SR** 99 Pf 125
02016 Leonessa **RI** 57 Nf 93
94013 Leonforte **EN** 93 Pc 122
74020 Leporano **TA** 81 Sb 106
73010 Lequile **LE** 82 Ta 107
12050 Léquio Bérria **CN** 33 Ia 81
12060 Léquio Tanaro **CN** 33 Hf 81
90025 Lercara Friddi **PA** 92 Od 122
19032 Lérici **SP** 44 Kf 84
15070 Lerma **AL** 34 Ie 81
28040 Lesa **NO** 20 Id 74
12076 Lesegno **CN** 41 Hf 82
43037 Lesignano de'Bagni **PR** 36 Lb 81
71010 Lèsina **FG** 65 Qc 97
20050 Lesmo **MB** 21 Kb 75
10010 Léssolo **TO** 19 He 76
13853 Lessona **BI** 20 Ib 75
33050 Lestizza **UD** 16 Oa 73
81010 Letino **CE** 70 Pb 100
98037 Letojanni **ME** 94 Qb 121
80050 Léttere **NA** 76 Pd 104
65020 Lettomanoppello **PE** 63 Pa 95
66010 Lettopalena **CH** 63 Pa 97
19015 Lévanto **SP** 43 Kd 83
91010 Lévanzo **TP** 90 I
24040 Levate **BG** 21 Kd 75
73045 Leverano **LE** 82 Ta 107
12070 Lévice **CN** 33 Ia 81
38056 Lévico Terme **TN** 14 Mb 73
10070 Levone **TO** 19 Hd 77
22025 Lèzzeno **CO** 11 Kb 73
81040 Líberi **CE** 70 Pb 101
98064 Librizzi **ME** 94 Pf 120
92027 Licata **AG** 97 Of 126
54016 Licciana Nardi **MS** 44 La 83
00026 Licenza **RM** 62 Nf 96
95040 Licodía Eubéa **CT** 100 Pe 126
23827 Lierna **LC** 11 Kb 73
13100 Lignana **VC** 20 Ic 77
33054 Lignano Sabbiadoro **UD** 26 Oa 74
42039 Ligónchio **RE** 44 Lc 83
33020 Ligosullo **UD** 6 Oa 69
11020 Lillianes **AO** 19 Hf 75
32020 Limana **BL** 15 Na 72
82030 Limátola **BN** 70 Pc 102
89844 Limbadi **VV** 88 Qf 117
20051 Limbiate **MB** 21 Ka 75
35010 Límena **PD** 24 Me 76
22070 Limido Comasco **CO** 21 If 74
98030 Límina **ME** 94 Qb 121
50050 Limite **FI** 49 Lf 86
12015 Limone Piemonte **CN** 41 Hd 83
25010 Limone sul Garda **BS** 23 Le 74
86022 Limosano **CB** 64 Pd 98
27010 Linarolo **PV** 35 Kb 78
20068 Linate **MI** 21 Kb 76
95015 Linguaglossa **CT** 94 Qa 121
92010 Linosa **AG** 96 II
83047 Lioni **AV** 72 Qb 103
98055 Lípari **ME** 88 II
22030 Lipomo **CO** 21 Ka 74
27040 Lírio **PV** 35 Kb 79
20060 Liscate **MI** 21 Kc 76
66050 Líscia **CH** 64 Pd 97
06060 Lisciano Niccone **PG** 51 Na 89
38030 Lisignago **TN** 14 Mb 72
12070 Lísio **CN** 41 Hf 83
20035 Lissone **MB** 21 Kb 75
80030 Liveri **NA** 71 Pd 103
23030 Livigno **SO** 2 La 69
32020 Livinallongo del Col di Lana **BL** 4 Mf 70
22010 Livo **CO** 11 Kb 71
38020 Livo **TN** 13 Ma 70
57100 Livorno **LI** 48 Lb 87
13046 Livorno Ferráris **VC** 19 Ia 77
26814 Livraga **LO** 21 Kd 77
73023 Lizzanello **LE** 82 Tb 107
74020 Lizzano **TA** 81 Sc 106
40042 Lizzano in Belvedere **BO** 45 Lf 84
17025 Loano **SV** 42 Ib 84
14051 Loazzolo **AT** 34 Ib 80
10080 Locana **TO** 19 Hc 76
20085 Locate di Triulzi **MI** 21 Kb 76
24030 Locatello **BG** 11 Kd 73
22070 Locate Varesino **CO** 21 If 74
08040 Loceri **OG** 110 Kd 109
70010 Locorotondo **BA** 75 Sc 104
89044 Locri **RC** 89 Rb 119
08020 Lóculi **NU** 107 Kd 106
08020 Lodè **NU** 107 Kd 105
26900 Lodi **LO** 21 Kd 77
80200 Lodine **NU** 109 Kb 108
26855 Lodi Vécchio **LO** 21 Kc 77
25060 Lodrino **BS** 22 Lb 74
10040 Loggia, la **TO** 19 Hd 77
25030 Lograto **BS** 22 La 76
40050 Loiano **BO** 46 Mb 83
07020 Lóiri-Porto San Paolo **OT** 107 Kd 103
23871 Lomagna **LC** 21 Kc 74
38070 Lomaso **TN** 13 Lf 72
22074 Lomazzo **CO** 21 Ka 74
10040 Lombardore **TO** 19 He 77
10040 Lombriasco **TO** 33 Hd 79
27034 Lomello **PV** 34 Ie 78
21020 Lomnago, Bódio- **VA** 20 Ie 74
38040 Lona-Lases **TN** 14 Mb 72
21050 Lonate Ceppino **VA** 20 If 74
21015 Lonate Pozzolo **VA** 20 Ie 75
25017 Lonato **BS** 23 Lc 76
50060 Londa **FI** 46 Md 85
86090 Longano **IS** 70 Pb 99
36023 Longare **VI** 24 Md 76
32013 Longarone **BL** 15 Nb 71
25030 Longhena **BS** 22 La 76
98070 Longi **ME** 93 Pe 120
47020 Longiano **FC** 47 Nb 84
87030 Longobardi **CS** 86 Ra 113
87066 Longobucco **CS** 85 Rd 112
22030 Longone al Segrino **CO** 21 Kb 74
02020 Longone Sabino **RI** 62 Nf 95
36045 Lonigo **VI** 24 Mc 76
10010 Loranzè **TO** 19 He 76
35010 Loreggia **PD** 25 Mf 75
28893 Loréglia **VB** 10 Ic 73
32040 Lorenzago di Cadore **BL** 5 Nc 70
56043 Lorenzana **PI** 49 Ld 87
45017 Loreo **RO** 39 Nb 78
60025 Loreto **AN** 53 Od 88
65014 Loreto Aprutino **PE** 59 Of 94
31037 Loria **TV** 25 Mf 74
52024 Loro Ciuffenna **AR** 50 Md 87
62020 Loro Piceno **MC** 53 Oc 89
16045 Lorsica **GE** 43 Kb 82
27040 Losana, Mornico- **PV** 35 Kb 78
25050 Lòsine **BS** 12 Lb 73
08040 Lotzorai **OG** 110 Kd 109
25051 Loveno, Paisco- **BS** 12 Lb 72
24065 Lóvere **BG** 22 La 74
23030 Lòvero Valtellino **SO** 12 Lb 71
25053 Lozio **BS** 12 Lb 72
21040 Lozza **VA** 20 If 74
35034 Lozzo Atestino **PD** 24 Md 77
32040 Lozzo di Cadore **BL** 5 Nc 70
13045 Lózzolo **VC** 20 Ib 75
15040 Lu **AL** 34 Ic 79
01020 Lubriano **VT** 56 Na 93
55100 Lucca **LU** 45 Lc 85
92010 Lucca Sícula **AG** 96 Ob 123
71036 Lucera **FG** 72 Qc 99
52046 Lucignano **AR** 50 Me 89
18027 Lucinasco **IM** 41 Hf 85
22070 Lucino, Montano- **CO** 21 Ka 74
86030 Lucito **CB** 64 Pe 98
67056 Luco dei Marsi **AQ** 62 Oc 97
67045 Lúcoli **AQ** 62 Oc 95
39040 Lüsen = Luson **BZ** 4 Me 68
29018 Lugagnano Val d'Arda **PC** 36 Ke 80
10080 Lugnacco **TO** 19 He 76
05020 Lugnano in Teverina **TR** 56 Nc 93
48022 Lugo **RA** 47 Mf 82
36030 Lugo di Vicenza **VI** 24 Md 74
21016 Luino **VA** 10 Ie 72
22070 Luisago **CO** 21 Ka 74
08020 Lula **NU** 107 Kc 106
16024 Lumarzo **GE** 43 Ka 82
25065 Lumezzane **BS** 22 Lb 74
09022 Lunamatrona **MD** 109 If 111
61026 Lunano **PU** 51 Nc 86
27053 Lungavilla **PV** 35 Ka 78
87010 Lungro **CS** 84 Ra 110
83040 Luogosano **AV** 71 Pf 103
07020 Luogosanto **OT** 104 Kb 102
86030 Lupara **CB** 64 Pe 98
22040 Lurago d'Erba **CO** 21 Kb 74
22070 Lurago Marinone **CO** 21 If 74
24050 Lurano **BG** 22 Kd 75
07025 Lúras **OT** 106 Kb 103
22075 Lurate Caccívio **CO** 21 Ka 74
81030 Lusciano **CE** 70 Pb 103
38040 Luserna **TN** 14 Mb 73
10062 Luserna San Giovanni **TO** 32 Hb 80
10060 Lusernetta **TO** 32 Hb 80
33010 Lusévera **UD** 16 Ob 71
45020 Lúsia **RO** 38 Md 78
36046 Lusiana **VI** 24 Md 74
10080 Lusigliè **TO** 19 He 77
39040 Luson = Lüsen **BZ** 4 Me 68
84050 Lustra **SA** 77 Qa 107
21020 Luvinate **VA** 10 Ie 73
24069 Luzzana **BG** 22 Kf 74
42045 Luzzara **RE** 37 Le 79
87040 Luzzi **CS** 84 Rb 112

M

21010 Maccagno **VA** 10 Ie 72
26843 Maccastorna **LO** 36 Kf 78
86070 Mácchia d'Isérnia **IS** 70 Pa 99
86096 Macchiagódena **IS** 70 Pc 99
86040 Mácchia Valfortore **CB** 65 Pf 99
10060 Macello **TO** 32 Hc 79
62100 Macerata **MC** 53 Oc 89
81047 Macerata Campania **CE** 70 Pb 102
61023 Macerata Fèltria **PU** 47 Nc 86
20050 Machério **MI** 21 Kb 75
25030 Maclódio **BS** 22 La 76
08015 Macomér **NU** 109 Ie 107
12020 Macra **CN** 32 Ha 82
28876 Macugnaga **VB** 9 Hf 73
07024 Maddalena, La **OT** 104 Kc 101
81024 Maddaloni **CE** 70 Pc 102
25088 Maderno, Toscolano- **BS** 23 Ld 75
23020 Madésimo **SO** 11 Kc 70
26020 Madignano **CR** 22 Ke 76
24040 Madone **BG** 21 Kd 75
28894 Madonna del Sasso **VB** 20 Ib 74
38084 Madonna di Campiglio **TN** 13 Le 71
04010 Maenza **LT** 69 Ob 99
86030 Mafalda **CB** 64 Pe 97
25080 Magasa **BS** 23 Ld 74
11020 Magdeleine, la **AO** 19 Hd 74
20013 Magenta **MI** 20 If 76
28014 Maggiora **NO** 20 Ic 74
27010 Magherno **PV** 21 Kb 77
40024 Magione **BO** 46 Mb 82
60630 Magione **PG** 51 Nb 90
88050 Magisano **CZ** 87 Rd 114
58051 Magliano in Toscana **GR** 55 Mb 93
12050 Magliano Alfieri **CN** 33 Ia 80
12060 Magliano Alpi **CN** 33 He 82
67062 Magliano de'Marsi **AQ** 62 Oc 96
63025 Magliano di Tenna **FM** 53 Od 90
00060 Magliano Romano **RM** 61 Nc 96
02046 Magliano Sabina **RI** 61 Nc 94
84050 Magliano Vétere **SA** 78 Qb 106
73024 Máglie **LE** 82 Tb 108
17020 Magliolo **SV** 42 Ib 83
10030 Maglione **TO** 19 Ia 76
46020 Magnacavallo **MN** 38 Mb 78
20020 Magnago **MI** 20 Ie 75
13050 Magnano **BI** 19 Ia 76
33010 Magnano in Riviera **UD** 16 Ob 71
08010 Magomádas **NU** 108 Id 107
22030 Magréglio **CO** 11 Kb 73
39040 Magrè sulla Strada del Vino = Margreid **BZ** 14 Mb 71
88025 Maida **CZ** 86 Rc 115
87020 Maierà **CS** 83 Qf 110
89843 Maierato **VV** 86 Rb 116
60030 Maiolati Spontini **AN** 52 Oa 88
61010 Maiolo **PU** 47 Nb 85
84010 Maiori **SA** 77 Pd 105
26825 Mairago **LO** 21 Kd 77
25030 Mairano **BS** 22 La 76
19010 Maissana **SP** 43 Kd 82

122 (I) Guardistallo – Maissana

33030 Majano **UD** 16 Oa 71
26030 Malagnino **CR** 36 La 78
40051 Malalbergo **BO** 38 Md 80
33010 Malborghetto-Valbruna **UD** 6 Oc 69
37018 Malcesine **VR** 23 Le 74
38027 Malè **TN** 13 Lf 70
25053 Malegno **BS** 12 Lb 73
26847 Maleo **LO** 36 Ke 77
28854 Malesco **VB** 10 Ic 72
95035 Maletto **CT** 94 Pf 121
98050 Malfa **ME** 88 Il
21020 Malgesso **VA** 20 Ie 74
23864 Malgrate **LC** 11 Kc 73
87030 Malito **CS** 86 Rb 114
17045 Mállare **SV** 42 Ib 83
39024 Mälles Venosta = Mals im Vinschgau **BZ** 3 Ld 68
21046 Malnate **VA** 20 If 74
36034 Malo **VI** 24 Mc 75
25040 Malonno **BS** 12 Lb 72
38013 Malosco **TN** 14 Ma 70
21010 Malpensa **VA** 20 Ie 75
39024 Mals im Vinschgau = Mälles Venosta **BZ** 3 Ld 68
63040 Maltignano **AP** 58 Oe 91
98030 Malvagna **ME** 94 Qa 121
15015 Malvicino **AL** 34 Ic 81
87010 Malvito **CS** 84 Ra 111
89045 Mámmola **RC** 89 Rb 118
08024 Mamoiada **NU** 109 Kb 107
52040 Manciano **AR** 55 Md 93
58014 Manciano **GR** 51 Mf 89
98020 Mandanici **ME** 94 Qb 120
09040 Mándas **CA** 109 Ka 111
87060 Mandatoríccio **CS** 85 Rf 112
00020 Mandela **RM** 62 Nf 96
23826 Mandello del Lário **LC** 11 Kb 73
28060 Mandello Vitta **NO** 20 Ic 76
74024 Mandúria **TA** 81 Sd 106
25080 Manerba del Garda **BS** 23 Ld 75
25025 Manerbio **BS** 22 La 76
71043 Manfredónia **FG** 66 Qf 99
12056 Mango **CN** 33 Ia 80
87050 Mangone **CS** 86 Rb 113
95030 Maniace **CT** 93 Pe 121
33085 Maniago **PN** 16 Ne 71
83030 Manocalzati **AV** 71 Pf 103
65024 Manoppello **PE** 63 Pa 95
31040 Mansué **TV** 15 Nd 74
12030 Manta **CN** 33 Hc 81
23016 Mantello **SO** 11 Kc 72
46100 Mantova **MN** 37 Le 78
33044 Manzano **UD** 17 Oc 73
00066 Manziana **RM** 60 Na 96
24030 Mapello **BG** 21 Kd 74
07010 Mara **SS** 105 Id 106
09040 Maracalagónis **CA** 112 Kb 113
41053 Maranello **MO** 37 Lf 81
80016 Marano di Nápoli **NA** 76 Pb 103
37020 Marano di Valpolicella **VR** 23 Lf 75
00020 Marano Equo **RM** 62 Oa 97
33050 Marano Lagunare **UD** 16 Ob 74
87040 Marano Marchesato **CS** 86 Ra 113
87040 Marano Principato **CS** 86 Ra 113
41054 Marano sul Panaro **MO** 45 Lf 82
28040 Marano Ticino **NO** 20 Id 75
36035 Marano Vicentino **VI** 24 Mc 74
14040 Maranzana **AT** 34 Ic 80
85046 Maratea **PZ** 83 Qe 109
20010 Marcallo con Casone **MI** 20 If 76
46010 Marcaria **MN** 37 Ld 78
88050 Marcedusa **CZ** 87 Re 114
00010 Marcellina **RM** 61 Ne 96
88044 Marcellinara **CZ** 86 Rc 115
02020 Marcetelli **RI** 62 Oa 95
25060 Marcheno **BS** 22 Lb 74
21030 Marchirolo **VA** 10 Ie 73
57030 Marciana **LI** 49 Ld 87
57033 Marciana Marina **LI** 54 VII
81025 Marcianise **CE** 70 Pb 102
52047 Marciano della Chiana **AR** 50 Me 89
27020 Marcignago **PV** 21 Ka 77
30020 Marcon **VE** 25 Nb 75
39044 Marebbe = Enneberg **BZ** 4 Mf 68
12030 Marene **CN** 33 He 80
31010 Mareno di Piave **TV** 15 Nc 73
10020 Marentino **TO** 33 Hf 78
91010 Marettimo **TP** 90 I
14018 Maretto **AT** 33 Ia 79
12040 Margarita **CN** 41 He 82
71044 Margherita di Savóia **BT** 73 Ra 100
23832 Margno **LC** 11 Kc 72
39040 Margreid = Magrè sulla Strada del Vino **BZ** 14 Mb 71
46010 Mariana Mantovana **MN** 23 Lc 77
22066 Mariano Comense **CO** 21 Kb 74
34070 Mariano del Friuli **GO** 17 Oc 73
93010 Marianópoli **CL** 97 Of 123
80030 Mariglianella **NA** 70 Pc 103
80034 Marigliano **NA** 71 Pc 103
89046 Marina di Gioiosa Ionica **RC** 89 Rb 119
48023 Marina Romea **RA** 39 Nb 81
73030 Marina di Léuca **LE** 83 Tc 110
90035 Marineo **PA** 91 Oc 121
00047 Marino **RM** 61 Nd 98
39020 Marlengo = Marling **BZ** 3 Ma 69
51010 Marliana **PT** 45 Le 85
39020 Marling = Marlengo **BZ** 3 Ma 69
25060 Marmentino **BS** 22 Lb 74
46045 Marmirolo **MN** 23 Le 77
12020 Mármora **CN** 32 Ha 82
14020 Marmorito **AT** 33 Ia 78
21050 Marnate **VA** 21 If 75
25054 Marone **BS** 22 La 74
89020 Marópati **RC** 89 Ra 118
36063 Marostica **VI** 24 Md 74
50034 Marradi **FI** 46 Md 84
09094 Marrúbiu **OR** 108 Id 110
12060 Marságlia **CN** 41 Hf 82
91025 Marsala **TP** 90 Nc 122
06055 Marsciano **PG** 56 Nb 91
85052 Mársico Nuovo **PZ** 78 Qe 106
85050 Mársico Vétere **PZ** 78 Qe 106
01010 Marta **VT** 56 Mf 93
73025 Martano **LE** 82 Tb 107
39020 Martell = Martello **BZ** 3 Le 69
30030 Martellago **VE** 25 Na 75
39020 Martello = Martell **BZ** 3 Le 69
33035 Martignacco **UD** 16 Oa 72
26040 Martignana di Po **CR** 37 Lc 78
73020 Martignano **LE** 82 Tb 107
74015 Martina Franca **TA** 75 Sc 104
24057 Martinengo **BG** 22 Ke 75
12030 Martiniana Po **CN** 32 Hc 81
64014 Martinsicuro **TE** 59 Of 91
88040 Martirano **CZ** 86 Rb 114
88040 Martirano Lombardo **CZ** 86 Rb 114
07030 Mártis **SS** 106 Ie 104
89040 Mártone **RC** 89 Rb 118
26866 Marudo **LO** 21 Kc 77
74020 Marúggio **TA** 81 Sd 107
40043 Marzabotto **BO** 46 Mb 82
27010 Marzano **PV** 21 Kb 77
81035 Marzano Appio **CE** 70 Pa 101
83020 Marzano di Nola **AV** 71 Pd 103
87050 Marzi **CS** 86 Rb 113
21030 Márzio **VA** 10 If 73
09010 Masaínas **CA** 111 Id 114
20060 Masate **MI** 21 Kc 75
95016 Máscali **CT** 94 Qb 122
95030 Mascalucia **CT** 94 Qa 123
85020 Maschito **PZ** 73 Qf 103
20030 Masciago, Bovísio- **MI** 21 Ka 75
21030 Masciago Primo **VA** 10 Ie 73
31010 Maser **TV** 15 Mf 74
28855 Masera **VB** 10 Ib 72
31052 Maserada sul Piave **TV** 25 Nb 74
35020 Maserà di Padova **PD** 25 Mf 77
35040 Masi **PD** 38 Mc 78
15024 Másio **AL** 34 Ic 79
44020 Masi Torello **FE** 38 Me 80
22026 Masliánico **CO** 11 Ka 73
16010 Masone **GE** 34 Ie 82
36064 Mason Vicentino **VI** 24 Md 74
54100 Massa **MS** 44 La 84
67050 Massa d'Albe **AQ** 62 Oc 96
80040 Massa di Somma **NA** 76 Pc 103
51010 Massa e Cozzile **PT** 45 Le 85
63020 Massa Fermana **FM** 53 Oc 90
44025 Massa Fiscáglia **FE** 39 Na 80
74016 Massafra **TA** 80 Sa 105
26815 Massalengo **LO** 21 Kc 77
48024 Massa Lombarda **RA** 39 Me 82
80061 Massa Lubrense **NA** 76 Pc 105
58024 Massa Maríttima **GR** 54 Lf 90
06056 Massa Martana **PG** 57 Nd 92
35010 Massanzago **PD** 25 Na 75
55054 Massarosa **LU** 44 Lc 85
13873 Massazza **BI** 19 Ib 76
10060 Massello **TO** 32 Ha 79
13866 Masserano **BI** 20 Ib 75
63010 Massignano **AP** 53 Oe 90
38086 Massimeno **TN** 13 Le 72
12071 Massimino **CN** 41 Ia 83
28040 Massino Visconti **NO** 20 Id 74
28895 Massiola **VB** 10 Ib 73
09090 Masúllas **OR** 109 Ie 110
62024 Matèlica **MC** 52 Oa 89
75100 Matera **MT** 80 Rd 104
10075 Mathi **TO** 19 Hd 77
73046 Matino **LE** 82 Ta 108
86030 Matrice **CB** 64 Pe 99
10050 Máttie **TO** 32 Ha 78
71030 Mattinata **FG** 66 Ra 98
91026 Mazara del Vallo **TP** 90 Nd 122
25080 Mazzano **BS** 22 Lc 75
00060 Mazzano Romano **RM** 61 Nc 95
93013 Mazzarino **CL** 98 Pb 125
98056 Mazzarrà Sant'Andrea **ME** 94 Qa 120
95040 Mazzarrone **CT** 100 Pd 126
10035 Mazzè **TO** 19 Hf 77
38030 Mazzin **TN** 4 Me 70
23030 Mazzo di Valtellina **SO** 12 Lb 71
10050 Meana di Susa **TO** 32 Ha 78
08030 Meana Sardo **NU** 109 Ka 109
20036 Meda **MB** 21 Kb 75
27035 Mede **PV** 34 Ie 78
34076 Medea **GO** 17 Oc 73
43014 Medesano **PR** 36 La 80
40059 Medicina **BO** 38 Md 82
51017 Medicina **PT** 45 Le 85
20060 Medíglia **MI** 21 Kc 76
24030 Medolago **BG** 21 Kc 74
46046 Médole **MN** 23 Lc 77
41036 Medolla **MO** 37 Ma 79
31040 Meduna di Livenza **TV** 16 Nd 74
33092 Meduno **PN** 16 Ne 71
35040 Megliadino San Fidénzio **PD** 24 Md 77
35040 Megliadino San Vitale **PD** 24 Md 77
28046 Méina **NO** 20 Id 74
32026 Mel **BL** 15 Na 72
45037 Melara **RO** 38 Mb 78
15010 Melazzo **AL** 34 Ic 81
47014 Meldola **FC** 47 Na 84
16010 Mele **GE** 42 Ie 82
20077 Melegnano **MI** 21 Kc 76
73026 Melendugno **LE** 82 Tc 107
26843 Meleti **LO** 36 Kf 78
85025 Melfi **PZ** 72 Qe 102
98030 Melia **ME** 94 Qb 121
89020 Melicuccà **RC** 88 Qf 119
89020 Melicucco **RC** 89 Ra 118
96010 Melilli **SR** 99 Qa 125
88817 Melissa **KR** 87 Sa 113
73040 Melissano **LE** 82 Ta 109
80017 Melito di Nápoli **NA** 70 Pb 103
89063 Mélito di Porto Salvo **RC** 95 Qe 121
83030 Melito Irpino **AV** 71 Qa 102
82030 Melizzano **BN** 71 Pd 102
12020 Melle **CN** 32 Hb 81
23010 Mello **SO** 11 Kd 72
37020 Melpignano **LE** 82 Tb 108
39010 Mèltina = Mölten **BZ** 3 Mb 69
20066 Melzo **MI** 21 Kc 75
22017 Menággio **CO** 11 Kb 72
23022 Menarola **SO** 11 Kb 71
27050 Mencónico **PV** 35 Kb 80
18025 Mendática **IM** 41 He 84
87040 Mendicino **CS** 86 Rb 113
92013 Menfi **AG** 96 Nf 123
00013 Mentana **RM** 61 Nd 96
30020 Méolo **VE** 25 Nc 75
39012 Meran = Merano **BZ** 3 Mb 69
15010 Merana **AL** 34 Ib 81
39012 Merano = Meran **BZ** 3 Mb 69
23807 Merate **LC** 21 Kc 74
21020 Mercallo **VA** 20 Ie 74
61040 Mercatello sul Metáuro **PU** 51 Nc 87
61013 Mercatino Conca **PU** 48 Nc 85
84085 Mercato San Severino **SA** 77 Pe 104
47025 Mercato Saraceno **FC** 47 Nb 85
10010 Mercenasco **TO** 19 Hf 76
83013 Mercogliano **AV** 71 Pe 103
33036 Mereto di Tomba **UD** 16 Oa 72
60030 Mergo **AN** 52 Oa 88
28802 Mergozzo **VB** 10 Ic 73
98040 Merì **ME** 94 Qb 119
35040 Merlara **PD** 24 Mc 77
26833 Merlino **LO** 21 Kc 76
22046 Merone **CO** 21 Kb 74
72023 Mesagne **BR** 81 Se 105
23020 Mese **SO** 11 Kc 71
21030 Mesenzana **VA** 10 Ie 73
20010 Mésero **MI** 20 If 75
44026 Mésola **FE** 39 Nb 79
88838 Mesoraca **KR** 87 Re 114
98100 Messina **ME** 88 Qd 119
30175 Mestre **VE** 25 Nb 76
35035 Mestrino **PD** 24 Me 76
80062 Meta **NA** 76 Pc 105
75010 Metaponto **MT** 80 Re 106
10080 Meugliano **TO** 19 He 76
20050 Mezzago **MB** 21 Kc 75
38020 Mezzana **TN** 13 Le 71
27030 Mezzana Bigli **PV** 34 If 78
13831 Mezzana Mortigliengo **BI** 20 Ib 75
27030 Mezzana Rabattone **PV** 35 Ka 78
37030 Mezzane di Sotto **VR** 24 Ma 76
16046 Mezzánego **GE** 43 Kc 82
43055 Mezzani **PR** 37 Lc 79
27040 Mezzanino **PV** 35 Kb 78
38050 Mezzano **TN** 14 Me 72
22010 Mezzegra **CO** 11 Ka 73
10070 Mezzenile **TO** 18 Hc 77
38016 Mezzocorona **TN** 13 Ma 71
90030 Mezzojuso **PA** 91 Oc 121
24010 Mezzoldo **BG** 12 Ke 72
38017 Mezzolombardo **TN** 13 Ma 71
28040 Mezzomerico **NO** 20 Id 75
13816 Miagliano **BI** 19 Ia 75
31050 Miane **TV** 15 Na 73
28010 Miasino **NO** 20 Ic 74
28817 Miazzina **VB** 10 Id 73
02010 Micigliano **RI** 57 Oa 94
73035 Miggiano **LE** 82 Tb 109
66010 Migliánico **CH** 59 Pb 94
83023 Migliano **AV** 71 Pd 103
44027 Migliarino **FE** 39 Mf 80
44020 Migliaro **FE** 39 Mf 80
88040 Miglierina **CZ** 86 Rc 115
75010 Miglióncio **MT** 79 Rd 105
16018 Mignánego **GE** 34 If 81
81049 Mignano Monte Lungo **CE** 70 Of 100
20100 Milano **MI** 21 Kb 76
48016 Milano Marittima **RA** 47 Nc 83
98057 Milazzo **ME** 94 Qb 119
93010 Milena **CL** 97 Oe 123
89852 Mileto **VV** 89 Ra 117
09070 Milis **OR** 108 Id 108
95043 Militello in Val di Catánia **CT** 99 Pe 125
98070 Militello Rosmarino **ME** 93 Pd 120
17017 Millésimo **SV** 42 Ib 82
95010 Milo **CT** 94 Qa 122
25020 Milzano **BS** 22 Lb 77
95044 Mineo **CT** 98 Pd 125
37046 Minerbe **VR** 24 Mb 77
40061 Minerbio **BO** 38 Mc 81
73027 Minervino di Lecce **LE** 82 Tc 108
70055 Minervino Murge **BT** 73 Ra 102
22070 Minòprio **CO** 21 Ka 74
84010 Minori **SA** 77 Pd 105
04026 Minturno **LT** 69 Oe 101
55034 Minucciano **LU** 44 Lb 83
17040 Mióglia **SV** 34 Ic 82
30034 Mira **VE** 25 Na 76
83036 Mirabella Eclano **AV** 71 Pf 102
95040 Mirabella Imbáccari **CT** 98 Pc 124
44043 Mirabello **FE** 38 Mc 80
15040 Mirabello Monferrato **AL** 34 Id 78
86010 Mirabello Sannítico **CB** 71 Pe 99
27010 Miradolo Terme **PV** 35 Kc 77
86170 Miranda **IS** 64 Pb 99
41037 Mirándola **MO** 37 Ma 79
30035 Mirano **VE** 25 Na 76
98070 Mirto **ME** 93 Pe 120
38050 Mis, Sagron- **TN** 15 Mf 71
47843 Misano Adriàtico **RN** 48 Ne 85
24040 Misano di Gera d'Adda **BG** 21 Kd 76
90036 Misilmeri **PA** 91 Oc 120
20020 Misinto **MI** 21 Ka 75
23873 Misságlia **LC** 21 Kc 74
85010 Missanello **PZ** 79 Rb 107
95045 Misterbianco **CT** 99 Pf 123
98073 Mistretta **ME** 93 Pc 121
14050 Moasca **AT** 34 Ib 80
16047 Mocónesi **GE** 43 Kb 82
41100 Modena **MO** 37 Lf 81
97015 Módica **RG** 100 Pe 127
47015 Modigliana **FC** 47 Me 84
08019 Mòdolo **NU** 108 Id 107
70026 Modugno **BA** 74 Re 102
39010 Mölten = Mèltina **BZ** 3 Mb 69
38035 Moena **TN** 14 Md 70
23817 Moggio **LC** 11 Kc 73
33015 Mòggio Udinese **UD** 6 Ob 70
46024 Móglia **MN** 37 Lf 79
62010 Mogliano **MC** 53 Oc 89
31021 Mogliano Véneto **TV** 25 Nb 75
09080 Mogorella **OR** 109 If 109
09095 Mógoro **OR** 109 Ie 110
82010 Moiano **BN** 71 Pd 102
33040 Moimacco **UD** 17 Oc 72
98030 Mójo Alcántara **ME** 94 Qa 121
24010 Móio de'Calvi **BG** 12 Ke 73
84060 Móio della Civitella **SA** 78 Qb 107
12010 Moiola **CN** 40 Hc 83
70042 Mola di Bari **BA** 74 Sa 102
15074 Molare **AL** 34 Id 81
55020 Molazzana **LU** 45 Lc 84
70056 Molfetta **BA** 74 Rd 101
67020 Molina Aterno **AQ** 63 Oe 96
38060 Molina di Ledro **TN** 13 Le 73
82020 Molinara **BN** 71 Pf 101
40062 Molinella **BO** 38 Me 81
18010 Molini di Triora **IM** 41 He 85
15050 Molino de'Torti **AL** 34 If 78
86020 Molise **CB** 64 Pc 99
85050 Moliterno **PZ** 78 Qf 107
13020 Móllia **VC** 19 Ia 74
89010 Molóchio **RC** 89 Ra 119
23847 Molteno **LC** 21 Kb 74
22010 Moltrásio **CO** 11 Ka 73
36060 Molvena **VI** 24 Md 74
38018 Molveno **TN** 13 Lf 72
14050 Mombaldone **AT** 34 Ib 81
12070 Mombarcaro **CN** 41 Ia 82
61024 Mombaróccio **PU** 48 Nf 86
14046 Mombaruzzo **AT** 34 Ic 80
12070 Mombasiglio **CN** 41 Hf 82
10020 Mombello di Torino **TO** 33 Hf 78
15020 Mombello Monferrato **AL** 34 Ib 78
14047 Mombercelli **AT** 34 Ib 80
28015 Momo **NO** 20 Id 75
10059 Mompantero **TO** 32 Ha 78
02040 Mompeo **RI** 61 Ne 95
15050 Momperone **AL** 35 Ka 79
86040 Monacilioni **CB** 64 Pe 99
14013 Monale **AT** 33 Ia 79
89040 Monasterace **RC** 89 Rd 118
14058 Monastero Bórmida **AT** 34 Ib 81
10070 Monastero di Lanzo **TO** 18 Hc 77
12080 Monastero di Vasco **CN** 41 He 82
12080 Monasterolo Casotto **CN** 41 Hf 83
24060 Monasterolo del Castello **BG** 22 Kf 74
12030 Monasterolo di Savigliano **CN** 33 Hd 80
31050 Monastier di Treviso **TV** 25 Nc 75
09023 Monastir **CA** 112 Ka 112
21028 Monate, Travedona- **VA** 20 Ie 74
10024 Moncalieri **TO** 33 He 78
14036 Moncalvo **AT** 34 Ib 78
10050 Moncenisio **TO** 18 Gf 77
15020 Moncestino **AL** 33 Ia 78
12060 Monchiero **CN** 33 Hf 81
43010 Mónchio delle Corti **PR** 44 La 82
38020 Monclàssico **TN** 13 Lf 70
13040 Moncrivello **VC** 19 Hf 77
14024 Moncucco Torinese **AT** 33 Hf 78
47836 Mondaino **RN** 48 Ne 85
61040 Mondávio **PU** 52 Nf 86
61037 Mondolfo **PU** 48 Oa 86
12084 Mondovì **CN** 41 He 82
81034 Mondragone **CE** 70 Of 102
16030 Monéglia **GE** 43 Kc 83
12077 Monesiglio **CN** 41 Ia 82
34074 Monfalcone **GO** 17 Od 74
12065 Monforte d'Alba **CN** 33 Hf 81
98041 Monforte San Giórgio **ME** 94 Qc 119
31010 Monfumo **TV** 15 Mf 73
14040 Mongardino **AT** 34 Ib 79
40037 Mongardino **BO** 46 Mb 82
40063 Monghidoro **BO** 46 Mb 83
89823 Mongiana **VV** 89 Rb 117
15060 Mongiardino Lígure **AL** 35 Ka 81
98030 Mongiùffi Melìa **ME** 94 Qb 121
13888 Mongrando **BI** 19 Ia 75
87040 Mongrassano **CS** 84 Ra 111
39035 Monguelfo = Welsberg **BZ** 5 Na 68
22040 Monguzzo **CO** 21 Kb 74
25080 Moniga del Garda **BS** 23 Ld 75
15059 Monleale **AL** 35 If 79
25040 Monno **BS** 12 Lb 71
70043 Monópoli **BA** 75 Sb 103
09037 Monreale **CA** 112 Ie 111
90046 Monreale **PA** 91 Ob 120
34016 Monrupino **TS** 27 Oe 74
63029 Monsampietro Mórico **FM** 53 Od 90
63030 Monsampolo del Tronto **AP** 58 Oe 91
60030 Monsano **AN** 53 Ob 87
35043 Monsélice **PD** 24 Me 77
91330 Monserrato **CA** 112 Ka 113
51015 Monsummano Terme **PT** 45 Le 85
12046 Montà **CN** 33 Hf 80
14040 Montabone **AT** 34 Ic 80
15050 Montacuto **AL** 35 Ka 80
14014 Montafia **AT** 33 Ia 79
86023 Montágano **CB** 64 Pe 99
39040 Montagna = Montan **BZ** 14 Mb 71
23020 Montagna in Valtellina **SO** 12 Kf 71
35044 Montagnana **PD** 24 Mc 77
98060 Montagnareale **ME** 94 Pf 120
38070 Montagne **TN** 13 Le 72
83030 Montaguto **AV** 72 Qb 101
50050 Montaione **FI** 49 Lf 87
98065 Montalbano Elicona **ME** 94 Pf 120
75023 Montalbano Iónico **MT** 80 Rd 107
53024 Montalcino **SI** 55 Mc 90
15060 Montaldeo **AL** 34 Ie 80
15010 Montaldo Bórmida **AL** 34 Id 80
12080 Montaldo di Mondovì **CN** 41 Hf 83
12040 Montaldo Roero **CN** 33 Hf 80
14048 Montaldo Scarampi **AT** 34 Ib 80
10020 Montaldo Torinese **TO** 33 Hf 78
51037 Montale **PT** 45 Ma 85
10090 Montalenghe **TO** 19 Hf 76
92010 Montallegro **AG** 96 Oc 124
63034 Montalto delle Marche **AP** 58 Od 91
01014 Montalto di Castro **VT** 60 Md 94
10016 Montalto Dora **TO** 19 Hf 76
18010 Montalto Lígure **IM** 41 Hf 85
27040 Montalto Pavese **PV** 35 Kb 79
87046 Montalto Uffugo **CS** 84 Ra 112
39040 Montan = Montagna **BZ** 14 Mb 71
10017 Montanaro **TO** 19 Hf 77
26836 Montanaso Lombardo **LO** 21 Kc 76
12040 Montanera **CN** 41 He 82
84060 Montano Antília **SA** 78 Qc 108
22070 Montano-Lucino **CO** 21 Ka 74

Majano – Montano-Lucino (I) **123**

63020 Montappone **FM** 53 Oc 90
86070 Montaquila **IS** 70 Pa 99
02040 Montásola **RI** 57 Ne 94
88060 Montáuro **CZ** 86 Rc 116
66030 Montázzoli **CH** 64 Pc 97
58019 Monte Argentàrio **GR** 55 Ma 94
27054 Montebello della Battaglia **PV** 35 Ka 78
65010 Montebello di Bertona **PE** 59 Of 94
89064 Montebello Iónico **RC** 95 Qe 121
66040 Montebello sul Sangro **CH** 64 Pb 97
36054 Montebello Vicentino **VI** 24 Mc 76
31044 Montebelluna **TV** 25 Na 74
16025 Montebruno **GE** 35 Kb 81
02040 Montebuono **RI** 61 Nd 94
61020 Montecalvo in Fóglia **PU** 48 Nd 86
83037 Montecalvo Irpino **AV** 71 Qa 101
27047 Montecalvo Versíggia **PV** 35 Kb 79
55015 Montecarlo **LU** 45 Le 85
60036 Montecarotto **AN** 52 Oa 87
62010 Montecassiano **MC** 53 Oc 88
15040 Montecastello **AL** 34 Ie 79
06057 Monte Castello di Víbio **PG** 56 Nc 91
05026 Montecastrilli **TR** 57 Nc 93
51016 Montecatini Terme **PT** 45 Le 85
56040 Montecatini Val di Cecina **PI** 49 Le 88
62036 Monte Cavallo **MC** 57 Nf 91
37030 Montecchia di Crosara **VR** 24 Mb 76
05020 Montécchio **TR** 56 Nb 93
42027 Montécchio Emília **RE** 37 Lc 80
36075 Montècchio Maggiore **VI** 24 Mc 75
36030 Montécchio Precalcino **VI** 24 Md 74
00014 Montecèlio **RM** 61 Ne 96
00012 Montecèlio, Guidònia- **RM** 61 Ne 96
61010 Monte Cerignone **PU** 47 Nc 85
15010 Montechiaro d'Acqui **AL** 34 Ic 81
14025 Montechiaro d'Asti **AT** 33 Ia 78
61024 Monteciccardo **PU** 48 Ne 86
86032 Montecilfone **CB** 64 Pf 97
47854 Monte Colombo **RN** 48 Nd 85
00040 Montecómpatri **RM** 61 Ne 98
61014 Montecopiolo **PU** 47 Nc 85
84060 Montecórice **SA** 77 Pf 107
84090 Montecorvino Pugliano **SA** 77 Pf 104
84096 Montecorvino Rovella **SA** 77 Pf 104
62010 Montecósaro **MC** 53 Od 89
26010 Monte Cremasco **CR** 21 Kd 76
28864 Montecrestese **VB** 10 Ib 72
41025 Montecreto **MO** 45 Le 83
36030 Monte di Malo **VI** 24 Mc 75
63034 Montedinove **AP** 58 Od 91
80070 Monte di Prócida **NA** 76 Pa 104
93010 Montedoro **CL** 97 Oe 124
83030 Montefalcione **AV** 71 Pf 103
06036 Montefalco **PG** 57 Nd 91
63028 Montefalcone Appennino **FM** 58 Oc 91
82025 Montefalcone di Val Fortore **BN** 71 Qa 101
86033 Montefalcone nel Sànnio **CB** 64 Pd 97
62010 Montefano **MC** 53 Oc 88
61030 Montefelcino **PU** 48 Ne 86
66040 Monteferrante **CH** 64 Pc 97
01027 Montefiascone **VT** 56 Na 93
64030 Montefino **TE** 59 Of 93
47834 Montefiore Conca **RN** 48 Nd 85
63010 Montefiore dell'Aso **AP** 53 Oe 90
41045 Montefiorino **MO** 45 Ld 82
00010 Monteflávio **RM** 61 Nf 96
84060 Monteforte Cilento **SA** 77 Qb 106
37032 Monteforte d'Alpone **VR** 24 Mb 76
83024 Monteforte Irpino **AV** 71 Pe 103
63044 Montefortino **FM** 58 Oc 91
05030 Montefranco **TR** 57 Ne 93
83030 Montefrédane **AV** 71 Pe 103
83030 Montefusco **AV** 71 Pf 102
05010 Montegabbione **TR** 56 Na 91
36047 Montegalda **VI** 24 Me 76
36047 Montegaldella **VI** 24 Me 76
63040 Montegallo **AP** 58 Ob 91
63020 Monte Giberto **AP** 53 Od 90
15050 Montegioco **AL** 35 If 79
87070 Montegiordano **CS** 84 Rd 108
63025 Montegiòrgio **FM** 53 Od 90
63014 Montegranaro **FM** 53 Od 89
47837 Montegridolfo **RN** 48 Ne 85
61010 Montegrimano **PU** 48 Nc 85
21010 Montegrino Valtraváglia **VA** 10 Ie 73
14048 Montegrosso d'Asti **AT** 34 Ib 80
18023 Montegrosso Pian Latte **IM** 41 He 84
35036 Montegrotto Terme **PD** 24 Me 77
74020 Monteiasi **TA** 81 Sc 106
25050 Monte Isola **BS** 22 La 74
61025 Montelabbate **PU** 48 Ne 85
00030 Montelànico **RM** 62 Oa 99
66040 Montelapiano **CH** 64 Pb 97
27010 Monteleone **PV** 21 Kc 77
63029 Monteleone di Fermo **FM** 53 Od 90
71020 Monteleone di Púglia **FG** 72 Qb 101
06045 Monteleone di Spoleto **PG** 57 Nf 93
05017 Monteleone d'Orvieto **TR** 56 Na 91
07010 Monteleone Rocca Dória **SS** 105 Id 106
02033 Monteleone Sabino **RI** 62 Nf 95
90040 Montelepre **PA** 91 Ob 120
00010 Montelibretti **RM** 61 Ne 96
83048 Montella **AV** 77 Qa 103
24060 Montello **BG** 22 Ke 74
86040 Montelongo **CB** 65 Pf 98
63020 Montélparo **FM** 58 Od 90
12050 Montelupo Albese **CN** 33 Ia 81
50056 Montelupo Fiorentino **FI** 49 Ma 86
62010 Montelupone **MC** 53 Od 88
61030 Montemaggiore al Metáuro **PU** 52 Nf 86
90020 Montemaggiore Belsito **PA** 92 Oe 121
14030 Montemagno **AT** 34 Ib 79
12025 Montemale di Cuneo **CN** 40 Hc 82
83040 Montemarano **AV** 71 Pf 103
52028 Montemarciano **AR** 50 Md 87
60018 Montemarciano **AN** 53 Ob 87
23804 Monte Marenzo **LC** 21 Kc 74
15050 Montemarzino **AL** 35 If 79
74020 Montemésola **TA** 81 Sb 105
22010 Montemezzo **CO** 11 Kc 71
52010 Montemignáio **AR** 50 Md 86
83038 Montemiletto **AV** 71 Pf 102
85020 Montemilone **PZ** 73 Qf 102
86030 Montemitro **CB** 64 Pd 97
63048 Montemónaco **AP** 58 Ob 91
59013 Montemurlo **PO** 45 Ma 85
85053 Montemurro **PZ** 79 Qf 107
33010 Montenars **UD** 16 Ob 71
86036 Montenero di Bisáccia **CB** 64 Pe 97
66010 Montenerodomo **CH** 64 Pb 97
02040 Montenero Sabino **RI** 61 Ne 95
86080 Montenero Val Cocchiara **IS** 63 Pa 98
66050 Monteodorísio **CH** 64 Pd 96
88060 Montepaone **CZ** 86 Rc 116
74020 Monteparano **TA** 81 Sc 106
61040 Monte Pórzio **PU** 52 Oa 86
00040 Monte Pórzio Catone **RM** 61 Ne 98
63033 Monteprandone **AP** 58 Oe 91
53045 Montepulciano **SI** 50 Me 90
60010 Monterado **AN** 52 Oa 86
52035 Monterchi **AR** 51 Na 88
67015 Montereale **AQ** 58 Ob 93
33086 Montereale Valcellina **PN** 16 Nd 71
40050 Monterénzio **BO** 46 Mc 83
53035 Monteriggioni **SI** 50 Mb 88
63020 Monte Rinaldo **AP** 53 Od 90
60030 Monte Roberto **AN** 52 Oa 88
86075 Monteroduni **IS** 70 Pb 99
01010 Monte Romano **VT** 60 Mf 95
53014 Monteroni d'Árbia **SI** 50 Mc 89
73047 Monteroni di Lecce **LE** 82 Ta 107
01030 Monterosi **VT** 61 Nb 95
19016 Monterosso al Mare **SP** 44 Kd 84
97010 Monterosso Almo **RG** 100 Pe 126
89819 Monterosso Cálabro **VV** 86 Rb 116
12020 Monterosso Grana **CN** 40 Hb 82
00015 Monterotondo **RM** 61 Nd 96
58025 Monterotondo Maríttimo **GR** 49 Lf 90
63026 Monterubbiano **FM** 53 Oe 90
04020 Monte San Biágio **LT** 69 Oc 100
84030 Monte San Giácomo **SA** 78 Qd 106
03025 Monte San Giovanni Campano **FR** 69 Od 99
02040 Monte San Giovanni in Sabina **RI** 61 Ne 95
62015 Monte San Giusto **MC** 53 Od 89
62020 Monte San Martino **MC** 58 Oc 90
73030 Montesano Salentino **LE** 82 Tb 109
84033 Montesano sulla Marcellana **SA** 78 Qe 107
63010 Monte San Pietrángeli **FM** 53 Od 89
40050 Monte San Pietro **BO** 46 Ma 82
52048 Monte San Savino **AR** 50 Me 89
06010 Monte Santa Maria Tiberina **PG** 51 Nb 88
71037 Monte Sant'Ángelo **FG** 66 Qf 98
60037 Monte San Vito **AN** 53 Ob 87
82016 Montesárchio **BN** 71 Pd 102
75024 Montescaglioso **MT** 80 Rd 105
27040 Montescano **PV** 35 Kb 78
28843 Montescheno **VB** 10 Ib 72
56040 Montescudáio **PI** 49 Ld 89
47854 Montescudo **RN** 48 Nd 85
41055 Montese **MO** 45 Lf 83
27052 Monteségale **PV** 35 Ka 79
65015 Montesilvano **PE** 59 Pb 93
50025 Montespértoli **FI** 49 Ma 87
10020 Monteu da Po **TO** 33 Ia 78
63015 Monte Urano **AP** 53 Od 89
12040 Monteu Roero **CN** 33 Hf 80
92010 Montevago **AG** 91 Nf 122
52025 Montevarchi **AR** 50 Md 87
23874 Montevécchia **LC** 21 Kc 74
40050 Montevéglio **BO** 38 Ma 82
83049 Monteverde **AV** 72 Qd 102
56040 Monteverdi Maríttimo **PI** 49 Le 89
36050 Monteviale **VI** 24 Mc 75
21010 Monteviasco **VA** 10 Ie 72
63027 Monte Vidon Combatte **FM** 53 Od 90
63020 Monte Vidon Corrado **FM** 53 Oc 90
12070 Montezémolo **CN** 41 Ia 82
07020 Monti **OT** 106 Kb 104
47020 Montiano **FC** 47 Nb 84
25040 Monticelli Brusati **BS** 22 La 75
29010 Monticelli d'Ongina **PC** 36 Kf 78
27010 Monticelli Pavese **PV** 35 Kd 78
28060 Monticello **NO** 20 Id 76
23876 Monticello Brianza **LC** 21 Kb 74
36010 Monticello Conte Otto **VI** 24 Md 75
12066 Monticello d'Alba **CN** 33 Hf 80
25018 Montichiari **BS** 23 Lc 76
53015 Monticiano **SI** 50 Mb 90
58026 Montieri **GR** 49 Ma 90
14026 Montíglio Monferrato **AT** 33 Ia 78
54038 Montignoso **MS** 44 Lb 84
54026 Montirone **BS** 22 Lb 76
11020 Montjovet **AO** 19 He 74
26010 Montódine **CR** 22 Ke 77
16026 Montóggio **GE** 35 Ka 81
06014 Montone **PG** 51 Nb 88
56020 Montópoli in Val d'Arno **PI** 49 Le 87
02034 Montópoli di Sabina **RI** 61 Ne 95
22030 Montórfano **CO** 21 Ka 74
64046 Montòrio al Vomano **TE** 58 Od 93
86040 Montório nei Frentani **CB** 65 Pf 98
00010 Montorio Romano **RM** 61 Ne 96
83025 Montoro Inferiore **AV** 77 Pe 104
83026 Montoro Superiore **AV** 77 Pe 104
36050 Montorso Vicentino **VI** 24 Mc 76
63020 Montottone **FM** 53 Od 90
08010 Montresta **NU** 105 Ic 106
27040 Montù Beccaria **PV** 35 Kb 78
21020 Monvalle **VA** 10 Id 73
20052 Monza **MB** 21 Kb 75
46040 Monzambano **MN** 23 Le 76
40036 Monzuno **BO** 46 Mb 83
39013 Moos in Passeier = Moso in Passiria **BZ** 3 Ma 68
87016 Morano Cálabro **CS** 84 Ra 109
15025 Morano sul Po **AL** 34 Ic 78
14023 Moransengo **AT** 33 Ia 78
34070 Moraro **GO** 17 Oc 73
21040 Morazzone **VA** 20 If 74
23017 Morbegno **SO** 11 Kd 72
15010 Morbello **AL** 34 Ic 81
73040 Morciano di Léuca **LE** 83 Tb 109
47833 Morciano di Romagna **RN** 48 Nd 85
82026 Morcone **BN** 71 Pd 100
40027 Mordano **BO** 47 Me 82
24050 Morengo **BG** 22 Ke 75
07013 Móres **SS** 106 If 105
63026 Moresco **FM** 53 Oe 90
12033 Moretta **CN** 33 Hd 80
29020 Morfasso **PC** 36 Ke 80
31050 Morgano **TV** 25 Na 75
11017 Morgex **AO** 18 Ha 74
09090 Morgongiori **OR** 109 Ie 110
38065 Mori **TN** 13 Lf 73
31010 Moriago della Battáglia **TV** 15 Na 73
00010 Moricone **RM** 61 Ne 96
84030 Morigerati **SA** 78 Qd 108
20081 Morimondo **MI** 21 If 76
67050 Morino **AQ** 62 Oc 97
10020 Moriondo Torinese **TO** 33 Hf 78
00067 Morlupo **RM** 61 Nd 96
87026 Mormanno **CS** 84 Qf 109
21020 Mornago **VA** 20 Ie 74
15075 Mornese **AL** 34 Ie 81
24050 Mornico al Sério **BG** 22 Ke 75
27040 Mornico-Losana **PV** 35 Kb 78
03017 Morolo **FR** 62 Ob 99
12040 Morozzo **CN** 41 He 82
12064 Morra, La **CN** 33 Hf 81
83040 Morra De Sánctis **AV** 72 Qb 103
60030 Morro d'Alba **AN** 52 Ob 87
64020 Morro d'Oro **TE** 59 Of 93
86040 Morrone del Sánnio **CB** 64 Pe 98
02010 Morro Reatino **RI** 57 Nf 93
62010 Morrovalle **MC** 53 Od 89
33075 Morsano al Tagliamento **PN** 16 Nf 73
15010 Morsasco **AL** 34 Id 80
27036 Mortara **PV** 20 Ie 77
33050 Mortegliano **UD** 16 Oa 73
23811 Morterone **LC** 11 Kc 73
33030 Moruzzo **UD** 16 Oa 72
26010 Moscazzano **CR** 22 Ke 77
83020 Moschiano **AV** 71 Pd 103
64023 Mosciano Sant'Ángelo **TE** 59 Of 92
65010 Moscufo **PE** 59 Pa 94
39013 Moso in Passiria = Moos in Passeier **BZ** 3 Ma 68
34070 Mossa **GO** 17 Od 73
36024 Mossano **VI** 24 Md 76
13822 Mosso **BI** 19 Ia 75
26045 Motta Baluffi **CR** 36 Lb 78
98030 Motta Camastra **ME** 94 Qa 121
98070 Motta d'Affermo **ME** 93 Pb 120
13010 Motta de'Conti **VC** 20 Id 77
31045 Motta di Livenza **TV** 26 Nd 74
87010 Mottafollone **CS** 84 Ra 111
13874 Mottalciata **BI** 20 Ib 75
71030 Motta Montecorvino **FG** 71 Qa 99
89065 Motta San Giovanni **RC** 95 Qe 120
88040 Motta Santa Lucia **CZ** 86 Rb 114
95040 Motta Sant'Anastásia **CT** 99 Pf 123
20086 Motta Visconti **MI** 21 If 77
46020 Motteggiana **MN** 37 Le 78
74017 Móttola **TA** 80 Sa 105
66030 Mozzagrogna **CH** 64 Pc 95
24050 Mozzánica **BG** 22 Ke 76
22076 Mozzate **CO** 21 If 74
37060 Mozzecane **VR** 23 Le 77
24035 Mozzo **BG** 21 Kd 74
62034 Múccia **MC** 52 Oa 90
39037 Mühlbach = Rio di Pusteria **BZ** 4 Me 68
39030 Mühlwald = Selva dei Molini **BZ** 4 Mf 67
34015 Mùggia **TS** 27 Oe 75
20053 Muggiò **MB** 21 Kb 75
83027 Mugnano del Cardinale **AV** 71 Pd 103
80018 Mugnano di Nápoli **NA** 70 Pb 103
26837 Mulazzano **LO** 21 Kc 76
54026 Mulazzo **MS** 44 Kf 83
25070 Mura **BS** 23 Ld 75
30141 Murano **VE** 25 Nc 76
09043 Muravera **CA** 113 Kd 112
12060 Murazzano **CN** 33 Ia 82
12030 Murello **CN** 33 Hd 80
17013 Murialdo **SV** 41 Ia 83
15020 Murisengo **AL** 33 Ia 78
53016 Murlo **SI** 50 Mc 90
73036 Muro Leccese **LE** 82 Tc 108
85054 Muro Lucano **PZ** 78 Qc 104
07030 Múros **SS** 105 Id 104
25080 Muscoline **BS** 23 Lc 75
09010 Musei **CI** 111 Id 113
30024 Musile di Piave **VE** 25 Nd 75
22010 Musso **CO** 11 Kb 72
36065 Mussolente **VI** 24 Me 74
93014 Mussomeli **CL** 97 Oe 123
33055 Muzzana del Turgnano **UD** 16 Oa 74
13895 Muzzano **BI** 19 Hf 75

N

38060 Nago-Tórbole **TN** 13 Lf 73
39010 Nàlles = Nals **BZ** 3 Mb 69
39010 Nals = Nàlles **BZ** 3 Mb 69
38010 Nanno **TN** 13 Ma 71
36024 Nanto **VI** 24 Md 76
80100 Nápoli **NA** 76 Pb 104
09070 Narbolía **OR** 108 Id 108
09010 Narcao **CI** 111 Ie 113
73048 Nardó **LE** 82 Ta 107
89824 Nardodipace **VV** 89 Rb 118
05035 Narni **TR** 57 Nd 93
92028 Naro **AG** 97 Oe 124
12068 Narzole **CN** 33 Hf 81
17030 Nasino **SV** 41 Ia 84
98074 Naso **ME** 93 Pe 120
39025 Naturno = Naturns **BZ** 3 Lf 69
39025 Naturns = Naturno **BZ** 3 Lf 69
39040 Natz = Naz **BZ** 4 Me 68
39040 Natz-Schabs = Naz-Sciáves **BZ** 4 Me 68
25075 Nave **BS** 22 Lb 75
67020 Navelli **AQ** 63 Oe 95
38010 Nave San Rocco **TN** 13 Ma 72
98030 Naxos, Giardini- **ME** 94 Qb 121
39040 Naz = Natz **BZ** 4 Me 68
39040 Naz-Sciáves = Natz-Schabs **BZ** 4 Me 68
00060 Nazzano **RM** 61 Nd 95
16040 Ne **GE** 43 Kc 82
28010 Nebbiuno **NO** 20 Id 74
37024 Negrar **VR** 23 Lf 75
16040 Neirone **GE** 43 Kb 82
12052 Néive **CN** 33 Ia 80
24027 Nembro **BG** 22 Ke 74
00040 Nemi **RM** 61 Ne 98
85040 Némoli **PZ** 83 Qe 108
09080 Neoneli **OR** 109 If 108
01036 Nepi **VT** 61 Nc 95
64015 Nereto **TE** 58 Oe 92
00017 Nérola **RM** 61 Ne 96
31040 Nervesa della Battáglia **TV** 15 Nb 74
20014 Nerviano **MI** 21 If 75
02020 Néspolo **RI** 62 Oa 96
22020 Nesso **CO** 11 Ka 73
13896 Netro **BI** 19 Hf 75
00048 Nettuno **RM** 68 Nd 100
39044 Neumarkt = Egna **BZ** 14 Mb 71
73040 Neviano **LE** 82 Ta 108
43024 Neviano degli Arduini **PR** 36 Lb 81
12050 Neviglie **CN** 33 Ia 80
25050 Niardo **BS** 12 Lb 73
29010 Nibbiano **PC** 35 Kb 79
28070 Nibbiola **NO** 20 Id 76
23895 Nibionno **LC** 21 Kb 74
10042 Nichelino **TO** 33 Hd 78
95030 Nicolosi **CT** 94 Pf 123
27020 Nicorvo **PV** 20 Ie 77
94014 Nicosia **EN** 93 Pc 122
89844 Nicótera **VV** 88 Qf 117
39039 Niederdorf = Villabassa **BZ** 5 Na 68
12050 Niella Belbo **CN** 33 Ia 81
12060 Niella Tánaro **CN** 41 Hf 82
33045 Nimis **UD** 16 Ob 71
18026 Nirasca **IM** 41 Hf 84
93015 Niscemi **CL** 98 Pc 125
94010 Nissoría **EN** 93 Pc 122
98026 Nizza di Sicília **ME** 94 Qc 120
14049 Nizza Monferrato **AT** 34 Ic 80
30033 Noale **VE** 25 Na 75
10080 Noasca **TO** 18 Hb 76
87070 Nocara **CS** 79 Rc 108
65010 Nocciano **PE** 59 Of 94
84014 Nocera Inferiore **SA** 77 Pd 104
84015 Nocera Superiore **SA** 77 Pe 104
88047 Nocera Terinese **CZ** 86 Ra 114
06025 Nocera Umbra **PG** 52 Ne 90
43015 Noceto **PR** 36 Lb 80
70015 Noci **BA** 74 Sa 104
73020 Nocíglia **LE** 82 Tb 108
85035 Noépoli **PZ** 79 Rc 108
37054 Nogara **VR** 23 Ma 77
38060 Nogaredo **TN** 13 Ma 73
37060 Nogarole Rocca **VR** 23 Lf 77
36070 Nogarole Vicentino **VI** 24 Mb 75
70016 Noicáttaro **BA** 74 Rf 102
80035 Nola **NA** 71 Pd 103
10076 Nole **TO** 19 Hd 77
17026 Noli **SV** 42 Ic 83
10010 Nomáglio **TO** 19 Hf 75
38060 Nomi **TN** 13 Ma 73
41015 Nonántola **MO** 37 Ma 80
10060 None **TO** 33 Hd 79
28891 Nónio **VB** 10 Ic 73
08010 Noragùgume **NU** 109 If 107
09070 Norbello **OR** 109 If 108
06046 Norcia **PG** 57 Oa 92
04010 Norma **LT** 68 Nf 99
20020 Nosate **MI** 20 Ie 75
64024 Notaresco **TE** 59 Of 93
96017 Noto **SR** 99 Qa 127
61015 Novafèltria **PU** 47 Nb 85
25018 Novagli **BS** 23 Lc 76
38050 Novaledo **TN** 14 Mc 72
10050 Novalesa **TO** 18 Ha 77
39056 Nova Levante = Welschnofen **BZ** 14 Md 70
20054 Nova Milanese **MB** 21 Kb 75
39050 Nova Ponente = Deutschnofen **BZ** 14 Mc 70
28100 Novara **NO** 20 Id 76
98058 Novara di Sicília **ME** 94 Qa 120
75020 Nova Siri **MT** 79 Rd 108
23025 Novate Mezzola **SO** 11 Kc 71
20026 Novate Milanese **MI** 21 Ka 75
36055 Nove **VI** 24 Me 74
22060 Novedrate **CO** 21 Ka 74
42017 Novellara **RE** 37 Le 79
12060 Novello **CN** 33 Hf 81
30020 Noventa di Piave **VE** 25 Nd 75
35027 Noventa Pádovana **PD** 25 Mf 76
36025 Noventa Vicentina **VI** 24 Md 77
41016 Novi di Módena **MO** 37 Lf 79
20082 Novíglio **MI** 21 Ka 76
15067 Novi Lígure **AL** 34 Ie 80
84060 Novi Vélia **SA** 78 Qb 107
73051 Nóvoli **LE** 82 Ta 106
12070 Nucetto **CN** 41 Ia 82
07010 Nughedu di San Nicoló **SS** 106 Ka 105
09080 Nughedu Santa Vittória **OR** 109 If 108

124 (I) Montappone – Nughedu Santa Vittória

07010 Nule SS 106 Kb 106
07032 Nulvi SS 106 Ie 104
60026 Numana AN 53 Od 87
08100 Nuoro NU 109 Kc 107
09070 Nurachi OR 108 Id 109
08030 Nurágus NU 109 Ka 110
08030 Nurallao NU 109 Ka 110
09024 Nuráminis CA 112 Ka 112
09080 Nureci OR 109 If 110
08035 Nurri NU 109 Kb 110
11020 Nus AO 19 Hc 74
83051 Nusco AV 71 Qa 103
25080 Nuvolento BS 23 Ld 75
25080 Nuvolera BS 22 Lc 75
09010 Núxis CI 112 Ie 114

O

39030 Obervintl = Vandòies di Sopra BZ 4 Me 68
13897 Occhieppo inferiore BI 19 Ia 75
13898 Occhieppo superiore BI 19 Ia 75
45030 Occhiobello RO 38 Md 79
15040 Occimiano AL 34 Id 78
02016 Ocre RI 57 Nf 93
67040 Ocre AQ 62 Oc 95
15020 Odalengo Grande AL 33 Ia 78
15020 Odalengo Piccolo AL 34 Ib 78
31046 Oderzo TV 25 Nd 74
25076 Odolo BS 22 Lc 75
67025 Ofena AQ 63 Oe 95
60020 Offagna AN 53 Oc 87
26010 Offanengo CR 22 Ke 76
63035 Offida AP 58 Oe 91
25020 Offlaga BS 22 La 76
28824 Oggébbio VB 10 Id 73
21040 Oggiona con Santo Stefano VA 20 Ie 74
23848 Oggiono LC 21 Kc 74
10080 Ogliànico TO 19 He 76
84061 Ogliastro Cilento SA 77 Qa 106
39030 Olang = Valdàora BZ 4 Na 68
07026 Ólbia OT 107 Kc 103
13047 Olcenengo VC 20 Ib 76
13030 Oldenico VC 20 Ic 76
28047 Oléggio NO 20 Id 75
28040 Oléggio Castello NO 20 Id 74
27020 Olévano di Lomellina PV 20 Ie 77
00035 Olévano Romano RM 62 Oa 97
84062 Olévano sul Tusciano SA 77 Qa 104
22077 Olgiate Comasco CO 21 If 74
23887 Olgiate Molgora LC 21 Kc 74
21057 Olgiate Olona VA 20 If 75
23854 Olginate LC 21 Kc 74
08025 Oliena NU 110 Kc 107
88067 Olivadi CZ 86 Rc 116
27050 Oliva Gessi PV 35 Kb 79
98060 Oliveri ME 94 Qa 120
84020 Oliveto Citra SA 77 Qb 104
23865 Oliveto Lário LC 11 Kb 73
75010 Oliveto Lucano MT 79 Rb 105
18030 Olivetta San Michele IM 41 Hd 85
15030 Olívola AL 34 Ic 78
09084 Ollastra OR 109 Ie 109
08020 Ollolai NU 109 Kb 107
11010 Ollomont AO 8 Hb 73
07040 Olmedo SS 105 Ic 105
26010 Olmeneta CR 22 La 77
24010 Olmo al Brembo BG 12 Kd 73
14050 Olmo Gentile AT 34 Ib 81
24013 Oltre il Colle BG 12 Ke 73
24020 Oltressenda Alta BG 12 Kf 73
22070 Oltrona di San Mamette CO 21 If 74
08020 Olzai NU 109 Ka 107
25050 Ome BS 22 La 75
28887 Omegna VB 10 Ic 73
84060 Omignano SA 77 Qa 107
08020 Onanì NU 107 Kc 106
01010 Onano VT 56 Me 92
12030 Oncino CN 32 Hb 80
24020 Oneta BG 12 Ke 73
08020 Onifai NU 107 Kd 106
08020 Oniferi NU 109 Kb 107
24020 Onore BG 12 La 73
25040 Ono San Pietro BS 12 Lb 72
17037 Onzo SV 41 Ia 84
20090 Ópera MI 21 Kb 76
67030 Opi AQ 63 Oe 98
37050 Oppeano VR 24 Mb 77
85015 Óppido Lucano PZ 79 Qf 104
89014 Óppido Mamertina RC 89 Qf 119
39040 Ora = Auer BZ 14 Mb 70
21040 Orago VA 20 Ie 74
08026 Orani NU 109 Kb 107
28825 Orasso, Cúrsolo- VB 10 Id 72
86010 Oratino CB 64 Pd 99
10043 Orbassano TO 33 Hd 78
58015 Orbetello GR 55 Mb 94
61038 Orciano di Pésaro PU 52 Nf 86
56040 Orciano Pisano PI 49 Ld 88
17024 Orco-Feglino SV 42 Ib 83
71040 Ordona FG 72 Qd 101
16040 Orero GE 43 Kb 82
36040 Orgiano VI 24 Mc 76
08027 Orgósolo NU 109 Kc 107
72024 Ória BR 81 Sd 105
67063 Orícola AQ 62 Oa 96
21040 Oríggio VA 21 Ka 75
21030 Orino VA 10 Ie 73
24050 Orio al Serio BG 22 Ke 74
10010 Ório Canavese TO 19 Hf 77
26863 Orio Litta LO 35 Kd 78
87073 Oriolo CS 84 Rc 108
01010 Oriolo Romano VT 60 Na 96
09170 Oristano OR 108 Id 109
12078 Ormea CN 41 Hf 84
31010 Ormelle TV 25 Nc 74
20060 Ornago MB 21 Kc 75
28877 Ornavasso VB 10 Ic 73
24010 Ornica BG 11 Kd 73
08028 Orosei OT 107 Ke 106
08020 Orotelli NU 109 Ka 107
84060 Órria SA 77 Qb 107
08030 Orroli NU 109 Kb 110
31010 Orsago TV 15 Nc 73
15010 Orsara Bórmida AL 34 Id 80
71027 Orsara di Púglia FG 72 Qb 101
22030 Orsenigo CO 21 Kb 74
66036 Orsogna CH 64 Pb 95
87020 Orsomarso CS 83 Qf 110
09040 Ortacésus CA 112 Ka 111
81030 Orta di Atella CE 70 Pb 103
71045 Orta Nova FG 72 Qe 100
28016 Orta San Giúlio NO 20 Ic 74
01028 Orte VT 56 Nc 94
73030 Ortelle LE 82 Tc 108
63020 Ortezzano FM 53 Od 90
52010 Ortignano Raggiolo AR 50 Me 86
39046 Ortisei = Sankt Ulrich BZ 4 Md 69
66026 Ortona CH 59 Pc 94
67050 Ortona dei Marsi AQ 63 Oe 97
19034 Ortonovo SP 44 La 84
17037 Ortovero SV 41 Ia 84
67050 Ortúcchio AQ 63 Od 97
08036 Ortueri NU 109 If 108
08020 Orune NU 106 Kc 106
05018 Orvieto TR 56 Na 92
02035 Orvínio RI 62 Nf 96
25034 Orzinuovi BS 22 Kf 76
25030 Orzivecchi BS 22 Kf 76
10060 Osasco TO 32 Hc 79
10040 Osásio TO 33 Hd 79
07027 Óschiri OT 106 Ka 104
08020 Osidda NU 106 Kb 105
17010 Osíglia SV 41 Ib 83
07033 Ósilo SS 105 Id 104
60027 Ósimo AN 53 Oc 88
08040 Ósini NU 110 Kc 110
24040 Ósio Sopra BG 21 Kd 75
24046 Osio Sotto BG 21 Kd 75
21018 Osmate VA 20 Id 74
23875 Osnago LC 21 Kc 74
33010 Osoppo UD 16 Oa 71
18014 Ospedaletti IM 41 He 86
38050 Ospedaletto TN 14 Md 72
83014 Ospedaletto d'Alpinolo AV 71 Pe 103
35045 Ospedaletto Eugáneo PD 24 Md 77
26864 Ospedaletto Lodigiano LO 35 Kd 78
32010 Ospitale di Cadore BL 15 Nb 70
25035 Ospitaletto BS 22 La 75
26816 Ossago Lodigiano LO 21 Kd 77
38026 Ossana TN 13 Le 71
07045 Ossi SS 105 Id 104
25050 Óssimo BS 12 Lb 73
20010 Ossona MI 21 If 75
22010 Ossúccio CO 11 Kb 73
12030 Ostana CN 32 Hb 80
44020 Ostellato FE 39 Mf 80
22010 Ósteno CO 11 Ka 72
26032 Ostiano CR 22 Lb 77
46035 Ostíglia MN 38 Ma 78
60010 Ostra AN 52 Oa 87
60010 Ostra Vétere AN 52 Oa 87
72017 Ostuni BR 75 Sd 104
73028 Otranto LE 82 Td 108
05030 Otrícoli TR 57 Nc 94
08020 Ottana NU 109 Ka 107
84020 Ottati SA 78 Qb 106
80044 Ottaviano NA 76 Pc 103
15038 Ottíglio AL 34 Ic 78
27030 Ottobiano PV 34 Ie 78
29026 Ottone PC 35 Kb 81
10056 Oulx TO 32 Gf 78
15076 Ovada AL 34 Id 81
33025 Ovaro UD 6 Nf 70
15026 Ovíglio AL 34 Ic 79
67046 Ovíndoli AQ 62 Od 96
08020 Ovodda NU 109 Ka 108
11010 Oyace AO 8 Hc 73
10080 Ozegna TO 19 He 76
07014 Ozieri SS 106 Ka 105
40064 Ozzano dell'Emília BO 38 Mc 82
15039 Ozzano Monferrato AL 34 Ic 78
20080 Ózzero MI 21 If 76

P

09030 Pabillónis MD 111 Ie 111
91027 Paceco TP 90 Nd 120
98042 Pace del Mela ME 94 Qb 119
67030 Pacentro AQ 63 Of 96
96018 Pachino SR 100 Qa 128
06060 Paciano PG 56 Na 90
25080 Padenghe sul Garda BS 23 Lc 75
38070 Padergnone TN 13 Lf 72
15050 Paderna AL 34 If 80
23877 Paderno d'Adda LC 21 Kc 74
31017 Paderno del Grappa TV 15 Mf 74
20037 Paderno Dugnano MI 21 Ka 75
25050 Paderno Franciacorta BS 22 La 75
26024 Paderno Ponchielli CR 22 Kf 77
35100 Padova PD 24 Me 76
07015 Pádria SS 105 Id 106
07020 Padru OT 107 Kd 104
84034 Padula SA 78 Qd 106
82020 Paduli BN 71 Pf 102
12034 Paesana CN 32 Hb 80
31038 Paese TV 25 Na 74
84016 Pagani SA 77 Pd 104
02020 Pagánico Sabino RI 62 Oa 95
24040 Pagazzano BG 22 Ke 75
98020 Pagliara ME 94 Qc 120
66020 Paglieta CH 64 Pd 95
33010 Pagnacco UD 16 Ob 72
12030 Pagno CN 32 Hc 81
23833 Pagnona LC 11 Kc 72
83020 Pago del Vallo di Láuro AV 71 Pd 103
82020 Pago Veiano BN 71 Pf 101
25051 Paisco-Loveno BS 12 Lb 72
25080 Paitone BS 23 Lc 75
24030 Paladina BG 21 Kd 74
41046 Palagano MO 45 Ld 83
74018 Palagianello TA 80 Rf 105
74019 Palagiano TA 80 Sa 105
95046 Palagonía CT 99 Pe 124
56036 Palàia PI 49 Le 87
43025 Palanzano PR 44 Lb 82
86037 Palata CB 64 Pe 97
07020 Palau OT 104 Kc 101
24030 Palazzago BG 21 Kd 74
90030 Palazzo Adriano PA 91 Oc 122
10010 Palazzo Canavese TO 19 Hf 76
96010 Palazzolo Acréide SR 99 Pf 126
33056 Palazzolo dello Stella UD 16 Oa 74
25036 Palazzolo sull'Oglio BS 22 Kf 75
13040 Palazzolo Vercellese VC 20 Ib 77
26020 Palazzo Pignano CR 21 Kd 76
85026 Palazzo San Gervásio PZ 73 Qf 103
50035 Palazzuolo sul Sènio FI 46 Md 84
66017 Palena CH 63 Pa 97
88050 Palermiti CZ 86 Rc 116
90100 Palermo PA 91 Oc 120
00036 Palestrina RM 62 Nf 97
27030 Palestro PV 20 Id 77
03018 Paliano FR 62 Oa 98
89030 Palizzi RC 95 Qf 121
88818 Pallagorío KR 87 Rf 113
28900 Pallanza VB 10 Id 73
28884 Pallanzeno VB 10 Ib 72
17043 Pállare SV 42 Ib 82
80036 Palma Campania NA 71 Pd 103
92020 Palma di Montechiaro AG 97 Oe 125
33057 Palmanova UD 16 Ob 73
73020 Palmariggi LE 82 Tc 108
09090 Palmas Arboréa OR 108 Id 109
89015 Palmi RC 88 Qe 118
63049 Palmiano AP 58 Oc 91
66050 Pálmoli CH 64 Pd 97
70027 Palo del Colle BA 74 Re 102
00018 Palombara Sabina RM 61 Ne 96
66010 Palombaro CH 63 Pb 96
84020 Palomonte SA 78 Qb 104
24050 Palosco BG 22 Kf 75
37050 Palù VR 24 Ma 77
38050 Palù del Fèrsina TN 14 Mc 72
87060 Paludi CS 85 Re 111
33026 Paluzza UD 6 Oa 69
12087 Pamparato CN 41 Hf 83
98050 Panarèa ME 88 I
10060 Pancalieri TO 33 Hd 80
27050 Pancarana PV 35 Ka 78
38030 Panchià TN 14 Md 71
26025 Pandino CR 21 Kd 76
87050 Panettieri CS 86 Rc 114
06064 Panicale PG 56 Na 90
82017 Pannarano BN 71 Pe 102
71020 Panni FG 72 Qb 101
91017 Pantelleria TP 96 I
20090 Pantigliate MI 21 Kc 76
87027 Páola CS 86 Ra 112
82011 Paolisi BN 71 Pd 102
87020 Papasídero CS 83 Qf 109
45010 Papozze RO 39 Na 79
20015 Parabiago MI 21 If 75
73052 Parábita LE 82 Ta 108
25030 Parático BS 22 Kf 75
39020 Parcines = Partschins BZ 3 Ma 68
22020 Paré CO 21 Ka 74
10010 Parella TO 19 He 76
87040 Parenti CS 86 Rc 114
81030 Parete CE 70 Pa 103
15010 Pareto AL 34 Ic 81
89861 Parghelia VV 88 Qf 116
23837 Parlasco LC 11 Kc 72
43100 Parma PR 37 Lc 80
15060 Parodi Lígure AL 34 Ie 80
12070 Paroldo CN 41 Ia 82
83050 Parolise AV 71 Pf 103
27020 Parona PV 20 Ie 77
05010 Parrano TR 56 Na 91
24020 Parre BG 12 Kf 73
91028 Partanna TP 91 Nf 122
90047 Partinico PA 91 Oa 120
39020 Partschins = Parcines BZ 3 Ma 68
28040 Paruzzaro NO 20 Id 74
24060 Parzánica BG 22 La 74
33037 Pasian di Prato UD 16 Ob 72
33087 Pasiano di Pordenone PN 16 Nd 73
25050 Paspardo BS 12 Lc 72
14020 Passerano Marmorito AT 33 Ia 78
06065 Passignano sul Trasimeno PG 51 Na 89
25050 Passirano BS 22 La 75
03020 Pastena FR 69 Oc 100
81050 Pastorano CE 70 Pb 101
37010 Pastrengo VR 23 Le 76
15060 Pasturana AL 34 Ie 80
23818 Pasturo LC 11 Kc 73
85050 Paterno PZ 78 Qe 106
95047 Paternò CT 99 Pf 123
87040 Paterno Cálabro CS 86 Rb 113
83052 Paternópoli AV 71 Qa 103
03010 Pátrica FR 69 Ob 99
07016 Pattada SS 106 Ka 105
98066 Patti ME 94 Pf 120
73053 Patu' LE 83 Tb 109
09090 Pau OR 109 Ie 110
33027 Paularo UD 6 Oa 69
09020 Paúli Arbarei MD 109 If 111
09070 Paulilatino OR 109 Ie 108
20067 Paullo MI 21 Kc 76
82030 Paupisi BN 71 Pd 101
10020 Pavarolo TO 33 Hf 78
27100 Pavia PV 21 Kb 77
33050 Pavia di Údine UD 16 Ob 72
10018 Pavone Canavese TO 19 Hf 76
25020 Pavone del Mella BS 22 Lb 77
41026 Pavullo nel Frignano MO 45 Le 82
41028 Pazzano MO 45 Le 82
56037 Pèccioli PI 49 Le 87
10080 Pecco TO 19 He 76
15040 Pecetto di Valenza AL 34 Ie 79
10020 Pecetto Torinese TO 33 He 78
29010 Pecorara PC 35 Kc 79
87050 Pedace CS 86 Rb 113
63049 Pedara AP 58 Oc 91
95030 Pedara CT 94 Qa 123
63016 Pedaso FM 53 Of 90
32034 Pedavena BL 15 Mf 72
36040 Pedemonte VI 14 Mb 73
31040 Pederobba TV 15 Mf 73
23010 Pedesina SO 11 Kd 72
87050 Pedivigliano CS 86 Rb 114
24066 Pedrengo BG 22 Ke 74
22010 Péglio CO 11 Kb 72
61049 Péglio PU 51 Nc 86
46020 Pegognaga MN 37 Lf 79
24020 Péia BG 22 Kf 74
38020 Péjo TN 13 Ld 70
38020 Péjo Terme TN 13 Ld 70
50060 Pélago FI 50 Md 86
28010 Pella NO 20 Ic 74
43047 Pellegrino Parmense PR 36 Kf 80
84080 Pellezzano SA 77 Pe 104
22020 Péllio Intelvi CO 11 Ka 73
38020 Pellizzano TN 13 Le 71
38088 Pelugo TN 13 Le 72
14030 Penango AT 34 Ib 78
05028 Penna in Teverina TR 56 Nc 94
61016 Pennabilli PU 47 Nb 86
66040 Pennadomo CH 64 Pb 96
66010 Pennapiedimonte CH 63 Pb 96
62020 Penna San Giovanni MC 53 Oc 90
64039 Pènna Sant'Andrèa TE 58 Oe 93
65017 Penne PE 59 Of 94
88050 Pentone CZ 86 Rd 115
66040 Perano CH 64 Pc 96
32010 Perarolo di Cadore BL 15 Nc 70
39030 Perca = Percha BZ 4 Mf 68
39030 Percha = Perca BZ 4 Mf 68
00020 Percile RM 62 Nf 96
08046 Perdasdefogu NU 110 Kc 110
09010 Perdáxius CI 111 Id 114
84060 Perdifumo SA 77 Qa 107
23888 Perego LC 21 Kc 74
67064 Pereto AQ 62 Oa 96
07034 Perfugas SS 106 If 103
52020 Pérgine Valdarno AR 50 Me 88
38057 Pérgine Valsugana TN 14 Mb 72
61045 Pèrgola PU 52 Nf 87
18032 Perinaldo IM 41 He 85
84060 Perito SA 77 Qa 107
23828 Perledo LC 11 Kb 72
12074 Perletto CN 34 Ib 81
12070 Perlo CN 41 Ia 82
11020 Perloz AO 19 He 75
35020 Pernúmia PD 24 Me 77
20016 Pero MI 21 Ka 75
10063 Perosa Argentina TO 32 Hb 79
10010 Perosa Canavese TO 19 He 76
10060 Perrero TO 32 Ha 79
26043 Pérsico-Dosimo CR 36 La 77
13030 Pertengo VC 20 Ic 77
25070 Pértica Alta BS 22 Lb 74
25078 Pértica Bassa BS 22 Lc 74
84030 Pertosa SA 78 Qc 105
21042 Pertusella, Caronno- VA 21 Ka 75
10080 Pertúsio TO 19 Hd 76
06100 Perùgia PG 51 Nc 90
61100 Pésaro PU 48 Nf 85
55064 Pescáglia LU 45 Lc 85
37026 Pescantina VR 23 Lf 76
65100 Pescara PE 59 Pb 94
26033 Pescarolo ed Uniti CR 22 Lb 77
67032 Pescassèroli AQ 63 Oe 98
23855 Pescate LC 11 Kc 73
86090 Pesche IS 64 Pb 99
71010 Péschici FG 66 Ra 97
20068 Peschiera Borromeo MI 21 Kb 76
37019 Peschiera del Garda VR 23 Le 76
51017 Pescia PT 45 Le 85
67057 Pescina AQ 63 Od 96
67033 Pescocostanzo AQ 63 Pa 97
86097 Pescolanciano IS 64 Pb 98
85020 Pescopagano PZ 72 Qc 103
86080 Pescopennataro IS 64 Pb 97
02024 Pescorocchiano RI 62 Oa 95
82020 Pesco Sannita BN 71 Pe 101
65020 Pescosansonesco PE 63 Of 95
03030 Pescosólido FR 63 Od 98
20060 Pessano con Bornago MI 21 Kc 75
26030 Pessina Cremonese CR 22 Lb 77
10070 Pessinetto TO 18 Hc 77
86038 Petacciato CB 64 Pf 96
88837 Petília Policastro KR 87 Re 114
84020 Petina SA 78 Qc 105
90026 Petralia Soprana PA 92 Pa 122
90027 Petralia Sottana PA 92 Pa 121
02025 Petrella Salto RI 62 Oa 95
86024 Petrella Tifernina CB 64 Pe 98
61020 Petriano PU 48 Ne 86
62014 Petriolo MC 53 Oc 89
63027 Petrítoli FM 53 Od 90
88060 Petrizzi CZ 86 Rc 116
88050 Petronà CZ 87 Re 114
91020 Petrosino TP 90 Nc 122
83010 Petruro Irpino AV 71 Pe 102
28028 Pettenasco NO 20 Ic 74
13843 Pettinengo BI 19 Ia 75
98070 Pettineo ME 93 Pb 121
86090 Pettoranello del Molise IS 70 Pb 99
67034 Pettorano sul Gízio AQ 63 Of 97
45010 Pettorazza Grimani RO 39 Mf 78
12016 Peveragno CN 41 Hd 83
13010 Pezzana VC 20 Ic 77
25060 Pezzaze BS 22 Lb 74
12070 Pezzolo Valle Uzzone CN 34 Ib 81
39030 Pfalzen = Fàlzes BZ 4 Mf 68
39051 Pfatten = Vadena BZ 14 Mb 70
39049 Pfitsch = Val di Vizze BZ 4 Md 67
29100 Piacenza PC 36 Kd 78
35040 Piacenza d'Adige PD 38 Md 78
26034 Piadena CR 36 Lc 78
61030 Piagge PU 52 Nf 86
84065 Piaggine SA 78 Qc 106
17058 Piana Críxia SV 34 Ib 82
90037 Piana degli Albanesi PA 91 Ob 120
81013 Piana di Monte Verna CE 70 Pb 101
25050 Pian Camuno BS 12 La 73
53025 Piancastagnàio SI 55 Me 91
25052 Piancogno BS 12 Lb 73
61026 Piandimeleto PU 51 Nc 86
52026 Pian di Scó AR 50 Md 87
87050 Piane Crati CS 86 Rb 113
65019 Pianella PE 59 Pa 94
22010 Pianello del Lario CO 11 Kb 72
29010 Pianello Val Tidone PC 35 Kc 79
26010 Pianengo CR 22 Ke 76
10044 Pianezza TO 33 Hd 78
36060 Pianezze VI 24 Md 74
12080 Pianfèi CN 41 He 82
24060 Piánico BG 22 La 74
30030 Pianiga VE 25 Na 76
80063 Piano di Sorrento NA 76 Pc 105
88040 Pianópoli CZ 86 Rc 115
40065 Pianoro BO 46 Mc 82
01010 Piansano VT 56 Mf 93
23010 Piantedo SO 11 Kc 72
24020 Piário BG 12 Kf 73
12026 Piasco CN 32 Hc 81
23020 Piateda SO 12 Kf 72
13844 Piatto BI 19 Ia 75

Nule – Piatto I 125

55035 Piazza al Sérchio **LU** 44 Lb 83
94015 Piazza Armerina **EN** 98 Pc 124
24014 Piazza Brembana **BG** 12 Ke 73
24010 Piazzatorre **BG** 12 Ke 73
35016 Piazzola sul Brenta **PD** 24 Me 75
24010 Piazzolo **BG** 12 Ke 73
65010 Picciano **PE** 59 Pa 94
81044 Piccilli **CE** 70 Pa 100
85055 Picerno **PZ** 78 Qd 105
03040 Picinisco **FR** 63 Of 99
03020 Pico **FR** 69 Od 100
14020 Piea **AT** 33 Ia 78
13812 Piedicavallo **BI** 19 Hf 74
95017 Piedimonte Étneo **CT** 94 Qa 122
81016 Piedimonte Matese **CE** 70 Pc 100
03030 Piedimonte San Germano **FR** 69 Oe 99
28885 Piedimulera **VB** 10 Ib 72
06066 Piegaro **PG** 56 Na 91
53026 Pienza **SI** 55 Me 90
26017 Pieránica **CR** 21 Kd 76
86085 Pietrabbondante **IS** 64 Pc 98
18010 Pietrabruna **IM** 41 Hf 85
64047 Pietracamela **TE** 58 Od 93
86040 Pietracatella **CB** 64 Pf 99
86020 Pietracupa **CB** 64 Pd 98
83030 Pietradefusi **AV** 71 Pf 102
27040 Pietra de'Giorgi **PV** 35 Kb 78
66040 Pietraferrazzana **CH** 64 Pc 97
87050 Pietrafitta **CS** 86 Rc 113
85016 Pietragalla **PZ** 78 Qf 104
17027 Pietra Ligure **SV** 42 Ib 84
06026 Pietralunga **PG** 51 Nc 88
15040 Pietra Marazzi **AL** 34 Ie 79
81051 Pietramelara **CE** 70 Pb 101
71038 Pietramontecorvino **FG** 65 Qa 99
65020 Pietranico **PE** 63 Of 95
87060 Pietrapáola **CS** 85 Re 112
85010 Pietrapertosa **PZ** 79 Ra 105
94016 Pietraperzía **EN** 98 Pa 124
12010 Pietrapórzio **CN** 40 Ha 82
82030 Pietraróia **BN** 71 Pd 100
61023 Pietrarúbbia **PU** 47 Nc 86
55045 Pietrasanta **LU** 44 Lb 85
83015 Pietrastornina **AV** 71 Pe 103
81040 Pietravairano **CE** 70 Pa 101
82020 Pietrelcina **BN** 71 Pf 101
27030 Pieve Albignola **PV** 35 If 78
51018 Pieve a Nievole **PT** 45 Le 85
62035 Pieveboviglians **MC** 52 Oa 90
32010 Pieve d'Alpago **BL** 15 Nc 71
27037 Pieve del Cáiro **PV** 34 Ie 78
26030 Pieve Delmona, Gadesco- **CR** 36 La 77
38085 Pieve di Bono **TN** 13 Ld 73
32044 Pieve di Cadore **BL** 5 Nc 70
40066 Pieve di Cento **BO** 38 Mb 80
46020 Pieve di Coriano **MN** 38 Ma 78
38060 Pieve di Ledro **TN** 13 Le 73
31053 Pieve di Soligo **TV** 15 Nb 73
18026 Pieve di Teco **IM** 41 Hf 84
26040 Pieve d'Olmi **CR** 36 La 78
20090 Pieve Emanuele **MI** 21 Kb 76
26854 Pieve Fissiraga **LO** 21 Kc 77
55036 Pieve Fosciana **LU** 45 Lc 84
16030 Pieve Ligure **GE** 43 Ka 82
41027 Pievepélago **MO** 45 Ld 83
27017 Pieve Porto Morone **PV** 35 Kc 78
26035 Pieve San Giácomo **CR** 36 Lb 78
52036 Pieve Santo Stéfano **AR** 51 Na 86
38050 Pieve Tesino **TN** 14 Md 72
62036 Pieve Torina **MC** 52 Oa 90
28886 Pieve Vergonte **VB** 10 Ib 72
03010 Píglio **FR** 62 Oa 98
18037 Pigna **IM** 41 Hd 85
03040 Pignataro Interamna **FR** 69 Oe 100
81052 Pignataro Maggiore **CE** 70 Pb 101
85010 Pignola **PZ** 78 Qe 105
19020 Pignone **SP** 44 Ke 83
22020 Pigra **CO** 11 Ka 73
13020 Pila **VC** 19 Ia 74
09020 Pimentél **CA** 112 Ka 112
80050 Pimonte **NA** 76 Pc 104
27040 Pinarolo Po **PV** 35 Kb 78
10060 Pinasca **TO** 32 Hb 79
45020 Píncara **RO** 38 Md 79
10060 Pinerolo **TO** 32 Hc 79
64025 Pineto **TE** 59 Pa 93
14022 Pino d'Asti **AT** 33 Hf 78
21010 Pino sulla Sponda del Lago Maggiore **VA** 10 Ie 72
10025 Pino Torinese **TO** 33 He 78
33094 Pinzano al Tagliamento **PN** 16 Nf 71
38086 Pinzolo **TN** 13 Le 72
61046 Piόbbico **PU** 51 Nd 87
12040 Piόbesi d'Alba **CN** 33 Hf 80
10040 Piόbesi Torinese **TO** 33 Hd 79
13020 Piode **VC** 19 Ia 74
20096 Pioltello **MI** 21 Kb 75
57025 Piombino **LI** 54 Ld 91
35017 Piombino Dese **PD** 25 Mf 75
62025 Piòraco **MC** 52 Nf 89
10045 Piossasco **TO** 33 Hc 79
14026 Piovà Massáia **AT** 33 Ia 78
35028 Piove di Sacco **PD** 25 Na 77
36013 Piovene-Rocchette **VI** 24 Mc 74
15040 Pióvera **AL** 34 Ie 79
29010 Piozzano **PC** 35 Kc 79
12060 Piozzo **CN** 33 Hf 81
98060 Piráino **ME** 94 Pf 119
56100 Pisa **PI** 49 Lc 86
28010 Pisano **NO** 20 Id 74
10060 Piscina **TO** 32 Hc 79
90100 Piscínas **CA** 111 Ie 114
84066 Pisciotta **SA** 83 Qb 108
25055 Pisogne **BS** 22 La 74
00020 Pisoniano **RM** 62 Nf 97
75015 Pisticci **MT** 79 Rd 106
51100 Pistóia **PT** 45 Lf 85
13822 Pistolesa **BI** 19 Ia 75
51020 Piteglio **PT** 45 Le 84
58017 Pitigliano **GR** 55 Me 93
46040 Piúbega **MN** 23 Ld 77
23020 Piuro **SO** 11 Kc 70
10010 Piverone **TO** 19 Hf 76
27050 Pizzale **PV** 35 Ka 78
26026 Pizzighettone **CR** 22 Ke 77
89812 Pizzo **VV** 86 Ra 116
66040 Pizzoferrato **CH** 64 Pb 97
67017 Pizzoli **AQ** 58 Ob 94
86071 Pizzone **IS** 63 Pa 99
89834 Pizzoni **VV** 89 Rb 117
89040 Placánica **RC** 89 Rc 118
87070 Plátaci **CS** 84 Rc 109
88040 Platania **CZ** 86 Rb 114
89039 Platì **RC** 89 Ra 119
39025 Plaus **BZ** 3 Ma 69
22010 Plésio **CO** 11 Kb 72
07017 Ploaghe **SS** 106 Ie 104
17043 Plódio **SV** 42 Ib 82
12060 Pocapáglia **CN** 33 Hf 80
33050 Pocenía **UD** 16 Oa 73
54010 Podenzana **MS** 44 Kf 83
29027 Podenzano **PC** 36 Ke 79
09126 Poetto **CA** 112 Kb 113
03026 Pofi **FR** 69 Oc 99
73037 Poggiardo **LE** 82 Tc 108
53036 Póggibonsi **SI** 50 Ma 88
59016 Póggio a Caiano **PO** 46 Ma 86
47824 Póggio Berni **RN** 47 Nc 84
02018 Póggio Bustone **RI** 57 Nf 94
02040 Póggio Catino **RI** 61 Ne 95
06040 Póggiodomo **PG** 57 Nf 92
66030 Póggiofiorito **CH** 64 Pb 95
71010 Póggio Imperiale **FG** 65 Qc 98
80040 Poggiomarino **NA** 76 Pd 104
02047 Pòggio Mirteto **RI** 61 Ne 95
02037 Pòggio Moiano **RI** 62 Nf 95
02030 Póggio Nativo **RI** 61 Ne 95
67026 Póggio Picenze **AQ** 58 Od 95
91020 Poggioreale **TP** 91 Oa 122
44028 Póggio Renático **FE** 38 Mc 80
70020 Poggiorsini **BA** 73 Rb 103
46025 Póggio Rusco **MN** 38 Ma 79
02030 Póggio San Lorenzo **RI** 61 Nf 95
60030 Póggio San Marcello **AN** 52 Oa 87
86086 Poggio Sannita **IS** 64 Pc 98
62021 Póggio San Vicino **MC** 52 Oa 88
23020 Poggiridenti **SO** 12 Kf 71
20010 Pogliano Milanese **MI** 21 Ka 75
22020 Pognana Lario **CO** 11 Ka 73
24040 Pognano **BG** 22 Kd 75
28076 Pogno **NO** 20 Ic 74
36026 Poiana Maggiore **VI** 24 Mc 77
10046 Poirino **TO** 33 Hf 79
25060 Polaveno **BS** 22 La 74
33070 Polcenigo **PN** 15 Nc 72
45038 Polesella **RO** 38 Me 79
43010 Polesine Parmense **PR** 36 La 78
00010 Poli **RM** 62 Nf 97
89813 Polía **VV** 86 Rb 116
75025 Policoro **MT** 80 Re 107
70044 Polignano a Mare **BA** 75 Sb 103
41040 Polinago **MO** 45 Le 82
05030 Polino **TR** 57 Nf 93
89024 Polístena **RC** 89 Ra 118
90028 Polizzi Generosa **PA** 92 Of 122
84035 Polla **SA** 78 Qc 105
11020 Pollein **AO** 18 Hc 74
80040 Póllena-Trócchia **NA** 76 Pc 103
62010 Pollenza **MC** 53 Oc 89
84068 Póllica **SA** 77 Qa 107
90010 Póllina **PA** 92 Pa 120
13814 Pollone **BI** 19 Hf 75
66020 Pollutri **CH** 64 Pd 96
12030 Polonghera **CN** 33 Hd 80
25080 Polpenazze del Garda **BS** 23 Lc 75
35020 Polverara **PD** 25 Mf 77
60020 Polverigi **AN** 53 Oc 87
56045 Pomarance **PI** 49 Lf 89
10063 Pomaretto **TO** 32 Hb 79
75016 Pomárico **MT** 79 Rd 105
38060 Pomarolo **TN** 13 Ma 73
15040 Pomaro Monferrato **AL** 34 Id 78
28863 Pomat = Formazza **VB** 10 Ic 70
28050 Pómbia **NO** 20 Id 75
00040 Pomèzia **RM** 61 Nd 98
80038 Pomigliano d'Arco **NA** 76 Pc 103
80045 Pompei **NA** 76 Pd 104
18015 Pompeiana **IM** 41 Hf 85
25030 Pompiano **BS** 22 Kf 76
46030 Pomponesco **MN** 37 Ld 79
09095 Pompu **OR** 109 Ie 110
25020 Poncarale **BS** 22 La 76
13875 Ponderano **BI** 19 Ia 75
22020 Ponna **CO** 11 Ka 73
56038 Ponsacco **PI** 49 Ld 87
35040 Ponso **PD** 24 Md 77
50065 Pontassieve **FI** 46 Mc 86
11020 Pontboset **AO** 19 He 75
10085 Pont Canavese **TO** 19 Hd 76
82030 Ponte **BN** 71 Pe 101
23026 Ponte in Valtellina **SO** 12 Kf 71
33016 Pontebba **UD** 6 Ob 69
51019 Ponte Buggianese **PT** 45 Le 85
84098 Pontecagnano-Faiano **SA** 77 Pf 105
45030 Pontécchio Polésine **RO** 38 Me 78
12020 Pontechianale **CN** 32 Ha 81
03037 Pontecorvo **FR** 69 Oe 100
15055 Pontecurone **AL** 35 If 79
18027 Pontedássio **IM** 41 Ia 85
29028 Ponte dell'Olio **PC** 36 Kd 79
56025 Pontedera **PI** 49 Ld 87
25056 Ponte di Legno **BS** 13 Lc 71
31047 Ponte di Piave **TV** 25 Nc 74
39040 Ponte Gardena = Waidbruck **BZ** 4 Md 69
22037 Ponte Lambro **CO** 21 Kb 74
82027 Pontelandolfo **BN** 71 Pe 101
81040 Pontelatone **CE** 70 Pb 101
35029 Pontelongo **PD** 25 Na 77
32014 Ponte nelle Alpi **BL** 15 Nb 71
27050 Ponte Nizza **PV** 35 Ka 79
24028 Ponte Nossa **BG** 12 Kf 73
29010 Pontenure **PC** 36 Ke 79
24010 Ponteránica **BG** 22 Ke 74
35020 Ponte San Nicolò **PD** 25 Mf 76
24036 Ponte San Pietro **BG** 21 Kd 74
15027 Pontestura **AL** 34 Ib 78
21037 Ponte Tresa, Lavena- **VA** 10 If 73
25026 Pontevico **BS** 22 La 77
11024 Pontey **AO** 19 Hd 74
15010 Ponti **AL** 34 Ic 81
24030 Pontida **BG** 21 Kd 74
04014 Pontínia **LT** 68 Oa 100
17042 Pontinvrea **SV** 42 Ic 82
24040 Pontirolo Nuovo **BG** 21 Kd 75
46040 Ponti sul Mincio **MN** 23 Le 76
25037 Pontóglio **BS** 22 Kf 75
54027 Pontrémoli **MS** 44 Kf 82
11026 Pont-Saint-Martin **AO** 19 He 75
04027 Ponza **LT** 68 I
63020 Ponzano di Fermo **AP** 53 Od 90
15020 Ponzano Monferrato **AL** 34 Ib 78
00060 Ponzano Romano **RM** 61 Nd 95
31050 Ponzano Véneto **TV** 25 Nb 74
15010 Ponzone **AL** 34 Ic 81
65026 Pòpoli **PE** 63 Of 95
52014 Poppi **AR** 50 Me 86
05010 Porano **TR** 56 Na 92
55016 Porcari **LU** 45 Ld 85
33080 Porcia **PN** 16 Nd 73
33170 Pordenone **PN** 16 Ne 73
22018 Porlezza **CO** 11 Ka 72
18024 Pornássio **IM** 41 Hf 84
33050 Porpetto **UD** 16 Ob 73
40046 Porrétta Terme **BO** 45 Lf 84
14037 Portacomaro **AT** 34 Ib 79
27040 Portálbera **PV** 35 Kb 78
10060 Porte **TO** 32 Hb 79
80055 Pórtici **NA** 76 Pb 104
81050 Pórtico di Caserta **CE** 70 Pb 102
47010 Portico di Romagna **FC** 47 Me 84
89040 Portigliola **RC** 89 Rb 119
57036 Porto Azzurro **LI** 54 Lc 92
31040 Portobuffole **TV** 15 Nd 73
86045 Portocannone **CB** 65 Qa 97
21050 Porto Cerésio **VA** 11 If 73
07020 Porto Cervo **OT** 104 Kd 102
73010 Porto Cesáreo **LE** 81 Sf 107
48010 Porto Corsini **RA** 39 Nb 81
92014 Porto Empédocle **AG** 97 Od 125
58018 Porto Ercole **GR** 55 Mb 94
57037 Portoferráio **LI** 54 VII
16034 Portofino **GE** 43 Kb 83
44029 Porto Garibaldi **FE** 39 Nb 80
30026 Portogruaro **VE** 26 Nf 74
44015 Portomaggiore **FE** 39 Me 80
46047 Porto Mantovano **MN** 23 Le 77
18100 Porto Maurizio **IM** 41 Ia 85
96010 Portopalo di Capo Pássero **SR** 100 Qa 128
62017 Porto Recanati **MC** 53 Oe 88
07020 Porto Rotondo **OT** 104 Kd 102
63017 Porto San Giòrgio **FM** 53 Oe 89
07020 Porto San Paolo, Loiri- **OT** 107 Kd 103
63018 Porto Sant'Elpídio **FM** 53 Oe 89
58019 Porto Santo Stefano **GR** 55 Ma 94
09010 Portoscuso **CI** 111 Ic 113
45018 Porto Tolle **RO** 39 Nb 79
07046 Porto Tórres **SS** 105 Ic 103
21010 Porto Valtraváglia **VA** 10 Ie 73
19025 Portovénere **SP** 44 Ke 84
45014 Porto Viro **RO** 39 Nb 78
13833 Portula **BI** 19 Ia 75
08020 Posada **NU** 107 Ke 105
36010 Posina **VI** 24 Mb 74
84017 Positano **SA** 76 Pc 105
31054 Possagno **TV** 15 Mf 73
02019 Posta **RI** 57 Oa 93
03030 Posta Fibreno **FR** 63 Oe 98
39014 Pòstal = Burgstall **BZ** 3 Mb 69
23010 Postalèsio **SO** 12 Ke 71
84026 Postiglione **SA** 77 Qb 105
13010 Póstua **VC** 20 Ib 74
85100 Potenza **PZ** 78 Qe 105
62018 Potenza Picena **MC** 53 Od 88
36020 Pove del Grappa **VI** 14 Me 74
31050 Povegliano **TV** 25 Nb 74
37064 Povegliano Veronese **VR** 23 Lf 76
42028 Poviglio **RE** 37 Ld 79
33040 Povoletto **UD** 16 Ob 72
38036 Pozza di Fassa **TN** 14 Me 70
02030 Pozzáglia Sabino **RI** 62 Nf 96
26010 Pozzáglio ed Uniti **CR** 22 La 77
97016 Pozzallo **RG** 100 Pe 128
86077 Pozzilli **IS** 70 Pa 99
20060 Pozzo d'Adda **MI** 21 Kc 75
25010 Pozzolengo **BS** 23 Ld 76
36050 Pozzoleone **VI** 24 Me 75
15050 Pozzol Groppo **AL** 35 If 79
15068 Pózzolo Formigaro **AL** 34 Ie 80
07018 Pozzomaggiore **SS** 105 Id 106
35020 Pozzonovo **PD** 24 Me 77
80078 Pozzuoli **NA** 76 Pa 104
33050 Pozzuolo del Friuli **UD** 16 Ob 73
20060 Pozzuolo Martesana **MI** 21 Kc 75
39026 Prad am Stilfserjoch = Prato allo Stèlvio **BZ** 3 Ld 69
24020 Pradalunga **BG** 22 Ke 74
33040 Pradamano **UD** 16 Ob 72
12027 Pradlèves **CN** 40 Hb 82
10060 Pragelato **TO** 32 Gf 78
39030 Prags = Bràies **BZ** 5 Na 68
87028 Práia a Mare **CS** 83 Qe 109
84010 Praiano **SA** 76 Pd 105
25020 Pralboino **BS** 22 Lb 77
10060 Prali **TO** 32 Ha 79
10040 Pralormo **TO** 33 Hf 79
13899 Pralungo **BI** 19 Ia 75
30020 Pramaggiore **VE** 16 Ne 74
10065 Pramollo **TO** 32 Ha 79
13100 Prarolo **VC** 20 Ic 77
10060 Prarostino **TO** 32 Hb 79
15010 Prasco **AL** 34 Id 81
10080 Prascorsano **TO** 19 Hd 76
38080 Praso **TN** 13 Ld 73
23020 Prata Camportàccio **SO** 11 Kc 71
67020 Prata d'Ansidónia **AQ** 63 Od 95
33080 Prata di Pordenone **PN** 16 Nd 73
83030 Prata di Principato Ultra **AV** 71 Pe 103
81010 Prata Sannita **CE** 70 Pb 100
81010 Pratella **CE** 70 Pb 100
10080 Pratiglione **TO** 19 Hd 76
59100 Prato **PO** 46 Ma 85
39026 Prato allo Stèlvio = Prad am Stilfserjoch **BZ** 3 Ld 69
33020 Prato Càrnico **UD** 6 Ne 69
67035 Pràtola Peligna **AQ** 63 Of 96
83039 Prátola Serra **AV** 71 Pf 103
28077 Prato Sésia **NO** 20 Ic 75
52015 Pratovècchio **AR** 46 Me 86
33076 Pravisdómini **PN** 16 Ne 74
13867 Pray **BI** 20 Ib 74
12028 Prazzo **CN** 32 Ha 82
33050 Precenicco **UD** 16 Oa 74
06047 Preci **PG** 57 Oa 91
74016 Predàppio **FC** 47 Mf 84
38037 Predazzo **TN** 14 Md 71
39030 Predoi = Prettau **BZ** 5 Na 66
24060 Predore **BG** 22 La 74
15077 Predosa **AL** 34 Id 80
31022 Preganziól **TV** 25 Nb 75
20010 Pregnana Milanese **MI** 21 Ka 75
18100 Prelà **IM** 41 Hf 85
23834 Premana **LC** 11 Kc 72
33040 Premariacco **UD** 17 Oc 72
28818 Premeno **VB** 10 Id 73
21044 Premezzo **VA** 20 Ie 74
28866 Prémia **VB** 10 Ib 71
47010 Premilcuore **FC** 47 Me 85
24020 Prémolo **BG** 12 Kf 73
28803 Premosello Chiovenda **VB** 10 Ib 72
33020 Preone **UD** 16 Nf 70
38070 Preore **TN** 13 Le 72
33040 Prepotto **UD** 17 Oc 72
11010 Pré-Saint-Didier **AO** 18 Gf 74
25070 Preséglie **BS** 23 Lc 75
81050 Presenzano **CE** 70 Pa 100
24030 Presezzo **BG** 21 Kd 74
73054 Presicce **LE** 83 Tb 109
37040 Pressana **VR** 24 Mc 77
25040 Préstine **BS** 12 Lb 73
66010 Pretoro **CH** 63 Pa 95
39030 Prettau = Predoi **BZ** 5 Na 66
25080 Prevalle **BS** 23 Lc 75
67030 Prezza **AQ** 63 Oe 96
38085 Prezzo **TN** 13 Ld 73
12070 Priero **CN** 41 Ia 82
84060 Prignano Cilento **SA** 77 Qa 107
41048 Prignano sulla Secchia **MO** 45 Le 82
23819 Primaluna **LC** 11 Kc 73
12040 Priocca **CN** 33 Ia 80
12070 Priola **CN** 41 Ia 83
96010 Priòlo Gargallo **SR** 99 Qa 125
04015 Priverno **LT** 69 Ob 100
90038 Prizzi **PA** 91 Oc 122
01020 Proceno **VT** 56 Me 92
80079 Prócida **NA** 76 Pa 104
16027 Propata **GE** 35 Kb 81
22030 Prosérpio **CO** 21 Kb 74
04010 Prossedi **LT** 69 Ob 99
25050 Provaglio d'Iseo **BS** 22 La 75
25070 Provaglio Val Sabbia **BS** 23 Lc 74
39040 Proveis = Proves **BZ** 3 Ma 70
39040 Proves = Proveis **BZ** 3 Ma 70
86040 Provvidenti **CB** 64 Pe 98
12077 Prunetto **CN** 33 Ia 82
25080 Puegnago del Garda **BS** 23 Ld 75
82030 Puglianello **BN** 70 Pc 101
09010 Pula **CA** 112 Ka 114
33046 Pùlfero **UD** 17 Oc 71
74026 Pulsano **TA** 81 Sc 106
24050 Pumenengo **BG** 22 Kf 76
58040 Punta Ala **GR** 54 Le 92
48020 Punta Marina **RA** 39 Nb 82
90045 Punta Ràisi **PA** 91 Oa 119
32015 Puos d'Alpago **BL** 15 Nc 72
22030 Pusiano **CO** 21 Kb 74
07040 Putifigari **SS** 105 Ic 105
70017 Putignano **BA** 74 Sa 103

Q

83020 Quadrelle **AV** 71 Pd 103
66040 Quadri **CH** 64 Pb 97
10010 Quagliuzzo **TO** 19 He 76
80019 Qualiano **NA** 70 Pa 103
14040 Quaranti **AT** 34 Ic 80
13854 Quaregna **BI** 19 Ia 75
15044 Quargnento **AL** 34 Ic 79
28896 Quarna Sopra **VB** 10 Ic 73
28896 Quarna Sotto **VB** 10 Ic 73
13017 Quarona **VC** 20 Ib 74
51039 Quarrata **PT** 45 Lf 85
11020 Quart **AO** 18 Hc 74
80010 Quarto **NA** 76 Pa 103
30020 Quarto d'Altino **VE** 25 Nc 75
09044 Quartucciu **CA** 112 Kb 113
09045 Quartu Sant'Elena **CA** 112 Kb 113
10010 Quassolo **TO** 19 He 75
15028 Quattórdio **AL** 34 Ic 79
42020 Quattro Castella **RE** 37 Lc 81
32030 Quero **BL** 15 Mf 73
17047 Quiliano **SV** 42 Ic 83
10010 Quincinetto **TO** 19 He 75
83020 Quindici **AV** 77 Pd 103
46020 Quingentole **MN** 37 Ma 78
26017 Quintano **CR** 21 Kd 76
31055 Quinto di Treviso **TV** 25 Na 75
13030 Quinto Vercellese **VC** 20 Ic 76
36050 Quinto Vicentino **VI** 24 Md 75
25027 Quinzano d'Óglio **BS** 22 La 77
46026 Quistello **MN** 37 Lf 78
13812 Quittengo **BI** 19 Ia 75

R

38020 Rabbi **TN** 13 Le 70
73055 Rácale **LE** 82 Ta 109
92020 Racalmuto **AG** 97 Oe 124
12035 Racconigi **CN** 33 He 80
98067 Raccuja **ME** 94 Pf 120
39040 Racines = Ratschings **BZ** 4 Mb 67
53017 Raddà in Chianti **SI** 50 Mc 88
95040 Raddusa **CT** 98 Pc 124
53040 Radicòfani **SI** 55 Me 91
53030 Radicóndoli **SI** 49 Ma 89
92015 Raffadali **AG** 97 Od 124
95030 Ragalna **CT** 94 Pf 123
33030 Ragogna **UD** 16 Nf 71
38070 Ràgoli **TN** 13 Le 72
97100 Ragusa **RG** 100 Pe 127
67027 Raiano **AQ** 63 Oe 96
95040 Ramacca **CT** 98 Pd 124
42030 Ramiseto **RE** 44 Lb 82
22020 Rampònio Verna **CO** 11 Ka 73
21030 Ráncio Valcúvia **VA** 10 Ie 73
21020 Ranco **VA** 20 Id 74
95036 Randazzo **CT** 94 Pf 121
24020 Ránica **BG** 22 Ke 74
24060 Ranzánico **BG** 22 Kf 74
18020 Ranzo **IM** 41 Ia 84
63025 Rapagnano **FM** 53 Od 90
16035 Rapallo **GE** 43 Kb 82

126 (I) Piazza al Sérchio – Rapallo

66010 Rapino **CH** 63 Pb 95
53040 Rapolano Terme **SI** 50 Md 89
85027 Rapolla **PZ** 72 Qe 103
85020 Rapone **PZ** 72 Qd 103
39030 Rasen Antholz = Rasun Anterselva **BZ** 5 Na 68
13020 Rassa **VC** 19 Ia 74
39030 Rasun Anterselva = Rasen Antholz **BZ** 5 Na 68
23010 Rasura **SO** 11 Kd 72
39040 Ratschings = Racines **BZ** 4 Mb 67
92029 Ravanusa **AG** 97 Of 125
41017 Ravarino **MO** 38 Ma 80
33020 Ravascletto **UD** 6 Nf 69
84010 Ravello **SA** 77 Pd 105
48100 Ravenna **RA** 39 Nb 82
33029 Raveo **UD** 16 Nf 70
81017 Raviscanina **CE** 70 Pb 100
28856 Re **VB** 10 Id 72
27040 Rea **PV** 35 Ka 78
92010 Realmonte **AG** 97 Oc 124
33010 Reana del Roiale **UD** 16 Ob 72
10090 Reano **TO** 32 Hc 78
81020 Recale **CE** 70 Pb 102
62019 Recanati **MC** 53 Od 88
16036 Recco **GE** 43 Ka 82
28060 Recetto **NO** 20 Ic 76
36076 Recoaro Terme **VI** 24 Mb 74
27050 Redavalle **PV** 35 Kb 78
34070 Redipùglia **GO** 17 Oc 73
46010 Redondesco **MN** 23 Ld 77
14030 Refrancore **AT** 34 Ic 79
31020 Refróntolo **TV** 15 Nb 73
94017 Regalbuto **EN** 93 Pd 122
50066 Reggello **FI** 50 Md 86
89100 Règgio di Calàbria **RC** 95 Qd 120
42046 Reggiolo **RE** 37 Le 79
42100 Règgio nell'Emilia **RE** 37 Ld 80
82020 Reino **BN** 71 Pe 101
98070 Reitano **ME** 93 Pb 121
33047 Remanzacco **UD** 16 Ob 72
25010 Remedello **BS** 22 Lc 77
20055 Renate **MI** 21 Kb 74
87036 Rende **CS** 86 Rb 113
39054 Renòn = Ritten **BZ** 4 Mc 69
31023 Resana **TV** 25 Mf 75
20027 Rescaldina **MI** 21 If 75
33010 Resia **UD** 16 Ob 70
33010 Resiutta **UD** 16 Ob 70
93010 Resuttano **CL** 92 Pa 122
27050 Retórbido **PV** 35 Ka 79
12036 Revello **CN** 32 Hc 81
46036 Revere **MN** 38 Ma 78
14010 Revigliasco d'Asti **AT** 33 Ia 79
31020 Revine-Lago **TV** 15 Nb 72
38028 Revò **TN** 13 Ma 70
22030 Rezzago **CO** 11 Kb 73
25086 Rezzato **BS** 22 Lb 75
18026 Rezzo **IM** 41 Hf 84
16048 Rezzoáglio **GE** 35 Kc 81
11010 Rhêmes-Notre-Dame **AO** 18 Ha 75
11010 Rhêmes-Saint-Georges **AO** 18 Ha 75
20017 Rho **MI** 21 Ka 75
89040 Riace **RC** 89 Rc 118
17020 Rialto **SV** 42 Ib 83
00060 Riano **RM** 61 Nd 96
81053 Riardo **CE** 70 Pa 101
92016 Ribera **AG** 96 Ob 123
10080 Ribordone **TO** 19 Hc 76
89866 Ricadi **VV** 88 Qf 117
15010 Ricaldone **AL** 34 Ic 80
86016 Riccia **CB** 71 Pe 100
47838 Riccione **RN** 48 Ne 84
19020 Riccò del Golfo di Spézia **SP** 44 Ke 84
26010 Ricengo **CR** 22 Ke 76
84020 Ricigliano **SA** 78 Qc 104
31039 Riese Pio X **TV** 25 Mf 74
93016 Riesi **CL** 97 Pa 125
02100 Rieti **RI** 57 Nf 94
39010 Riffian = Rifiano **BZ** 3 Mb 68
39010 Rifiano = Riffian **BZ** 3 Mb 68
12030 Rifreddo **CN** 32 Hc 81
00068 Rignano Flamínio **RM** 61 Nc 95
71010 Rignano Gargánico **FG** 65 Qd 98
50067 Rignano sull'Arno **FI** 50 Mc 86
33020 Rigolato **UD** 6 Nf 69
13026 Rima-San Giuseppe **VC** 9 Hf 73
13026 Rimasco **VC** 9 Ia 73
13020 Rimella **VC** 10 Ib 73
47900 Rìmini **RN** 48 Nd 84
39037 Rio di Pusteria = Mühlbach **BZ** 4 Me 68
00020 Riofreddo **RM** 62 Oa 96
09070 Riola Sardo **OR** 108 Id 109
48025 Riolo Terme **RA** 46 Me 83
41020 Riolunato **MO** 45 Ld 83
19017 Riomaggiore **SP** 44 Ke 84
57038 Rio Marina **LI** 54 Lc 92
57039 Rio nell'Elba **LI** 54 Lc 92
85028 Rionero in Vúlture **PZ** 72 Qe 103
86087 Rionero Sannitico **IS** 63 Pa 98
42010 Rio Saliceto **RE** 37 Le 80
86040 Ripabottoni **CB** 64 Pe 98
85020 Ripacándida **PZ** 72 Qe 103
86025 Ripalimosani **CB** 64 Pd 99
26010 Ripalta Arpina **CR** 22 Ke 77
26010 Ripalta Cremasca **CR** 22 Ke 77
26010 Ripalta Guerina **CR** 22 Ke 77
56046 Riparbella **PI** 49 Ld 88
66010 Ripa Teatina **CH** 59 Pb 94
63038 Ripatransone **AP** 58 Oe 90
60010 Ripe **AN** 52 Oa 86
62020 Ripe San Ginésio **MC** 53 Oc 90
03027 Ripi **FR** 69 Oc 99
95018 Riposto **CT** 94 Qb 122
12010 Rittana **CN** 40 Hc 82
39054 Ritten = Renòn **BZ** 4 Mc 69
38066 Riva del Garda **TN** 13 Le 73
24060 Riva di Solto **BG** 22 La 74
10090 Rivalba **TO** 33 Hf 78
18015 Riva Lígure **IM** 41 Hf 85
15010 Rivalta Bórmida **AL** 34 Id 80
10040 Rivalta di Torino **TO** 33 Hd 78
32020 Rivamonte Agordino **BL** 15 Na 71
27055 Rivanazzano **PV** 35 Ka 79
10020 Riva presso Chieri **TO** 33 Hf 79
10080 Rivara **TO** 19 Hd 76
10086 Rivarolo Canavese **TO** 19 He 77
26036 Rivarolo del Re ed Uniti **CR** 37 Lc 78
46017 Rivarolo Mantovano **MN** 37 Lc 78
15040 Rivarone **AL** 34 Ie 79
10040 Rivarossa **TO** 19 He 77
13020 Riva Valdobbia **VC** 9 Hf 73
13030 Rive **VC** 20 Ic 77
33030 Rive d'Arcano **UD** 16 Oa 72
85040 Rivello **PZ** 83 Qe 108
29029 Rivergaro **PC** 35 Kd 79
33050 Rivignano **UD** 16 Oa 73
67036 Rivisóndoli **AQ** 63 Pa 97
02010 Rivodutri **RI** 57 Nf 93
10098 Rivoli **TO** 33 Hd 78
37010 Rivoli Veronese **VR** 23 Le 75
26027 Rivolta d'Adda **CR** 21 Kd 76
89016 Rizzíconi **RC** 88 Qf 118
44030 Ro **FE** 38 Me 79
36010 Roana **VI** 14 Mc 73
12010 Roáschia **CN** 40 Hc 83
12073 Roáscio **CN** 41 Ia 82
13060 Roásio **VC** 20 Ib 75
14018 Roatto **AT** 33 Ia 79
10070 Robassomero **TO** 19 Hd 77
23899 Róbbiate **LC** 21 Kc 74
27038 Róbbio **PV** 20 Id 77
20020 Robecchetto con Induno **MI** 20 Ie 75
26010 Robecco d'Óglio **CR** 22 La 77
27042 Robecco Pavese **PV** 35 Ka 78
20087 Robecco sul Naviglio **MI** 20 If 76
14020 Robella **AT** 33 Ia 78
12017 Robilante **CN** 41 Hd 83
12080 Roburent **CN** 41 Hf 83
83016 Roccabascerana **AV** 71 Pe 102
88835 Roccabernarda **KR** 87 Rf 114
43010 Roccabianca **PR** 36 Lb 78
12020 Roccabruna **CN** 32 Hb 82
10070 Rocca Canavese **TO** 19 Hd 77
00020 Rocca Canterano **RM** 62 Oa 97
67030 Roccacasale **AQ** 63 Of 96
12060 Rocca Cigliè **CN** 41 Hf 82
14030 Rocca d'Arazzo **AT** 34 Ib 79
03030 Rocca d'Arce **FR** 69 Od 99
84069 Roccadáspide **SA** 77 Qb 106
12047 Rocca de'Baldi **CN** 41 He 82
27040 Rocca de' Giorgi **PV** 35 Kb 79
81040 Rocca d'Evandro **CE** 70 Of 100
67066 Rocca di Botte **AQ** 62 Oa 96
67047 Rocca di Cámbio **AQ** 62 Oc 95
00030 Rocca di Cave **RM** 62 Nf 97
67048 Rocca di Mezzo **AQ** 62 Od 95
88821 Rocca di Neto **KR** 87 Rf 113
00040 Rocca di Papa **RM** 61 Ne 98
98030 Roccafiorita **ME** 94 Qb 121
63049 Roccafluvione **AP** 58 Oc 91
89060 Roccaforte del Greco **RC** 95 Qf 120
15060 Roccaforte Lígure **AL** 35 Ka 80
12088 Roccaforte Mondovì **CN** 41 He 83
74020 Roccaforzata **TA** 81 Sc 106
25030 Roccafranca **BS** 22 Kf 76
00020 Roccagióvine **RM** 62 Nf 96
84060 Roccagloriosa **SA** 83 Qc 108
04010 Roccagorga **LT** 69 Oa 99
15078 Rocca Grimalda **AL** 34 Id 80
87074 Rocca Imperiale **CS** 80 Rd 108
58053 Roccalbegna **GR** 55 Md 92
98027 Roccalumera **ME** 94 Qc 121
86092 Roccamandolfi **IS** 70 Pc 100
04010 Rocca Mássima **LT** 62 Nf 98
90040 Roccamena **PA** 91 Oa 121
81035 Roccamonfina **CE** 70 Of 101
66010 Roccamontepiano **CH** 63 Pa 95
65020 Roccamorice **PE** 63 Pa 95
85036 Roccanova **PZ** 79 Rb 107
02040 Roccantica **RI** 61 Ne 95
90020 Roccapalumba **PA** 92 Od 122
67030 Rocca Pia **AQ** 63 Of 97
84086 Roccapiemonte **SA** 77 Pe 104
32020 Rocca Piètore **BL** 15 Mf 70
00040 Rocca Priora **RM** 61 Ne 98
80030 Roccaraínola **NA** 71 Pd 103
67037 Roccaraso **AQ** 63 Pa 97
81051 Roccaromana **CE** 70 Pb 101
47017 Rocca San Casciano **FC** 47 Me 84
83050 Rocca San Felice **AV** 72 Qa 103
66020 Rocca San Giovanni **CH** 64 Pc 95
64010 Rocca Santa Maria **TE** 58 Oc 92
00030 Rocca Santo Stéfano **RM** 62 Oa 97
66040 Roccascalegna **CH** 64 Pb 96
03038 Roccasecca **FR** 69 Od 99
04010 Roccasecca dei Volsci **LT** 69 Ob 100
86080 Roccasicura **IS** 64 Pb 98
02026 Rocca Sinibalda **RI** 62 Nf 95
12010 Roccasparvera **CN** 40 Hc 82
66050 Roccaspinalveti **CH** 64 Pc 97
58036 Roccastrada **GR** 55 Mb 90
27052 Rocca Susella **PV** 35 Ka 79
98040 Roccavaldina **ME** 88 Qc 119
14050 Roccaverano **AT** 34 Ib 81
17017 Roccavignale **SV** 41 Ib 82
12018 Roccavione **CN** 41 Hc 83
86020 Roccavivara **CB** 64 Pd 98
89047 Roccella Iónica **RC** 89 Rc 119
98030 Roccella Valdémone **ME** 94 Pf 121
86070 Rocchetta a Volturno **IS** 63 Pa 99
12050 Rocchetta Belbo **CN** 33 Ia 81
19020 Rocchetta di Vara **SP** 44 Ke 83
81042 Rocchetta e Croce **CE** 70 Pa 101
15060 Rocchetta Lígure **AL** 35 Ka 80
18035 Rocchetta Nervina **IM** 41 Hd 85
14042 Rocchetta Palafea **AT** 34 Ic 80
71020 Rocchetta Sant'António **FG** 72 Qc 102
14030 Rocchetta Tánaro **AT** 34 Ic 79
36013 Rocchette, Piovene- **VI** 24 Mc 74
20090 Ródano **MI** 21 Kc 76
12060 Roddi **CN** 33 Hf 80
12050 Roddino **CN** 33 Ia 81
12050 Rodello **CN** 33 Ia 81
39037 Rodeneck = Rodengo **BZ** 4 Me 68
39037 Rodengo = Rodeneck **BZ** 4 Me 68
25050 Rodengo-Saiano **BS** 22 La 75
22070 Rodero **CO** 21 If 74
71012 Rodi Gargánico **FG** 66 Qf 97
46040 Ródigo **MN** 23 Ld 77
98059 Rodi-Milici **ME** 94 Qa 120
25077 Roè-Volciano **BS** 23 Lc 75
84070 Rofrano **SA** 78 Qc 107
23849 Rogeno **LC** 21 Kb 74
87017 Roggiano Gravina **CS** 84 Ra 111
89060 Roghudi **RC** 95 Qf 120
87054 Rogliano **CS** 86 Rb 113
27012 Rognano **PV** 21 Ka 77
24060 Rogno **BG** 12 La 73
23010 Rògolo **SO** 11 Kc 72
00030 Roiate **RM** 62 Oa 97
66040 Roío del Sangro **CH** 64 Pc 97
11100 Roisan **AO** 18 Hb 74
10060 Roletto **TO** 32 Hb 79
42047 Rolo **RE** 37 Lf 79
00100 Roma **RM** 61 Nc 97
84020 Romagnano al Monte **SA** 78 Qc 105
28078 Romagnano Sésia **NO** 20 Ic 75
27050 Romagnese **PV** 35 Kb 79
38028 Romallo **TN** 13 Ma 70
07010 Romana **SS** 105 Id 106
26014 Romanengo **CR** 22 Ke 76
10090 Romano Canavese **TO** 19 Hf 76
36060 Romano d'Ezzelino **VI** 14 Me 74
24058 Romano di Lombardia **BG** 22 Ke 75
34076 Romàns d'Isonzo **GO** 17 Oc 73
89841 Rombiolo **VV** 88 Qf 117
38010 Romeno **TN** 13 Ma 70
28068 Romentino **NO** 20 Ie 76
98043 Rometta **ME** 88 Qc 119
22027 Ronago **CO** 21 If 73
37030 Roncà **VR** 24 Mb 76
31056 Roncade **TV** 25 Nc 75
25030 Roncadelle **BS** 22 La 75
27010 Roncaro **PV** 21 Kb 77
38050 Roncegno **TN** 14 Mc 72
20040 Roncello **MI** 21 Kc 75
34077 Ronchi dei Legíonari **GO** 17 Oc 74
33050 Rónchis **UD** 16 Oa 74
38051 Ronchi Valsugana **TN** 14 Mc 72
01037 Ronciglione **VT** 61 Nb 95
37055 Ronco all'Adige **VR** 24 Mb 76
24010 Roncobello **BG** 12 Ke 73
13845 Ronco Biellese **BI** 19 Ia 75
20050 Ronco Briantino **MB** 21 Kc 75
10080 Ronco Canavese **TO** 19 Hd 75
46037 Roncoferraro **MN** 37 Lf 78
47020 Roncofreddo **FC** 47 Nb 84
24030 Róncola **BG** 21 Kd 74
38087 Roncone **TN** 13 Ld 73
16019 Ronco Scrívia **GE** 35 If 81
16025 Rondanina **GE** 35 Kb 81
10030 Rondissone **TO** 19 Hf 77
13036 Ronsecco **VC** 20 Ib 77
38060 Ronzo-Chienis **TN** 13 Lf 73
38010 Ronzone **TN** 14 Ma 70
13883 Róppolo **BI** 19 Ia 76
10060 Rorà **TO** 32 Hb 80
36027 Rosà **VI** 24 Me 74
89025 Rosarno **RC** 88 Qf 118
27030 Rosasco **PV** 20 Id 77
20088 Rosate **MI** 21 Ka 76
13815 Rosazza **BI** 19 Hf 74
65020 Rosciano **PE** 59 Pa 95
84020 Roscino **SA** 78 Qc 106
87040 Rose **CS** 84 Rb 112
66040 Rosello **CH** 64 Pc 97
87070 Roseto Capo Spúlico **CS** 84 Rd 109
64026 Roseto degli Abruzzi **TE** 59 Pa 92
71039 Roseto Valfortore **FG** 71 Qa 100
57016 Rosignano Marittimo **LI** 49 Lc 88
15030 Rosignano Monferrato **AL** 34 Ic 78
57013 Rosignano Solvay **LI** 49 Lc 88
45010 Rosolina **RO** 39 Nb 78
96019 Rosolini **SR** 100 Pf 128
60030 Rosora **AN** 52 Oa 88
13020 Rossa **VC** 9 Ia 73
12020 Rossana **CN** 32 Hc 81
87067 Rossano **CS** 85 Rd 111
36028 Rossano Véneto **VI** 24 Me 74
16010 Rossiglione **GE** 34 Ie 81
10090 Rosta **TO** 33 Hc 78
24037 Rota d'Imagna **BG** 11 Kd 73
87010 Rota Greca **CS** 84 Ra 112
63030 Rotella **AP** 58 Od 91
86040 Rotello **CB** 65 Qa 98
85048 Rotonda **PZ** 84 Ra 109
75026 Rotondella **MT** 79 Rd 108
83017 Rotondi **AV** 71 Pd 102
29010 Rottofreno **PC** 35 Kd 78
36010 Rotzo **VI** 14 Mc 73
10060 Roure **TO** 32 Ha 79
23888 Rovagnate **LC** 21 Kc 74
13040 Rovasenda **VC** 20 Ib 75
25038 Rovato **BS** 22 Kf 75
16028 Rovegno **GE** 35 Kb 81
22069 Rovellasca **CO** 21 Ka 74
22070 Rovello Porro **CO** 21 Ka 75
46048 Roverbella **MN** 23 Le 77
37050 Roverchiara **VR** 24 Mb 77
38030 Roverè della Luna **TN** 14 Ma 71
33080 Roveredo in Piano **PN** 16 Nd 72
37040 Roveredo di Gùa **VR** 24 Mc 77
38068 Rovereto **TN** 13 Ma 73
37028 Roverè Veronese **VR** 23 Ma 75
27040 Rovescala **PV** 35 Kc 78
24020 Rovetta **BG** 12 Kf 73
00027 Roviano **RM** 62 Nf 96
45100 Rovigo **RO** 38 Me 78
87050 Rovito **CS** 86 Rb 113
35030 Rovolon **PD** 24 Md 76
20089 Rozzano **MI** 21 Ka 76
35030 Rubano **PD** 24 Me 76
26010 Rubbiano, Credera- **CR** 22 Kd 77
10040 Rubiana **TO** 32 Hc 78
42048 Rubiera **RE** 37 Le 81
33050 Ruda **UD** 17 Oc 73
25030 Rudiano **BS** 22 Kf 76
10010 Ruéglio **TO** 19 He 76
73049 Ruffano **LE** 82 Tb 109
12030 Ruffia **CN** 33 Hd 80
38010 Ruffré **TN** 14 Mb 70
50068 Rùfina **FI** 46 Mc 86
09085 Ruínas **OR** 109 If 109
27040 Ruino **PV** 35 Kb 79
38020 Rumo **TN** 13 Lf 70
85056 Ruoti **PZ** 78 Qe 104
48026 Russi **RA** 47 Na 82
70018 Rutigliano **BA** 74 Sa 102
84070 Rutino **SA** 77 Qa 107
81010 Ruviano **CE** 70 Pc 101
85020 Ruvo del Monte **PZ** 72 Qd 103
70037 Ruvo di Púglia **BA** 73 Rc 102

S

04016 Sabáudia **LT** 68 Oa 101
13020 Sábbia **VC** 10 Ib 73
25070 Sábbio Chiese **BS** 23 Lc 75
46018 Sabbioneta **MN** 37 Lc 79
84070 Sacco **SA** 78 Qc 106
35030 Saccolongo **PD** 24 Me 76
33077 Sacile **PN** 15 Nc 73
00060 Sacrofano **RM** 61 Nc 96
08030 Sádali **NU** 109 Kb 110
08010 Ságama **NU** 108 Id 107
13816 Sagliano Micca **BI** 19 Ia 75
34078 Sagrado **GO** 17 Oc 73
38050 Sagron-Mis **TN** 15 Mf 71
25050 Saiano, Rodengo- **BS** 22 La 75
11020 Saint-Anselme, Challand- **AO** 19 He 74
11020 Saint-Christophe **AO** 18 Hc 74
11023 Saint-Denis **AO** 19 Hd 74
11020 Saint-Marcel **AO** 19 Hc 74
11010 Saint-Nicolas **AO** 18 Hb 74
11014 Saint-Oyen **AO** 8 Hb 74
11010 Saint-Pierre **AO** 18 Hb 74
11010 Saint-Rhémy-en-Bosses **AO** 8 Hb 73
11020 Saint-Victor, Challand- **AO** 19 He 74
11027 Saint-Vincent **AO** 19 Hd 74
43038 Sala Baganza **PR** 36 Lb 80
13884 Sala Biellese **BI** 19 Hf 75
40010 Sala Bolognese **BO** 38 Mb 81
22010 Sala Comacina **CO** 11 Ka 73
84036 Sala Consilina **SA** 78 Qd 106
15030 Sala Monferrato **AL** 34 Ic 78
75017 Salandra **MT** 79 Rb 105
91020 Salaparuta **TP** 91 Nf 122
45030 Salara **RO** 38 Mc 79
13040 Salasco **VC** 20 Ib 77
10080 Salassa **TO** 19 He 76
10050 Salbertrand **TO** 32 Gf 78
36040 Salcedo **VI** 24 Md 74
86026 Salcito **CB** 64 Pd 98
15045 Sale **AL** 34 Ie 79
12070 Sale delle Langhe **CN** 41 Ia 82
25057 Sale Marasino **BS** 22 La 74
91018 Salemi **TP** 90 Ne 121
84070 Salento **SA** 77 Qb 107
10010 Salerano Canavese **TO** 19 Hf 76
26857 Salerano sul Lambro **LO** 21 Kc 77
84100 Salerno **SA** 77 Pe 105
12070 Sale San Giovanni **CN** 41 Ia 82
35046 Saletto **PD** 25 Mf 76
31040 Salgareda **TV** 25 Nc 74
73015 Sálice Salentino **LE** 82 Sf 106
12079 Saliceto **CN** 41 Ib 82
98050 Salina **ME** 88 II
02040 Salisano **RI** 61 Ne 95
13047 Sali Vercellese **VC** 20 Ic 77
37056 Salizzole **VR** 23 Ma 77
65020 Salle **PE** 63 Of 95
11015 Salle, La **AO** 18 Ha 74
12040 Salmour **CN** 33 He 81
25087 Salò **BS** 23 Ld 75
39040 Salorno = Salurn **BZ** 14 Mb 71
43039 Salsomaggiore Terme **PR** 36 Kf 80
61030 Saltara **PU** 48 Nf 86
21050 Sáltrio **VA** 11 If 73
47835 Saludècio **RN** 48 Ne 85
13040 Salúggia **VC** 19 Ia 77
39040 Salurn = Salorno **BZ** 14 Mb 71
13885 Salussola **BI** 19 Ia 76
12037 Saluzzo **CN** 33 Hd 81
73050 Salve **LE** 83 Tb 109
26010 Salvirola **CR** 22 Ke 76
84020 Salvitelle **SA** 78 Qc 105
10060 Salza di Pinerolo **TO** 32 Ha 79
83050 Salza Irpina **AV** 71 Pf 103
30030 Salzano **VE** 25 Na 75
21017 Samarate **VA** 20 Ie 75
09030 Samassi **MD** 112 If 112
09020 Samatzai **CA** 112 Ka 112
92017 Sambuca di Sicília **AG** 96 Oa 122
51020 Sambuca Pistoiese **PT** 45 Ma 84
00020 Sambuci **RM** 62 Nf 97
12010 Sambuco **CN** 40 Ha 82
70010 Sammichele di Bari **BA** 74 Rf 103
89030 Samo **RC** 95 Ra 120
23027 Samólaco **SO** 11 Kc 71
10010 Samone **TO** 19 Hf 76
38059 Samone **TN** 14 Md 72
12020 Sampèyre **CN** 32 Hb 81
09086 Samugheo **OR** 109 If 109
73030 Sanárica **LE** 82 Tc 108
18016 San Bartolomeo al Mare **IM** 41 Ia 85
82028 San Bartolomeo in Galdo **BN** 71 Qa 100
22010 San Bartolomeo Val Cavargna **CO** 11 Ka 72
87010 San Basile **CS** 84 Ra 110
09040 San Basílio **CA** 112 Kb 111
26020 San Bassano **CR** 22 Ke 77
45020 San Bellino **RO** 38 Md 78
12050 San Benedetto Belbo **CN** 33 Ia 82
67058 San Benedetto dei Marsi **AQ** 63 Od 96
63039 San Benedetto del Tronto **AP** 58 Of 91
47010 San Benedetto in Alpe **FC** 46 Me 85
67020 San Benedetto in Perillis **AQ** 63 Oe 95

Rapino – San Benedetto in Perìllis (I) **127**

46027 San Benedetto Po **MN** 37 Lf 78
87040 San Benedetto Ullano **CS** 84 Ra 112
40048 San Benedetto Val di Sambro **BO** 46 Mb 83
10080 San Benigno Canavese **TO** 19 He 77
28804 San Bernardino Verbano **VB** 10 Id 73
18036 San Biágio della Cima **IM** 41 Hd 86
31048 San Biágio di Callalta **TV** 25 Nc 74
92020 San Biágio Plátani **AG** 97 Od 123
03040 San Biágio Saracinisco **FR** 63 Of 99
86020 San Biase **CB** 64 Pd 98
37047 San Bonifacio **VR** 24 Mb 76
66050 San Buono **CH** 64 Pd 97
89842 San Calógero **VV** 89 Ra 117
39038 San Càndido = Innichen **BZ** 5 Nb 68
34075 San Canziàn d'Isonzo **GO** 17 Oc 74
28879 San Carlo **VB** 9 Ia 73
10070 San Carlo Canavese **TO** 19 Hd 77
53040 San Casciano dei Bagni **SI** 56 Mf 91
50026 San Casciano in Val di Pesa **FI** 50 Mb 87
73020 San Cassiano **LE** 82 Tc 108
73100 San Cataldo **LE** 82 Tb 106
93017 San Cataldo **CL** 97 Of 123
00030 San Cesàreo **RM** 61 Ne 98
73016 San Cesário di Lecce **LE** 82 Tb 107
41018 San Cesario sul Panaro **MO** 37 Ma 81
85010 San Chírico Nuovo **PZ** 79 Ra 104
85030 San Chírico Raparo **PZ** 79 Ra 107
90040 San Cipirello **PA** 91 Ob 121
81036 San Cipriano d'Aversa **CE** 70 Pa 102
84099 San Cipriano Picentino **SA** 77 Pf 104
27043 San Cipriano Po **PV** 35 Kb 78
47832 San Clemente **RN** 48 Nd 85
20078 San Colombano al Lambro **MI** 21 Kd 77
10080 San Colombano Belmonte **TO** 19 Hd 76
16040 San Colombano-Certénoli **GE** 43 Kc 82
95040 San Cono **CT** 98 Pb 125
87060 San Cosmo Albanese **CS** 84 Rc 111
85030 San Costantino Albanese **PZ** 84 Rb 108
89851 San Costantino Cálabro **VV** 89 Ra 117
61039 San Costanzo **PU** 48 Oa 86
15060 San Cristóforo **AL** 34 Ie 80
39032 Sand in Taufers = Campo Tùres **BZ** 4 Mf 67
27040 San Damiano al Colle **PV** 35 Kc 78
14015 San Damiano d'Asti **AT** 33 Ia 79
12029 San Damiano Macra **CN** 32 Hb 82
33038 San Daniele del Friuli **UD** 16 Oa 72
26046 San Daniele Po **CR** 36 Lb 78
87069 San Demétrio Corone **CS** 84 Rc 111
67028 San Demétrio ne'Vestini **AQ** 62 Od 95
10050 San Didero **TO** 32 Hb 78
13876 Sandigliano **BI** 19 Ia 75
72025 San Dónaci **BR** 81 Sf 106
30027 San Donà di Piave **VE** 26 Nd 75
73010 San Donato di Lecce **LE** 82 Tb 107
87010 San Donato di Ninea **CS** 84 Ra 110
20097 San Donato Milanese **MI** 21 Kb 76
03046 San Donato Val di Comino **FR** 63 Oe 98
34018 San Dorligo della Valle **TS** 27 Of 75
36066 Sandrigo **VI** 24 Md 75
22028 San Fedele Intelvi **CO** 11 Ka 73
85020 San Fele **PZ** 78 Qd 104
39010 San Felice, Senale- = Sankt Felix, Unsere liebe Frau im Walde- **BZ** 3 Ma 69
81027 San Felice a Cancello **CE** 71 Pc 102
04017 San Felice Circeo **LT** 68 Oa 101
25010 San Felice del Benaco **BS** 23 Ld 75
86030 San Felice del Molise **CB** 64 Pe 97
41038 San Felice sul Panaro **MO** 38 Ma 79
89026 San Ferdinando **RC** 88 Qf 118
71046 San Ferdinando di Púglia **BT** 73 Ra 101
22020 San Fermo della Battáglia **CO** 21 Ka 74
87037 San Fili **CS** 86 Ra 113
98044 San Filippo del Mela **ME** 94 Qb 119
31020 San Fior **TV** 15 Nc 73
26848 San Fiorano **LO** 36 Ke 78
34070 San Floriano del Cóllio **GO** 17 Od 73
88021 San Floro **CZ** 86 Rd 115
10070 San Francesco al Campo **TO** 19 Hd 77
98075 San Fratello **ME** 93 Pd 120
12040 Sanfré **CN** 33 He 80
12030 Sanfront **CN** 32 Hb 81
10090 Sangano **TO** 32 Hc 78
09037 San Gavino Monreale **MD** 112 Ie 111
05029 San Gémini **TR** 57 Nd 93
39050 San Genèsio Atesino = Jenesien **BZ** 4 Mb 69
27010 San Genésio ed Uniti **PV** 21 Kb 77
80040 San Gennaro Vesuviano **NA** 76 Pd 103
10065 San Germano Chisone **TO** 32 Hb 79
36040 San Germano dei Bérici **VI** 24 Mc 76
13047 San Germano Vercellese **VC** 20 Ib 76
25020 San Gervásio Bresciano **BS** 22 La 77
39050 San Giácomo = Sankt Jakob in Pfitsch **BZ** 14 Mc 70
20080 San Giácomo, Zíbido- **MI** 21 Ka 76
86030 San Giacomo degli Schiavoni **CB** 65 Pf 97
46020 San Giacomo delle Segnate **MN** 37 Ma 79
23020 San Giàcomo Filippo **SO** 11 Kc 70
13030 San Giácomo Vercellese **VC** 20 Ic 76
21038 Sangiano **VA** 10 Id 73
10040 San Gillio **TO** 33 Hd 78
53037 San Gimignano **SI** 49 Ma 88
62026 San Ginèsio **MC** 53 Ob 90
87020 Sangineto **CS** 84 Qf 111
80046 San Giórgio a Cremano **NA** 76 Pc 103
87060 San Giórgio Albanese **CS** 84 Rc 111
03047 San Giórgio a Liri **FR** 69 Oe 100
10090 San Giorgio Canavese **TO** 19 He 76
33095 San Giórgio della Richinvelda **PN** 16 Nf 72
35010 San Giórgio delle Pértiche **PD** 25 Mf 75
82018 San Giórgio del Sánnio **BN** 71 Pf 102
27020 San Giórgio di Lomellina **PV** 34 Ie 77
46030 San Giórgio di Mántova **MN** 23 Le 77
33058 San Giorgio di Nogaro **UD** 16 Ob 73
61030 San Giórgio di Pésaro **PU** 52 Nf 86
40016 San Giórgio di Piano **BO** 38 Mc 81
35010 San Giorgio in Bosco **PD** 24 Me 75
74027 San Giórgio Iónico **TA** 81 Sc 106
82020 San Giórgio la Molara **BN** 71 Pf 101
75027 San Giórgio Lucano **MT** 79 Rc 108
15020 San Giórgio Monferrato **AL** 34 Ic 78
89017 San Giórgio Morgeto **RC** 89 Ra 118
29019 San Giórgio Piacentino **PC** 36 Ke 79
14059 San Giórgio Scarampi **AT** 34 Ib 81
20010 San Giorgio su Legnano **MI** 20 If 75
10050 San Giorio di Susa **TO** 32 Hb 78
33048 San Giovanni al Natisone **UD** 17 Oc 73
84070 San Giovanni a Piro **SA** 83 Qc 108
24015 San Giovanni Bianco **BG** 12 Kd 73
53020 San Giovànni d'Asso **SI** 50 Md 90
46020 San Giovanni del Dosso **MN** 37 Ma 79
89040 San Giovanni di Gerace **RC** 89 Rb 118
92020 San Giovanni Gémini **AG** 97 Od 123
37035 San Giovanni Ilarione **VR** 24 Mb 75
03028 San Giovanni Incárico **FR** 69 Od 99
26037 San Giovanni in Croce **CR** 37 Lc 78
87055 San Giovanni in Fiore **CS** 87 Re 113
86010 San Giovanni in Galdo **CB** 64 Pe 99
47842 San Giovanni in Marignano **RN** 48 Ne 85
40017 San Giovanni in Persiceto **BO** 38 Mb 81
95037 San Giovanni La Punta **CT** 99 Qa 123
66050 San Giovanni Lipioni **CH** 64 Pd 97
37057 San Giovanni Lupatoto **VR** 23 Ma 76
71013 San Giovanni Rotondo **FG** 66 Qe 98
09010 San Giovanni Suérgiu **CI** 111 Id 114
66020 San Giovanni Teatino **CH** 59 Pb 94
52027 San Giovanni Valdarno **AR** 50 Md 87
86010 San Giuliano del Sánnio **CB** 71 Pd 100
86040 San Giuliano di Púglia **CB** 65 Pf 98
20098 San Giuliano Milanese **MI** 21 Kb 76
56017 San Giuliano Terme **PI** 49 Lc 86
13026 San Giuseppe, Rima- **VC** 9 Ia 73
90048 San Giuseppe Jato **PA** 91 Ob 120
80047 San Giuseppe Vesuviano **NA** 76 Pd 103
06016 San Giustino **PG** 51 Nb 87
10090 San Giusto Canavese **TO** 19 He 77
50060 San Godenzo **FI** 46 Md 85
00010 San Gregorio da Sássola **RM** 62 Nf 97
95027 San Gregório di Catánia **CT** 94 Qa 123
89900 San Gregorio d'Ippona **VV** 89 Ra 117
84020 San Gregório Magno **SA** 78 Qc 105
81010 San Gregório Matese **CE** 70 Pc 100
32030 San Gregorio nelle Alpi **BL** 15 Na 72
37058 Sanguinetto **VR** 24 Ma 77
39047 Sankt Christina in Gröden = Santa Cristina Valgardena **BZ** 4 Me 69
39010 Sankt Felix, Unsere liebe Frau im Walde- = San Felice, Senale- **BZ** 3 Ma 69
39050 Sankt Jakob in Pfitsch = San Giácomo **BZ** 14 Mc 70
39015 Sankt Leonhard in Passeier = San Leonardo in Passiria **BZ** 3 Mb 68
39030 Sankt Lorenzen = San Lorenzo di Sebato **BZ** 4 Mf 68
39010 Sankt Martin in Passeier = San Martino in Passiria **BZ** 3 Mb 68
39030 Sankt Martin in Thurn = San Martino in Badia **BZ** 4 Mf 68
39010 Sankt Pankraz in Ulten = San Pancràzio **BZ** 3 Ma 69
39046 Sankt Ulrich = Ortisei **BZ** 4 Md 69
39030 Sankt Vigil = San Vigilio **BZ** 4 Mf 68
40068 San Lázzaro di Sávena **BO** 38 Mc 82
61018 San Leo **PU** 47 Nc 85
33040 San Leonardo **UD** 17 Od 72
39015 San Leonardo in Passiria = Sankt Leonhard in Passeier **BZ** 3 Mb 68
82010 San Léucio del Sánnio **BN** 71 Pe 102
82030 San Lorenzello **BN** 71 Pd 101
89069 San Lorenzo **RC** 95 Qe 120
18017 San Lorenzo al Mare **IM** 41 Hf 85
87070 San Lorenzo Bellizzi **CS** 84 Rc 109
87040 San Lorenzo del Vallo **CS** 84 Rb 111
39030 San Lorenzo di Sebato = Sankt Lorenzen **BZ** 4 Mf 68
38078 San Lorenzo in Banale **TN** 13 Lf 72
61047 San Lorenzo in Campo **PU** 52 Nf 87
34070 San Lorenzo Isontino **GO** 17 Od 73
82034 San Lorenzo Maggiore **BN** 71 Pd 101
01020 San Lorenzo Nuovo **VT** 56 Mf 92
89030 San Luca **RC** 89 Ra 120
87038 San Lúcido **CS** 86 Ra 113
82034 San Lupo **BN** 71 Pd 101
09025 Sanluri **MD** 112 If 111
88040 San Mango d'Aquino **CZ** 86 Rb 114
84090 San Mango Piemonte **SA** 77 Pf 104
83050 San Mango sul Calore **AV** 71 Pf 103
81030 San Marcellino **CE** 70 Pb 103
60030 San Marcello **AN** 52 Ob 87
51028 San Marcello Pistoiese **PT** 45 Le 84
87018 San Marco Argentano **CS** 84 Ra 111
98070 San Marco d'Alúnzio **ME** 93 Pe 120
82029 San Marco dei Cavoti **BN** 71 Pf 101
81020 San Marco Evangelista **CE** 70 Pc 102
71014 San Marco in Lámis **FG** 66 Qd 98
71030 San Marco la Cátola **FG** 71 Qa 99
47890 San Marino (RSM) 47 Nc 85
14010 San Martino Alfieri **AT** 33 Ia 80
33098 San Martino al Tagliamento **PN** 16 Nf 72
37036 San Martino Buon Albergo **VR** 23 Ma 76
10010 San Martino Canavese **TO** 19 He 76
85030 San Martino d'Agri **PZ** 79 Ra 107
46010 San Martino dall'Argine **MN** 37 Ld 78
26040 San Martino del Lago **CR** 36 Lb 78
87010 San Martino di Finita **CS** 84 Ra 112
35018 San Martino di Lúpari **PD** 25 Mf 75
45030 San Martino di Venezze **RO** 39 Mf 78
39030 San Martino in Badia = Sankt Martin in Thurn **BZ** 4 Mf 68
39010 San Martino in Passiria = Sankt Martin in Passeier **BZ** 3 Mb 68
86046 San Martino in Pénsilis **CB** 65 Qa 97
42018 San Martino in Rio **RE** 37 Le 80
26817 San Martino in Strada **LO** 21 Kd 77
82010 San Martino Sannita **BN** 71 Pe 102
27028 San Martino Siccomário **PV** 35 Ka 78
66010 San Martino sulla Marrucina **CH** 63 Pb 95
83018 San Martino Valle Caudina **AV** 71 Pe 102
74020 San Marzano di San Giuseppe **TA** 81 Sc 106
14050 San Marzano Oliveto **AT** 34 Ib 80
84010 San Marzano sul Sarno **SA** 77 Pd 104
86027 San Mássimo **CB** 70 Pc 100
10077 San Maurizio Canavese **TO** 19 He 77
28017 San Maurízio d'Opáglio **NO** 20 Ic 74
47030 San Mauro a Mare **FC** 47 Nc 84
90010 San Máuro Castelverde **PA** 92 Pb 121
84070 San Máuro Cilento **SA** 77 Qa 107
37030 San Máuro di Saline **VR** 24 Ma 75
75010 San Mauro Forte **MT** 79 Rb 106
84070 San Máuro la Bruca **SA** 83 Qb 108
88831 San Máuro Marchesato **KR** 87 Rf 114
47030 San Máuro Páscoli **FC** 47 Nc 84
10099 San Máuro Torinese **TO** 33 He 78
14010 San Michele, Dusino- **AT** 33 Hf 79
38010 San Michele all'Adige **TN** 13 Ma 71
30028 San Michele al Tagliamento **VE** 26 Nf 74
95040 San Michele di Ganzaría **CT** 98 Pc 125
83020 San Michele di Serino **AV** 71 Pf 103
12080 San Michele Mondovì **CN** 41 Hf 82
72018 San Michele Salentino **BR** 81 Sd 105
56028 San Miniato **PI** 49 Lf 86
36020 San Nazário **VI** 14 Me 73
82018 San Nazzaro **BN** 71 Pf 102
27039 Sannazzaro de'Burgondi **PV** 35 If 78
28060 San Nazzaro Sésia **NO** 20 Ic 76
22010 San Nazzaro Val Cavargna **CO** 11 Ka 72
70028 Sannicandro di Bari **BA** 74 Re 102
71015 Sannicandro Gargànico **FG** 65 Qd 97
73017 Sannicola **LE** 82 Ta 108
87020 San Nicola Arcella **CS** 83 Qe 109
83050 San Nicola Baronia **AV** 72 Qb 102
89821 San Nicola da Crissa **VV** 89 Rb 117
88817 San Nicola dell'Alto **KR** 87 Rf 113
81020 San Nicola la Strada **CE** 70 Pc 102
82010 San Nicola Manfredi **BN** 71 Pe 102
09097 San Nicolò d'Arcidano **OR** 108 Id 110
32040 San Nicolò di Comèlico **BL** 5 Nd 69
09040 San Nicolò Gerrei **CA** 112 Kb 112
39010 San Pancràzio = Sankt Pankraz **BZ** 3 Ma 69
72026 San Pancrázio Salentino **BR** 81 Sf 106
25020 San Pàolo **BS** 22 La 76
85030 San Paolo Albanese **PZ** 84 Rc 108
80030 San Pàolo Bel Sito **NA** 71 Pd 103
13812 San Pàolo Cervo **BI** 19 Ia 75
24060 San Pàolo d'Argon **BG** 22 Ke 74
71010 San Pàolo di Civitate **FG** 65 Qb 98
60038 San Pàolo di Jesi **AN** 52 Ob 88
14010 San Pàolo-Solbrito **AT** 33 Hf 79
24016 San Pellegrino Terme **BG** 12 Kd 73
34070 San Pier d'Isonzo **GO** 17 Oc 73
98045 San Pier Niceto **ME** 94 Qb 120
50037 San Piero a Sieve **FI** 46 Mb 85
98068 San Piero Patti **ME** 94 Pf 120
33049 San Pietro al Natisone **UD** 17 Oc 72
84030 San Pietro al Tánagro **SA** 78 Qc 106
88025 San Pietro a Máida **CZ** 86 Rb 115
88040 San Pietro Apóstolo **CZ** 86 Rc 114
86088 San Pietro Avellana **IS** 63 Pb 98
95030 San Pietro Clarenza **CT** 99 Pf 123
32040 San Pietro di Cadore **BL** 5 Nd 69
89020 San Pietro di Caridà **RC** 89 Ra 117
31020 San Pietro di Feletto **TV** 15 Nb 73
37050 San Pietro di Morúbio **VR** 24 Mb 77
87030 San Pietro in Amantea **CS** 86 Ra 114
37029 San Pietro in Cariano **VR** 23 Lf 75
40018 San Pietro in Casale **BO** 38 Mc 80
29010 San Pietro in Cerro **PC** 36 Kf 78
81049 San Pietro Infine **CE** 70 Of 100
35010 San Pietro in Gu **PD** 24 Md 75
87047 San Pietro in Guarano **CS** 86 Rb 112
73010 San Pietro in Lama **LE** 82 Ta 107
28060 San Pietro Mosezzo **NO** 20 Id 76
36070 San Pietro Mussolino **VI** 24 Mb 75
10060 San Pietro Val Lémina **TO** 32 Hb 79
72027 San Pietro Vernótico **BR** 82 Sf 106
35020 San Pietro Viminário **PD** 24 Me 77
67020 San Pio delle Cámere **AQ** 63 Od 95
00010 San Polo dei Cavalieri **RM** 61 Nf 97
42020 San Polo d'Enza **RE** 37 Lc 81
31020 San Polo di Piave **TV** 15 Nc 74
86020 San Polo Matese **CB** 70 Pc 100
10080 San Ponso **TO** 19 He 76
41039 San Possidónio **MO** 37 Lf 79
81016 San Potito Sannítico **CE** 70 Pc 100
83050 San Potito Ultra **AV** 71 Pf 103
81054 San Prisco **CE** 70 Pb 102
89020 San Procópio **RC** 88 Qf 119
41030 San Próspero **MO** 37 Ma 80
53027 San Quirico d'Órcia **SI** 55 Md 90
33080 San Quirino **PN** 16 Ne 72
10090 San Raffaele Cimena **TO** 33 Hf 78
18038 San Remo **IM** 41 He 86
89050 San Roberto **RC** 88 Qe 119
26865 San Rocco al Porto **LO** 36 Ke 78
55038 San Romano in Garfagnana **LU** 45 Lc 84
84030 San Rufo **SA** 78 Qc 106
98070 San Salvatore di Fitália **ME** 93 Pe 120
15046 San Salvatore Monferrato **AL** 34 Id 79
82030 San Salvatore Telesino **BN** 71 Pc 101
66050 San Salvo **CH** 64 Pe 96
80040 San Sebastiano al Vesuvio **NA** 76 Pc 103
15056 San Sebastiano Curone **AL** 35 Ka 80
10020 San Sebastiano da Po **TO** 33 Hf 78
10060 San Secondo di Pinerolo **TO** 32 Hb 79
43017 San Secondo Parmense **PR** 36 Lb 79
52037 Sansepolcro **AR** 51 Na 87
85030 San Severino Lucano **PZ** 84 Ra 108
62027 San Severino Marche **MC** 52 Ob 89
71016 San Severo **FG** 65 Qc 98
22010 San Siro **CO** 11 Kb 72
83050 San Sóssio Baronia **AV** 72 Qb 102
88060 San Sóstene **CZ** 89 Rc 117
87010 San Sosti **CS** 84 Ra 111
09026 San Sperate **CA** 112 Ka 112
22010 Sant'Abbòndio **CO** 11 Kb 72
24010 Santa Brígida **BG** 11 Kd 73

128 (I) **San Benedetto Po – Santa Brígida**

87010 Santa Caterina Albanese **CS** 84 Ra 111
88060 Santa Caterina dello Iónio **CZ** 89 Rd 117
93018 Santa Caterina Villarmosa **CL** 97 Pa 123
73020 Santa Cesárea Terme **LE** 82 Tc 108
27010 Santa Cristina-Bissone **PV** 35 Kc 78
89056 Santa Cristina d'Aspromonte **RC** 88 Qf 119
27010 Santa Cristina e Bissone **PV** 35 Kc 78
90030 Santa Cristina Gela **PA** 91 Ob 120
39047 Santa Cristina Valgardena = Sankt Christina in Gröden **BZ** 4 Me 69
97017 Santa Croce Camerina **RG** 100 Pc 127
82020 Santa Croce del Sánnio **BN** 71 Pe 100
86047 Santa Croce di Magliano **CB** 65 Pf 98
56029 Santa Croce sull'Arno **PI** 49 Le 86
09010 Santadi **CI** 112 Ie 114
87020 Santa Doménica Taláo **CS** 83 Qf 110
98030 Santa Doménica Vittória **ME** 94 Pf 121
92020 Santa Elisabetta **AG** 97 Od 124
58037 Santa Fiòra **GR** 55 Md 91
90017 Santa Flávia **PA** 91 Od 120
86070 Sant'Agápito **IS** 70 Pb 99
40019 Sant'Ágata Bolognese **BO** 38 Ma 81
82019 Sant'Ágata de'Goti **BN** 71 Pc 102
89030 Sant'Ágata del Bianco **RC** 95 Ra 120
87010 Sant'Ágata di Ésaro **CS** 84 Qf 111
98076 Sant'Ágata di Militello **ME** 93 Pd 120
71028 Sant'Ágata di Púglia **FG** 72 Qc 102
61019 Sant'Ágata Fèltria **PU** 47 Nb 85
15050 Sant'Ágata Fóssili **AL** 35 If 80
95030 Sant'Ágata li Battiati **CT** 99 Qa 123
48020 Sant'Ágata sul Santerno **RA** 39 Mf 82
27046 Santa Giuletta **PV** 35 Kb 78
09096 Santa Giusta **OR** 108 Id 109
32035 Santa Giustina **BL** 15 Na 72
35010 Santa Giustina in Colle **PD** 25 Mf 75
80065 Sant'Agnello **NA** 76 Pc 105
44047 Sant'Agostino **FE** 38 Mc 80
12040 Sant'Albano Stura **CN** 33 He 81
89050 Sant'Aléssio in Aspromonte **RC** 88 Qe 119
27016 Sant'Alessio con Vialone **PV** 21 Kb 77
98030 Sant'Aléssio Sículo **ME** 94 Qc 121
95010 Sant'Alfio **CT** 94 Qa 122
56040 Santa Luce **PI** 49 Ld 88
98046 Santa Lucia del Mela **ME** 94 Qb 120
31025 Santa Lucia di Piave **TV** 15 Nb 73
83020 Santa Lucia di Serino **AV** 71 Pf 103
35040 Santa Margherita d'Adige **PD** 24 Md 77
92018 Santa Margherita di Bélice **AG** 91 Oa 122
27050 Santa Margherita di Stáffora **PV** 35 Kb 80
16038 Santa Margherita Lígure **GE** 43 Kb 83
56020 Santa Maria a Monte **PI** 49 Le 86
81028 Santa Maria a Vico **CE** 71 Pc 102
81055 Santa Maria Cápua Vetere **CE** 70 Pb 102
70390 Santa Maria Coghinas **SS** 106 If 103
87020 Santa Maria del Cedro **CS** 83 Qf 110
27047 Santa Maria della Versa **PV** 35 Kb 79
86096 Santa Maria del Molise **IS** 70 Pc 99
95038 Santa Maria di Licodia **CT** 94 Pf 123
30036 Santa Maria di Sala **VE** 25 Na 75
23889 Santa Maria Hoè **LC** 21 Kc 74
66030 Santa Maria Imbaro **CH** 64 Pc 95
80050 Santa Maria la Carità **NA** 76 Pc 104
81050 Santa Maria la Fossa **CE** 70 Pa 102
33050 Santa Maria la Longa **UD** 16 Ob 73
28857 Santa Maria Maggiore **VB** 10 Ic 72
60030 Santa Maria Nuova **AN** 53 Ob 87
22010 Santa Maria Rezzònico **CO** 11 Kb 72
84070 Santa Marina **SA** 83 Qd 108
98050 Santa Marina Salina **ME** 88 Il
00058 Santa Marinella **RM** 60 Mf 96
10057 Sant'Ambrógio di Torino **TO** 32 Hc 78
37010 Sant'Ambrogio di Valpolicella **VR** 23 Le 75
03040 Sant'Ambrógio sul Garigliano **FR** 70 Of 100
81050 San Tàmmaro **CE** 70 Pb 102
80048 Sant'Anastasia **NA** 76 Pc 103
06040 Sant'Anatólia di Narco **PG** 57 Nf 92
98040 Sant'Andrea **ME** 88 Qc 119
88060 Sant'Andrea Apóstolo dello Iónio **CZ** 89 Rd 117
03040 Sant'Andrea del Garigliano **FR** 70 Of 100
83053 Sant'Andrea di Conza **AV** 72 Qc 103
09040 Sant'Andrea Frius **CA** 112 Kb 112
61020 Sant'Ángelo in Lizzola **PU** 48 Ne 86
62020 Sant'Ángelo in Pontano **MC** 53 Oc 90
61048 Sant'Ángelo in Vado **PU** 51 Nc 87
82010 Sant'Ángelo a Cúpolo **BN** 71 Pe 102
84027 Sant'Ángelo a Fasanella **SA** 78 Qc 106
83050 Sant'Ángelo all'Esca **AV** 71 Pf 102
83010 Sant'Ángelo a Scala **AV** 71 Pe 103
81017 Sant'Ángelo d'Alife **CE** 70 Pb 100
83054 Sant'Ángelo dei Lombardi **AV** 72 Qb 103
86080 Sant'Ángelo del Pesco **IS** 64 Pb 97
98060 Sant'Ángelo di Brolo **ME** 94 Pf 120
35020 Sant'Ángelo di Piove di Sacco **PD** 25 Mf 76
85050 Sant'Ángelo le Fratte **PZ** 78 Qd 105
86020 Sant'Ángelo Limosano **CB** 64 Pd 98
26866 Sant'Ángelo Lodigiano **LO** 21 Kc 77
27030 Sant'Ángelo Lomellina **PV** 20 Id 77
92020 Sant'Ángelo Muxaro **AG** 97 Od 123
00010 Sant'Ángelo Romano **RM** 61 Ne 96
91029 Santa Ninfa **TP** 91 Nf 122
09010 Sant'Anna Arresi **CI** 111 Id 114
37020 Sant'Anna d'Alfaedo **VR** 23 Lf 75
80029 Sant'Antimo **NA** 70 Pb 103
09017 Sant'Antíoco **CI** 111 Ic 114
10050 Sant'Antonino di Susa **TO** 32 Hb 78
80057 Sant'António Abate **NA** 76 Pd 104
07030 Sant'António di Gallura **OT** 106 Kb 103
83030 Santa Paolina **AV** 71 Pf 102
03048 Sant'Apollinare **FR** 70 Oe 100
85037 Sant'Arcángelo **PZ** 79 Rb 107
47822 Santarcángelo di Romagna **RN** 47 Nc 84
82021 Sant'Arcángelo Trimonte **BN** 71 Pf 101
81030 Sant'Arpino **CE** 70 Pb 103
84037 Sant'Arsenio **SA** 78 Qc 106
88832 Santa Severina **KR** 87 Rf 114
47018 Santa Sofia **FC** 47 Mf 85
87048 Santa Sofia d'Epiro **CS** 84 Rb 111
98028 Santa Teresa di Riva **ME** 94 Qc 121
07028 Santa Teresa Gallura **OT** 104 Kb 101
95010 Santa Venerina **CT** 94 Qa 122
12069 Santa Vittória d'Alba **CN** 33 Hf 80
63028 Santa Vittória in Matenano **FM** 58 Oc 90
64016 Sant'Egídio alla Vibrata **TE** 58 Oe 92
84010 Sant'Egídio del Monte Albino **SA** 77 Pd 104
35040 Sant'Élena **PD** 24 Me 77
86095 Sant'Élena Sánnita **IS** 64 Pc 99
86048 Sant'Elía a Pianisi **CB** 64 Pf 99
03049 Sant'Elía Fiumerápido **FR** 70 Of 99
63019 Sant'Elpídio a Mare **FM** 53 Oe 89
67067 Sante Marie **AQ** 62 Ob 96
10026 Santena **TO** 33 He 79
08020 San Teodoro **OT** 107 Ke 104
98030 San Teodoro **ME** 93 Pe 121
70029 Santéramo in Colle **BA** 74 Re 104
65020 Sant'Eufémia a Maiella **PE** 63 Pa 96
89027 Sant'Eufémia d'Aspromonte **RC** 88 Qe 119
66037 Sant'Eusánio del Sangro **CH** 64 Pb 95
67020 Sant'Eusánio Forconese **AQ** 62 Od 95
13048 Santhià **VC** 20 Ib 76
04020 Santi Cosma e Damiano **LT** 70 Oe 101
89040 Sant'Ilário dello Iónio **RC** 89 Ra 119
42049 Sant'Ilário d'Enza **RE** 37 Lc 80
61040 Sant'Ippólito **PU** 52 Nf 86
16010 Sant'Olcese **GE** 35 If 82
32020 San Tomaso Agordino **BL** 15 Mf 70
84020 Santomenna **SA** 78 Qb 104
64027 Sant'Omero **TE** 58 Oe 92
24038 Sant'Omobono Imagna **BG** 21 Kd 74
89843 Sant'Onófrio **VV** 86 Ra 116
03030 Santopadre **FR** 69 Od 99
00060 Sant'Oreste **RM** 61 Nd 95
36014 Santorso **VI** 24 Mc 74
39010 Sant'Òrsola = Schweinsteg **TN** 3 Mb 68
38050 Sant'Orsola Terme **TN** 14 Mb 72
21040 Santo Stèfano **VA** 20 Ie 74
18010 Santo Stéfano al Mare **IM** 41 Hf 85
12058 Santo Stéfano Belbo **CN** 34 Ib 80
16049 Santo Stéfano d'Aveto **GE** 35 Kc 81
83050 Santo Stéfano del Sole **AV** 71 Pf 103
32045 Santo Stèfano di Cadore **BL** 5 Nd 69
98077 Santo Stéfano di Camastra **ME** 93 Pb 120
19037 Santo Stéfano di Magra **SP** 44 Kf 84
87056 Santo Stéfano di Rogliano **CS** 86 Rb 113
67020 Santo Stéfano di Sessanio **AQ** 58 Od 94
89057 Santo Stéfano in Aspromonte **RC** 88 Qe 119
26849 Santo Stéfano Lodigiano **LO** 36 Ke 78
92020 Santo Stéfano Quisquina **AG** 97 Oc 123
12040 Santo Stéfano Roero **CN** 33 Hf 80
20010 Santo Stéfano Ticino **MI** 21 If 76
30029 Santo Stino di Livenza **VE** 26 Ne 74
09075 Santu Lussúrgiu **OR** 108 Id 108
35040 Sant'Urbano **PD** 38 Md 78
65020 San Valentino in Abruzzo Citeriore **PE** 63 Of 95
84010 San Valentino Tório **SA** 77 Pd 104
05010 San Venanzo **TR** 56 Nb 91
31020 San Vendemiano **TV** 15 Nc 73
09070 San Vero Mílis **OR** 108 Id 108
39030 San Vigilio = Sankt Vigil **BZ** 4 Mf 68
57027 San Vincenzo **LI** 54 Ld 90
87030 San Vincenzo la Costa **CS** 86 Ra 112
67050 San Vincenzo Valle Roveto **AQ** 63 Od 97
80030 San Vitaliano **NA** 71 Pc 103
09040 San Vito **CA** 113 Kd 112
33078 San Vito al Tagliamento **PN** 16 Nf 73
33050 San Vito al Torre **UD** 17 Oc 73
66038 San Vito Chietino **CH** 64 Pc 95
72019 San Vito dei Normanni **BR** 81 Se 105
32046 San Vito di Cadore **BL** 5 Nb 70
33030 San Vito di Fagagna **UD** 16 Oa 72
36030 San Vito di Leguzzano **VI** 24 Mc 74
91010 San Vito lo Capo **TP** 90 Ne 119
00030 San Vito Romano **RM** 62 Nf 97
88067 San Vito sullo Iónio **CZ** 86 Rc 116
03040 San Vittore del Lázio **FR** 70 Of 100
20028 San Vittore Olona **MI** 21 If 75
84030 Sanza **SA** 78 Qd 107
38010 Sanzeno **TN** 13 Ma 70
37010 San Zeno di Montagna **VR** 23 Le 75
25010 San Zeno Navíglio **BS** 22 Lb 76
20070 San Zenone al Lambro **MI** 21 Kc 77
27010 San Zenone al Po **PV** 35 Kc 78
31020 San Zenone degli Ezzelini **TV** 24 Mf 74
35020 Saonara **PD** 25 Mf 76
98047 Saponara **ME** 88 Qc 119
32047 Sappada **BL** 5 Nd 69
84073 Sapri **SA** 83 Qd 108
87010 Saracena **CS** 84 Ra 110
00020 Saracinesco **RM** 62 Nf 96
36030 Sarcedo **VI** 24 Md 74
85050 Sarconi **PZ** 79 Qf 107
09030 Sárdara **MD** 112 Ie 111
15060 Sardigliano **AL** 34 If 80
36040 Sarego **VI** 24 Mc 76
39058 Sarentino = Sarnthein **BZ** 4 Mc 69
15050 Sarezzano **AL** 35 If 79
25068 Sarezzo **BS** 22 Lb 75
29010 Sàrmato **PC** 35 Kc 78
31026 Sàrmede **TV** 15 Nc 73
62028 Sarnano **MC** 53 Ob 90
24067 Sárnico **BG** 22 Kf 74
84087 Sarno **SA** 77 Pd 104
38011 Sarnònico **TN** 13 Ma 70
39058 Sarnthein = Sarentino **BZ** 4 Mc 69
21047 Saronno **VA** 21 Ka 75
11010 Sarre **AO** 18 Hb 74
09018 Sarroch **CA** 112 Ka 114
47027 Sàrsina **FC** 47 Na 85
53047 Sarteano **SI** 56 Mf 91
27020 Sartirana Lomellina **PV** 34 Id 78
08020 Sarule **NU** 109 Kb 107
19038 Sarzana **SP** 44 Kf 84
84038 Sassano **SA** 78 Qd 107
07100 Sássari **SS** 105 Id 104
17046 Sassello **SV** 34 Ic 82
57020 Sassetta **LI** 49 Ld 90
82026 Sassinoro **BN** 71 Pd 100
61028 Sassocorvaro **PU** 48 Nc 86
85050 Sasso di Castalda **PZ** 78 Qe 106
61013 Sassoféltrio **PU** 48 Nd 85
60041 Sassoferrato **AN** 52 Nf 88
40037 Sasso Marconi **BO** 46 Mb 82
41049 Sassuolo **MO** 37 Le 81
88060 Satriano **CZ** 89 Rc 116
85050 Satriano di Lucánia **PZ** 78 Qd 105
58050 Satùrnia **GR** 55 Md 93
33020 Sauris **UD** 5 Ne 70
10054 Sauze-di Cesana **TO** 32 Gf 79
10050 Sauze d'Oulx **TO** 32 Gf 78
74028 Sava **TA** 81 Sd 106
88825 Savelli **KR** 87 Re 113
80039 Saviano **NA** 71 Pd 103
12038 Savigliano **CN** 33 He 81
83030 Savignano Irpino **AV** 72 Qb 101
41056 Savignano sul Panaro **MO** 37 Ma 82
47039 Savignano sul Rubicone **FC** 47 Nc 84
40060 Savigno **BO** 46 Ma 82
16010 Savignone **GE** 35 If 81
25040 Saviore dell'Adamello **BS** 13 Lc 72
98038 Sávoca **ME** 94 Qb 121
33040 Savogna **UD** 17 Od 72
34070 Savogna d'Isonzo **GO** 17 Od 73
85050 Savóia di Lucánia **PZ** 78 Qd 105
17100 Savona **SV** 42 Ic 83
65027 Scafa **PE** 63 Pa 95
84018 Scafati **SA** 76 Pd 104
12070 Scagnello **CN** 41 Hf 82
84010 Scala **SA** 77 Pd 105
87060 Scala Coeli **CS** 85 Rf 112
27020 Scaldasole **PV** 35 If 78
87029 Scalea **CS** 83 Qe 110
10060 Scalenghe **TO** 33 Hd 79
98029 Scaletta Zanclea **ME** 94 Qc 120
83050 Scampitella **AV** 72 Qb 102
88831 Scandale **KR** 87 Rf 114
14026 Scandeluzza **AT** 33 Ia 78
42019 Scandiano **RE** 37 Le 81
50018 Scandicci **FI** 50 Mb 86
26040 Scandolara Ravara **CR** 36 Lb 78
26047 Scandolara Ripa d'Óglio **CR** 22 La 77
02038 Scandríglia **RI** 61 Nf 96
67038 Scanno **AQ** 63 Of 97
09078 Scano di Montiferro **OR** 108 Id 107
58054 Scansano **GR** 55 Mc 92
75020 Scanzano Jónico **MT** 80 Re 107
24020 Scanzorosciate **BG** 22 Ke 74
86070 Scápoli **IS** 63 Pa 99
58020 Scarlino **GR** 54 Lf 91
10010 Scarmagno **TO** 19 He 76
12030 Scarnafigi **CN** 33 Hd 80
50038 Scarperia **FI** 46 Mc 85
39017 Scena = Schenna **BZ** 3 Mb 68
66020 Scerni **CH** 64 Pd 96
39040 Schabs, Natz- = Sciáves, Naz- **BZ** 4 Me 68
06027 Schéggia e Pascelupo **PG** 52 Nd 88
06040 Scheggino **PG** 57 Ne 92
39017 Schenna = Scena **BZ** 3 Mb 68
21045 Schianno **VA** 20 If 74
66045 Schiavi di Abruzzo **CH** 64 Pc 98
36060 Schiavon **VI** 24 Md 74
28841 Schieranco, Antrona- **VB** 9 Ia 72
22020 Schignano **CO** 11 Ka 73
24020 Schilpário **BG** 12 La 72
36015 Schio **VI** 24 Mc 74
46020 Schivenóglia **MN** 37 Ma 78
39028 Schlanders = Silandro **BZ** 3 Le 69
39020 Schluderns = Sluderno **BZ** 3 Ld 69
39020 Schnals = Senàles **BZ** 3 Lf 68
39010 Schweinsteg = Sant'Òrsola **TN** 3 Mb 68
92019 Sciacca **AG** 96 Oa 123
90020 Sciara **PA** 92 Oe 121
39040 Sciáves, Naz- = Schabs, Natz- **BZ** 4 Me 68
97018 Scicli **RG** 100 Pe 128
89010 Scido **RC** 88 Qf 119
87057 Scigliano **CS** 86 Rb 114
89058 Scilla **RC** 88 Qe 119
90020 Scillato **PA** 92 Of 121
10090 Sciolze **TO** 33 Hf 78
80030 Scisciano **NA** 71 Pc 103
90020 Sclàfani Bagni **PA** 92 Oe 121
67030 Scontrone **AQ** 63 Pa 98
13027 Scopa **VC** 19 Ia 74
13028 Scopello **VC** 19 Ia 74
67019 Scoppito **AQ** 58 Ob 94
95048 Scordia **CT** 99 Pe 125
73020 Scorrano **LE** 82 Tb 108
30037 Scorzè **VE** 25 Na 75
67068 Scúrcola Marsicana **AQ** 62 Oc 96
38050 Scurelle **TN** 14 Md 72
14030 Scurzolengo **AT** 34 Ib 79
18012 Seborga **IM** 41 He 85
67029 Secinaro **AQ** 63 Oe 96
73050 Seclì **LE** 82 Ta 108
26826 Secugnago **LO** 21 Kd 77
33039 Sedegliano **UD** 16 Nf 72
32036 Sèdico **BL** 15 Na 72
09076 Sédilo **OR** 109 If 107
07035 Sédini **SS** 106 Ie 103
20018 Sedriano **MI** 21 If 76
24010 Sedrina **BG** 21 Kd 74
62025 Sefro **MC** 52 Nf 90
09040 Segariu **MD** 112 If 111
91013 Segesta, Calatafimi- **TP** 90 Nf 121
58038 Seggiano **GR** 55 Md 91
00037 Segni **RM** 62 Oa 98
38047 Segonzano **TN** 14 Mb 71
20090 Segrate **MI** 21 Kb 76
31040 Segusino **TV** 15 Mf 73
09047 Selárgius **CA** 112 Kb 113
02040 Selci **RI** 61 Nd 95
09040 Sélegas **CA** 112 Ka 111
06030 Sellano **PG** 57 Nf 91
25050 Sellero **BS** 12 Lb 72
88050 Sellia **CZ** 87 Rd 115
88050 Sellia Marina **CZ** 87 Re 115
39030 Selva dei Molini = Mühlwald **BZ** 4 Mf 67
32020 Selva di Cadore **BL** 15 Na 70
37030 Selva di Progno **VR** 24 Ma 75
39048 Selva di Val Gardena = Wolkenstein in Gröden **BZ** 4 Me 69
35030 Selvazzano Dentro **PD** 24 Me 76
13811 Selve Marcone **BI** 19 Ia 75
24020 Selvino **BG** 22 Ke 74
07010 Seméstene **SS** 106 Ie 106
27020 Semiana **PV** 34 Ie 78
89028 Seminara **RC** 88 Qf 118
58055 Semproniano **GR** 55 Md 92
20030 Senago **MI** 21 Ka 75
39020 Senàles = Schnals **BZ** 3 Lf 68
39010 Senale-San Felice = Unsere liebe Frau im Walde-Sankt Felix **BZ** 3 Ma 69
09070 Séneghe **OR** 108 Id 108
83050 Senérchia **AV** 77 Qb 104
25020 Seniga **BS** 22 Lb 77
60019 Senigàllia **AN** 52 Ob 86
09080 Sénis **OR** 109 If 110
85038 Senise **PZ** 79 Rb 108
22070 Senna Comasco **CO** 21 Ka 74
26856 Senna Lodigiana **LO** 35 Kd 78
09078 Sennaríolo **OR** 108 Id 107
07036 Sénnori **SS** 105 Id 104
09040 Senorbì **CA** 112 Ka 111
86017 Sepino **CB** 71 Pd 100
28843 Seppiana **VB** 10 Ib 72
33090 Sequals **PN** 16 Ne 71
55047 Seravezza **LU** 44 Lb 85
09040 Serdiana **CA** 112 Ka 112
20038 Seregno **MB** 21 Kb 75
32030 Seren del Grappa **BL** 14 Mf 73
26010 Sergnano **CR** 22 Ke 76
24068 Seriate **BG** 22 Ke 74
24017 Serina **BG** 12 Ke 73
83028 Serino **AV** 77 Pf 103
25080 Serle **BS** 22 Lc 75
46028 Sérmide **MN** 38 Mb 78
04013 Sermoneta **LT** 68 Nf 99
31020 Sernáglia della Battáglia **TV** 15 Na 73
23030 Sèrnio **SO** 12 Lb 71
14050 Serole **AT** 34 Ib 81
71010 Serracapriola **FG** 65 Qb 98
87030 Serra d'Aiello **CS** 86 Ra 114
60030 Serra de'Conti **AN** 52 Oa 87
93010 Serradifalco **CL** 97 Of 124
12050 Serralunga d'Alba **CN** 33 Ia 81
15020 Serralunga di Crea **AL** 34 Ib 78
09038 Serramanna **MD** 112 If 112
41028 Serramazzoni **MO** 45 Le 82
84070 Serramezzana **SA** 77 Qa 107
65020 Serramonacesca **PE** 63 Pa 95
87050 Serra Pedace **CS** 86 Rc 113
62020 Serrapetrona **MC** 52 Ob 89
80070 Serrara-Fontana **NA** 76 Of 104
16010 Serra Riccò **GE** 35 If 81
89822 Serra San Bruno **VV** 89 Rb 117

Santa Caterina Albanese – Serra San Bruno (I) 129

60048 Serra San Quírico **AN** 52 Oa 88
61040 Serra Sant'Abbóndio **PU** 52 Ne 88
88040 Serrastretta **CZ** 86 Rc 114
89020 Serrata **RC** 89 Ra 117
47899 Serravalle (RSM) 47 Nc 85
46030 Serravalle a Po **MN** 37 Ma 78
62038 Serravalle di Chienti **MC** 52 Nf 90
12050 Serravalle Langhe **CN** 33 Ia 81
51030 Serravalle Pistoiese **PT** 45 Le 85
15069 Serravalle Scrívia **AL** 34 If 80
13037 Serravalle Sésia **VC** 20 Ib 74
84028 Serre **SA** 77 Qb 105
09027 Serrenti **MD** 112 If 112
08030 Serri **NU** 109 Ka 110
03010 Serrone **FR** 62 Oa 97
61030 Serrungarina **PU** 48 Nf 86
88054 Sersale **CZ** 87 Re 114
63029 Servigliano **FM** 53 Oc 90
81037 Sessa Aurunca **CE** 70 Of 101
84074 Sessa Cilento **SA** 77 Qa 107
14058 Sessame **AT** 34 Ic 80
86097 Sessano del Molise **IS** 64 Pb 99
19020 Sesta Godáno **SP** 44 Ke 83
52038 Sestino **AR** 51 Nb 86
39030 Sesto = Sexten **BZ** 5 Nb 68
33079 Sesto al Reghena **PN** 16 Ne 73
21018 Sesto Calende **VA** 20 Id 74
86078 Sesto Campano **IS** 70 Pa 100
26028 Sesto Cremonese **CR** 22 Kf 77
50019 Sesto Fiorentino **FI** 46 Mb 86
40060 Sesto Imolese **BO** 38 Me 82
41029 Sèstola **MO** 45 Le 83
20099 Sesto San Giovanni **MI** 21 Kb 75
10058 Sestriere **TO** 32 Gf 79
16039 Sestri Levante **GE** 43 Kc 83
09028 Sestu **CA** 112 Ka 113
20090 Settala **MI** 21 Kc 76
03040 Settefrati **FR** 63 Of 98
90015 Settefrati **PA** 92 Of 120
14020 Séttime **AT** 33 Ia 79
20019 Séttimo Milanese **MI** 21 Ka 76
10010 Séttimo Rottaro **TO** 19 Hf 76
09040 Séttimo San Pietro **CA** 112 Kb 113
10036 Séttimo Torinese **TO** 33 He 78
10010 Settimo Vittone **TO** 19 He 75
88040 Settingiano **CZ** 86 Rc 115
09029 Sétzu **MD** 109 If 110
08037 Seui **OG** 109 Kb 109
08030 Seulo **NU** 109 Kb 109
20030 Séveso **MB** 21 Ka 75
39030 Sexten = Sesto **BZ** 5 Nb 68
15079 Sezzádio **AL** 34 Id 80
04018 Sezze **LT** 68 Oa 100
38010 Sfruz **TN** 13 Ma 70
34010 Sgonico **TS** 27 Oe 74
03010 Sgúrgola **FR** 62 Oa 98
09070 Siamaggiore **OR** 108 Id 109
09080 Siamanna **OR** 109 Ie 109
84088 Siano **SA** 77 Pe 104
09080 Siapiccia **OR** 109 Ie 109
87070 Sìbari **CS** 84 Rc 110
84029 Sicignano degli Alburni **SA** 78 Qb 105
92010 Siculiana **AG** 96 Oc 124
09020 Siddi **MD** 109 If 110
89048 Siderno **RC** 89 Rb 119
53100 Siena **SI** 50 Mc 89
06028 Sigillo **PG** 52 Ne 89
50058 Signa **FI** 46 Ma 86
39028 Silandro = Schlanders **BZ** 3 Le 69
08017 Silánus **NU** 109 If 107
31057 Silea **TV** 25 Nb 75
07040 Sìligo **SS** 106 Ie 105
09010 Silíqua **CA** 112 Ie 113
09040 Silíus **CA** 112 Kb 111
55030 Sillano **LU** 44 Lb 83
28064 Sillavengo **NO** 20 Ic 75
15060 Silvano d'Orba **AL** 34 Ie 80
27050 Silvano Pietra **PV** 35 If 78
64028 Silvi **TE** 59 Pa 93
64029 Silvi Marina **TE** 59 Pa 93
09090 Simala **OR** 109 Ie 110
09088 Simáxis **OR** 108 Ie 109
89822 Simbarío **VV** 89 Rb 117
88050 Símeri-Crichi **CZ** 87 Rd 115
98069 Sinagra **ME** 93 Pf 120
53048 Sinalunga **SI** 50 Me 89
08018 Sindía **NU** 108 Id 107
09090 Sini **OR** 109 If 110
12050 Sinio **CN** 33 Ia 81
08029 Siniscóla **NU** 107 Ke 105
09048 Sinnai **CA** 112 Kb 113
89020 Sinópoli **RC** 88 Qf 119
96100 Siracusa **SR** 99 Qb 126
83020 Sirignano **AV** 71 Pd 103
09090 Síris **OR** 109 Ie 110
25019 Sirmione **BS** 23 Ld 76
60020 Sirolo **AN** 53 Od 87
23844 Sirone **LC** 21 Kb 74
38054 Siror **TN** 14 Me 71
23896 Sírtori **LC** 21 Kc 74
43018 Sissa **PR** 36 Lb 79
34019 Sistiana **TS** 17 Od 74
09040 Siúrgus-Donigala **CA** 112 Kb 111
27010 Siziano **PV** 21 Kb 77
28070 Sizzano **NO** 20 Ic 75
39020 Sluderno = Schluderns **BZ** 3 Ld 68
38010 Smarano **TN** 13 Ma 70
63020 Smerillo **FM** 58 Oc 90
37038 Soave **VR** 24 Mb 76
33020 Socchieve **UD** 16 Nf 70
09080 Soddì **OR** 109 If 108
47030 Sogliano al Rubicone **FC** 47 Nb 84
73010 Sogliano Cavour **LE** 82 Tb 108
14020 Sóglio **AT** 33 Ia 78
25080 Soiano del Lago **BS** 23 Lc 75
36020 Solagna **VI** 14 Me 74
96010 Solarino **SR** 99 Qa 126
20020 Solaro **MI** 21 Ka 75
48027 Solarolo **RA** 47 Mf 82
26030 Solarolo Rainério **CR** 36 Lc 78
09077 Solarussa **OR** 108 Ie 109
22070 Solbiate **CO** 21 If 74
21048 Solbiate Arno **VA** 20 Ie 74
21058 Solbiate Olona **VA** 20 If 75
14010 Solbrito, San Páolo- **AT** 33 Hf 79
39029 Solda **BZ** 3 Ld 69
18036 Soldano **IM** 41 Hd 85
09040 Soléminis **CA** 112 Kb 112
15029 Solero **AL** 34 Id 79
35047 Solesino **PD** 24 Me 77
73010 Soleto **LE** 82 Tb 107
46040 Solferino **MN** 23 Ld 76
41019 Soliera **MO** 37 Lf 80
43040 Solignano **PR** 36 Kf 81
83029 Solofra **AV** 77 Pf 104
15020 Solonghello **AL** 34 Ib 78
82036 Solopaca **BN** 71 Pd 101
24060 Solto Collina **BG** 22 La 74
24030 Solza **BG** 21 Kc 74
26867 Somáglia **LO** 35 Kd 78
12060 Somano **CN** 33 Ia 81
37066 Sommacampagna **VR** 23 Lf 76
21019 Somma Lombardo **VA** 20 Ie 74
12048 Sommariva del Bosco **CN** 33 He 80
12040 Sommariva Perno **CN** 33 Hf 80
93019 Sommatino **CL** 97 Of 124
80049 Somma Vesuviana **NA** 76 Pc 103
27048 Sommo **PV** 35 Ka 78
37060 Sona **VR** 23 Le 76
26029 Soncino **CR** 22 Kf 76
23035 Sòndalo **SO** 12 Lb 70
23100 Sondrio **SO** 12 Kf 71
24020 Songavazzo **BG** 12 Kf 73
25048 Sònico **BS** 12 Lc 71
04010 Sonnino **LT** 69 Ob 100
13834 Soprana **BI** 20 Ib 75
03039 Sora **FR** 63 Od 98
38030 Soraga **TN** 14 Md 70
43019 Soragna **PR** 36 La 79
58010 Sorano **GR** 55 Me 92
43058 Sórbolo **PR** 37 Lc 79
88050 Sorbo San Basile **CZ** 86 Rd 114
83050 Sorbo Sérpico **AV** 71 Pf 103
13817 Sordévolo **BI** 19 Hf 75
26858 Sordio **LO** 21 Kc 76
26015 Soresina **CR** 22 Kf 77
37060 Sorgà **VR** 23 Lf 77
08038 Sórgono **NU** 109 Ka 108
16030 Sori **GE** 43 Ka 82
89831 Sorianello **VV** 89 Rb 117
89831 Soriano Cálabro **VV** 89 Rb 117
01038 Soriano nel Cimino **VT** 56 Nb 94
22010 Sórico **CO** 11 Kc 71
28010 Soriso **NO** 20 Ic 74
24010 Sorísole **BG** 22 Ke 74
22030 Sormano **CO** 11 Kb 73
09080 Sorradile **OR** 109 If 108
80067 Sorrento **NA** 76 Pc 105
07037 Sorso **SS** 105 Id 104
96010 Sortino **SR** 99 Pf 125
26048 Sospiro **CR** 36 La 78
32037 Sospirolo **BL** 15 Na 72
36040 Sossano **VI** 24 Mc 76
13868 Sostegno **BI** 20 Ib 75
24039 Sotto il Monte Giovanni XXIII **BG** 21 Kc 74
38048 Sover **TN** 14 Mb 71
88068 Soverato **CZ** 86 Rd 116
24060 Sóvere **BG** 22 La 74
88049 Soveria Mannelli **CZ** 86 Rc 114
88050 Soveria Símeri **CZ** 87 Rd 115
32010 Soverzene **BL** 15 Nb 71
53018 Sovicille **SI** 50 Mb 89
20050 Sovico **MB** 21 Kb 75
36050 Sovizzo **VI** 24 Mc 75
32030 Sovramonte **BL** 14 Me 72
28060 Sozzago **NO** 20 Ie 76
98048 Spadafora **ME** 88 Qc 119
89822 Spádola **VV** 89 Rb 117
81056 Sparanise **CE** 70 Pa 101
10080 Sparone **TO** 19 Hd 76
73040 Spécchia **LE** 82 Tb 109
06038 Spello **PG** 57 Ne 91
38059 Spera **TN** 14 Md 72
94010 Sperlinga **EN** 93 Pb 122
04029 Sperlonga **LT** 69 Oc 101
12060 Sperone **CN** 33 Hf 80
83020 Sperone **AV** 63 Oe 97
27010 Spessa **PV** 35 Kc 78
19100 Spézia, La **SP** 44 Ke 84
87019 Spezzano Albanese **CS** 84 Rb 110
87058 Spezzano della Sila **CS** 86 Rb 113
87050 Spezzano Piccolo **CS** 86 Rc 113
38088 Spiazzo **TN** 13 Le 72
15018 Spigno Monferrato **AL** 34 Ic 81
04020 Spigno Satúrnia **LT** 69 Oe 101
41057 Spilamberto **MO** 37 Ma 81
33097 Spilimbergo **PN** 16 Nf 72
89864 Spilinga **VV** 88 Qf 117
26020 Spinadesco **CR** 36 Kf 78
70058 Spinazzola **BT** 73 Ra 103
30038 Spinea **VE** 25 Na 75
26030 Spineda **CR** 37 Ld 78
86020 Spinete **CB** 70 Pc 99
63036 Spinétoli **AP** 58 Oe 91
15050 Spineto Scrívia **AL** 34 If 79
15047 Spinetta Marengo **AL** 34 Ie 79
26016 Spino d'Adda **CR** 21 Kd 76
24060 Spinone al Lago **BG** 22 Kf 74
85050 Spinoso **PZ** 79 Qf 107
24050 Spirano **BG** 22 Ke 75
06049 Spoleto **PG** 57 Ne 92
65010 Spoltore **PE** 59 Pa 94
73038 Spongano **LE** 82 Tc 108
38010 Spormaggiore **TN** 13 Ma 71
38010 Sporminore **TN** 13 Ma 71
17028 Spotorno **SV** 42 Ic 83
31027 Spresiano **TV** 25 Nb 74
23020 Spriana **SO** 12 Kf 71
88069 Squillace **CZ** 86 Rd 116
73018 Squinzano **LE** 82 Ta 106
60039 Stáffolo **AN** 52 Ob 88
26049 Stagno Lombardo **CR** 36 La 78
89030 Staiti **RC** 95 Ra 120
88069 Staletti **CZ** 86 Rd 116
35048 Stanghella **PD** 38 Me 78
34079 Staranzano **GO** 17 Oc 74
74010 Statte **TA** 80 Sb 105
15060 Stazzano **AL** 34 If 80
55040 Stazzema **LU** 44 Lb 85
22010 Stazzona **CO** 11 Kb 72
89843 Stefanáconi **VV** 89 Ra 116
17044 Stella **SV** 42 Ic 82
84070 Stella Cilento **SA** 77 Qa 107
17020 Stellanello **SV** 41 Ia 85
39020 Stelvio = Stilfs **BZ** 3 Ld 69
38070 Stènico **TN** 13 Lf 72
73010 Sternatia **LE** 82 Tb 107
39049 Sterzing = Vipiteno **BZ** 4 Mc 67
24040 Stezzano **BG** 22 Kd 75
52017 Stia **AR** 46 Me 86
45039 Stienta **RO** 38 Md 79
53048 Stigliano **SI** 50 Mb 89
75018 Stigliano **MT** 79 Rb 106
89040 Stignano **RC** 89 Rc 118
39020 Stilfs = Stelvio **BZ** 3 Ld 69
89049 Stilo **RC** 89 Rc 118
02048 Stimigliano **RI** 61 Nd 95
07040 Stintino **SS** 105 Ib 103
84075 Stio **SA** 78 Qb 107
71047 Stornara **FG** 72 Qe 101
71048 Stornarella **FG** 72 Qe 101
38089 Storo **TN** 13 Ld 73
29010 Stra **PC** 35 Kc 79
30039 Strà **VE** 25 Mf 76
27049 Stradella **PV** 35 Kb 78
10010 Strambinello **TO** 19 He 76
10019 Strambino **TO** 19 Hf 76
03020 Strangolagalli **FR** 69 Oc 99
33040 Stregna **UD** 17 Od 72
38080 Strembo **TN** 13 Le 72
28838 Stresa **VB** 10 Id 73
15019 Strevi **AL** 34 Id 80
80040 Striano **NA** 76 Pd 104
38059 Strigno **TN** 14 Md 72
98050 Stromboli **ME** 88 I
13823 Strona **BI** 20 Ib 75
05039 Stroncone **TR** 57 Ne 94
88816 Stróngoli **KR** 87 Sa 113
13010 Stroppiana **VC** 20 Ic 77
12020 Stroppo **CN** 32 Ha 81
24030 Strozza **BG** 21 Kd 74
83055 Sturno **AV** 71 Qa 102
27030 Suardi **PV** 34 Ie 78
52010 Subbiano **AR** 51 Mf 87
00028 Subiaco **RM** 62 Oa 97
81030 Succivo **CE** 70 Pb 103
23835 Suéglio **LC** 11 Kc 72
09040 Suelli **CA** 112 Ka 111
23867 Suello **LC** 21 Kb 74
24040 Suísio **BG** 21 Kd 75
20050 Sulbiate **MB** 21 Kc 75
67039 Sulmona **AQ** 63 Of 96
25058 Sulzano **BS** 22 La 74
21040 Sumirago **VA** 20 Ie 74
83010 Summonte **AV** 71 Pe 103
08010 Suni **NU** 108 Id 107
28019 Suno **NO** 20 Id 75
73040 Supersano **LE** 82 Tb 108
03019 Supino **FR** 69 Ob 99
73030 Surano **LE** 82 Tc 108
73010 Surbo **LE** 82 Ta 106
10059 Susa **TO** 32 Ha 78
31058 Susegana **TV** 15 Nb 73
46030 Sustinente **MN** 37 Ma 78
93010 Sutera **CL** 97 Oe 123
01015 Sutri **VT** 61 Nb 95
33020 Sùtrio **UD** 6 Nf 69
57028 Suvereto **LI** 54 Le 90
46029 Suzzara **MN** 37 Le 79

T

23837 Taceno **LC** 11 Kc 72
09080 Tadasuni **OR** 109 If 108
18018 Tággia **IM** 41 Hf 85
67069 Tagliacozzo **AQ** 62 Ob 96
45019 Taglio di Po **RO** 39 Nb 78
15070 Tagliolo Monferrato **AL** 34 Ie 81
32027 Taibon Agordino **BL** 15 Na 71
21020 Taino **VA** 20 Id 74
38010 Tàio **TN** 13 Ma 71
33040 Taipana **UD** 16 Oc 71
39035 Taisten = Tèsido **BZ** 5 Na 68
61015 Talamello **PU** 47 Nb 85
23018 Talamona **SO** 11 Kd 72
58010 Talamone **GR** 55 Ma 93
08040 Talána **NU** 110 Kc 108
24010 Taléggio **BG** 11 Kd 73
52010 Talla **AR** 50 Me 87
33030 Talmassons **UD** 16 Oa 73
32010 Tambre **BL** 15 Nc 72
98039 Taormina **ME** 94 Qb 121
33040 Tapogliano **UD** 17 Oc 73
02040 Tarano **RI** 61 Nd 94
66018 Taranta Peligna **CH** 63 Pb 96
12020 Tarantasca **CN** 33 Hd 82
74100 Táranto **TA** 80 Sb 106
33017 Tarcento **UD** 16 Ob 71
01016 Tarquínia **VT** 60 Me 95
87040 Társia **CS** 84 Rb 111
23010 Tàrtano **SO** 12 Ke 72
33018 Tarvisio **UD** 7 Od 69
31020 Tarzo **TV** 15 Nb 73
15060 Tassarolo **AL** 34 Ie 80
38010 Tassullo **TN** 13 Ma 70
39020 Taufers im Münstertal = Tubre **BZ** 2 Lc 69
83020 Taurano **AV** 71 Pd 103
83030 Taurasi **AV** 71 Pf 102
89029 Taurianova **RC** 89 Qf 118
73056 Taurisano **LE** 82 Tb 109
33010 Tavagnacco **UD** 16 Ob 72
10010 Tavagnasco **TO** 19 He 75
50028 Tavarnelle Val di Pesa **FI** 50 Mb 87
26838 Tavazzano con Villavesco **LO** 21 Kc 77
86030 Tavenna **CB** 64 Pe 97
88055 Taverna **CZ** 86 Rd 114
22038 Tavernério **CO** 21 Ka 74
24060 Tavérnola Bergamasca **BG** 22 La 74
25060 Tavérnole sul Mella **BS** 22 Lb 74
73057 Taviano **LE** 82 Ta 109
13811 Tavigliano **BI** 19 Ia 75
61020 Tavoleto **PU** 48 Nd 85
61010 Tavúllia **PU** 48 Ne 85
85032 Teana **PZ** 79 Ra 108
81057 Teano **CE** 70 Pa 101
84039 Teggiano **SA** 78 Qd 106
23036 Téglio **SO** 12 La 71
30025 Téglio Véneto **VE** 16 Nf 74
82037 Telese Terme **BN** 71 Pd 101
24060 Telgate **BG** 22 Kf 75
19030 Tellaro **SP** 44 Kf 84
07020 Telti **OT** 106 Kc 103
38050 Telve **TN** 14 Mc 72
38050 Telve di Sopra **TN** 14 Mc 72
07029 Témpio Pausánia **OT** 106 Ka 103
25050 Temù **BS** 13 Lc 71
38050 Tenna **TN** 14 Mb 72
38060 Tenno **TN** 13 Le 73
35037 Teolo **PD** 24 Md 76
33050 Teor **UD** 16 Oa 73
83056 Teora **AV** 72 Qb 103
64100 Téramo **TE** 58 Oe 93
28070 Terdobbiate **NO** 20 Ie 76
03040 Terelle **FR** 69 Oe 99
39030 Terenten = Terento **BZ** 4 Me 68
39030 Terento = Terenten **BZ** 4 Me 68
43040 Terenzo **PR** 36 La 81
07030 Tergu **SS** 106 Ie 103
38070 Terlago **TN** 13 Ma 72
39018 Terlan = Terlano **BZ** 3 Mb 69
39018 Terlano = Terlan **BZ** 3 Mb 69
70038 Terlizzi **BA** 74 Rd 102
39040 Termeno sulla Strada del Vino = Tramin **BZ** 14 Mb 70
98050 Terme Vigliatore **ME** 94 Qa 120
90018 Términi Imerese **PA** 92 Oe 120
86039 Tèrmoli **CB** 65 Qa 96
21020 Ternate **VA** 20 Ie 74
13844 Ternengo **BI** 19 Ia 75
05100 Terni **TR** 57 Ne 93
24030 Terno d'Isola **BG** 21 Kd 74
04019 Terracina **LT** 69 Ob 101
47010 Terra del Sole **FC** 47 Mf 83
38060 Terragnolo **TN** 14 Ma 73
09098 Terralba **OR** 108 Id 110
87010 Terranova da Sìbari **CS** 84 Rc 111
26827 Terranova dei Passerini **LO** 22 Kd 77
85030 Terranova di Pollino **PZ** 84 Rb 109
89010 Terranova Sappo Minúlio **RC** 89 Qf 119
52028 Terranuova Bracciolini **AR** 50 Md 87
90049 Terrasini **PA** 91 Oa 119
35020 Terrassa Padovana **PD** 25 Mf 77
87060 Terravécchia **CS** 85 Rf 112
37040 Terrazzo **VR** 24 Mc 77
38010 Terres **TN** 13 Ma 71
56030 Terricciola **PI** 49 Le 87
15030 Terrúggia **AL** 34 Ic 78
08047 Tertenía **OG** 110 Kd 110
80040 Terzigno **NA** 76 Pc 104
15010 Terzo **AL** 34 Ic 80
33050 Terzo d'Aquiléia **UD** 17 Oc 74
38027 Terzolas **TN** 13 Lf 70
18010 Terzório **IM** 41 Hf 85
38038 Tèsero **TN** 14 Md 71
39035 Tèsido =Taisten **BZ** 5 Na 68
39010 Tèsimo = Tisens **BZ** 3 Ma 69
01010 Tessennano **VT** 56 Me 94
17020 Téstico **SV** 41 Ia 84
08030 Teti **NU** 109 Ka 108
09019 Teulada **CA** 112 Ie 115
81030 Teverola **CE** 70 Pb 103
36056 Tezze sul Brenta **VI** 24 Me 74
36016 Thiene **VI** 24 Mc 74
07047 Thiesi **SS** 106 Ie 105
11016 Thuile, La **AO** 18 Gf 74
08020 Tiana **NU** 109 Ka 108
38060 Tiarno di Sopra **TN** 13 Ld 73
38060 Tiarno di Sotto **TN** 13 Le 73
26020 Ticengo **CR** 22 Kf 76
15040 Ticineto **AL** 34 Id 78
39050 Tiers = Tires **BZ** 4 Md 70
73030 Tiggiano **LE** 83 Tc 109
16010 Tiglieto **GE** 34 Id 81
14016 Tigliole **AT** 33 Ia 79
25080 Tignale **BS** 23 Le 74
98060 Tindari **ME** 94 Qa 120
08010 Tinnura **NU** 108 Id 107
67020 Tione degli Abruzzi **AQ** 63 Od 95
38079 Tione di Trento **TN** 13 Le 72
23037 Tirano **SO** 12 La 71
39050 Tires = Tiers **BZ** 4 Md 70
88056 Tiriolo **CZ** 86 Rc 115
39019 Tirolo = Dorf Tirol **BZ** 3 Ma 68
39010 Tisens = Tèsimo **BZ** 3 Ma 69
07040 Tissi **SS** 105 Id 104
85050 Tito **PZ** 78 Qe 105
00019 Tivoli **RM** 61 Ne 97
43028 Tizzano Val Parma **PR** 36 Lb 81
42010 Toano **RE** 45 Ld 82
39034 Toblach = Dobbiaco **BZ** 5 Nb 68
82030 Tocco Cáudio **BN** 71 Pd 102
65028 Tocco da Casáuria **PE** 63 Of 95
28858 Toceno **VB** 10 Ic 72
06059 Todi **PG** 56 Nc 92
02039 Tóffia **RI** 61 Ne 95
17055 Toirano **SV** 42 Ib 84
62029 Tolentino **MC** 53 Ob 89
00059 Tolfa **RM** 60 Mf 96
13818 Tollegno **BI** 19 Ia 75
66010 Tollo **CH** 59 Pb 94
33028 Tolmezzo **UD** 16 Oa 70
85017 Tolve **PZ** 79 Ra 104
35019 Tómbolo **PD** 24 Me 75
38010 Ton **TN** 13 Ma 71
38054 Tonadico **TN** 14 Mf 71
08039 Tonara **NU** 109 Kb 108
14039 Tonco **AT** 34 Ib 78
10030 Tonengo **TO** 19 Hf 77
36040 Tonezza del Cimone **VI** 14 Mb 73
81044 Tora e Piccilli **CE** 70 Pa 100
87010 Torano Castello **CS** 84 Ra 111
64010 Torano Nuovo **TE** 58 Oe 92
38069 Torbole **TN** 13 Lf 73
38060 Tórbole, Nago- **TN** 13 Lf 73
25030 Torbole-Casaglia **BS** 22 La 75
38050 Torcegno **TN** 14 Mc 72
30012 Torcello **VE** 25 Nc 75
84076 Torchiara **SA** 77 Qa 107
72020 Torchiarolo **BR** 82 Ta 106
83057 Torella dei Lombardi **AV** 71 Qa 103
86028 Torella del Sánnio **CB** 64 Pd 99
06089 Torgiano **PG** 56 Nc 90
11020 Torgnon **AO** 19 Hd 74
10100 Torino **TO** 33 Hd 78
66020 Torino di Sangro **CH** 64 Pd 95
70020 Toritto **BA** 74 Re 102
26017 Torlino Vimercati **CR** 21 Kd 76
00010 Torlupara di Mentana **RM** 61 Nd 96
28070 Tórnaco **NO** 20 Ie 76
66046 Tornaréccio **CH** 64 Pc 96
26030 Tornata **CR** 37 Lc 78
67049 Tornimparte **AQ** 62 Ob 95
22020 Torno **CO** 11 Ka 73
43059 Tórnolo **PR** 35 Kd 82
86018 Toro **CB** 71 Pe 99
08020 Torpè **OT** 107 Ke 105
84030 Torraca **SA** 78 Qd 108
07048 Torralba **SS** 106 Ie 105
27050 Torrazza Coste **PV** 35 Ka 79
10037 Torrazza Piemonte **TO** 19 Hf 77
13884 Torrazzo **BI** 19 Hf 75
80058 Torre Annunziata **NA** 76 Pc 104
33040 Torreano **UD** 17 Oc 72
36036 Torrebelvicino **VI** 24 Mb 74
27030 Torre Beretti e Castellaro **PV** 34 Ie 78
24020 Torre Boldone **BG** 22 Ke 74

130 (I) **Serra San Quírico – Torre Boldone**

42030 Viano **RE** 37 Ld 81
55049 Viareggio **LU** 44 Lb 85
14030 Viarigi **AT** 34 Ic 79
84079 Vibonati **SA** 83 Qd 108
89900 Vibo Valéntia **VV** 86 Ra 116
03030 Vicalvi **FR** 63 Oe 98
90020 Vícari **PA** 92 Od 121
50039 Vícchio **FI** 46 Mc 85
36100 Vicenza **VI** 24 Mc 75
10080 Vico Canavese **TO** 19 He 75
71018 Vico del Gargano **FG** 66 Qf 97
80069 Vico Equense **NA** 76 Pc 104
12080 Vicoforte **CN** 41 Hf 82
65010 Vicoli **PE** 59 Of 94
28060 Vicólungo **NO** 20 Ic 76
21031 Viconago, Cadegliano- **VA** 10 If 73
03010 Vico nel Lázio **FR** 62 Oc 98
56010 Vicopisano **PI** 49 Ld 86
00029 Vicovaro **RM** 62 Nf 96
26866 Vidardo, Castiraga- **LO** 21 Kc 77
07030 Viddalba **SS** 106 If 103
27018 Vidigulfo **PV** 21 Kb 77
26010 Vidolasco, Casale Cremasco- **CR** 22 Ke 76
31020 Vidor **TV** 15 Na 73
10080 Vidracco **TO** 19 He 76
71019 Vieste **FG** 66 Rb 97
85058 Vietri di Potenza **PZ** 78 Qd 105
84019 Vietri sul Mare **SA** 77 Pe 104
28841 Viganella **VB** 10 Ib 72
23897 Viganò **LC** 21 Kb 74
24060 Vigano San Martino **BG** 22 Kf 74
44049 Vigarano Mainarda **FE** 38 Mc 79
37068 Vigasio **VR** 23 Lf 77
27029 Vigévano **PV** 20 Ie 77
85040 Viggianello **PZ** 84 Ra 109
85059 Viggiano **PZ** 79 Qf 106
28826 Viggiona, Trárego- **VB** 10 Ie 72
21059 Viggiú **VA** 10 If 73
35040 Vighizzolo d'Este **PD** 24 Md 77
13856 Vigliano Biellese **BI** 19 Ia 75
14040 Vigliano d'Asti **AT** 34 Ib 79
15049 Vignale Monferrato **AL** 34 Ic 78
01039 Vignanello **VT** 56 Nb 94
20060 Vignate **MI** 21 Kc 75
38057 Vignola **TN** 14 Mb 72
41058 Vignola **MO** 37 Ma 82
38057 Vignola-Falésina **TN** 14 Mb 72
15060 Vignole Borbera **AL** 34 If 80
12010 Vignolo **CN** 40 Hc 82
28819 Vignone **VB** 10 Id 73
35010 Vigodárzere **PD** 25 Mf 76
32040 Vigo di Cadore **BL** 5 Nc 69
38039 Vigo di Fassa **TN** 14 Md 70
24060 Vígolo **BG** 22 La 74
38049 Vigolo-Vattaro **TN** 14 Mb 72
29020 Vigolzone **PC** 36 Ke 79
10067 Vigone **TO** 33 Hd 79
30030 Vigonovo **VE** 25 Mf 76
35010 Vigonza **PD** 25 Mf 76
38080 Vigo Rendena **TN** 13 Le 72
15058 Viguzzolo **AL** 35 If 79
42100 Villa, la **RE** 37 Le 80
38059 Villa Agnedo **TN** 14 Md 72
37049 Villa Bartolomea **VR** 24 Mc 78
55019 Villa Basílica **LU** 45 Ld 85
39039 Villabassa = Niederdorf **BZ** 5 Na 68
90039 Villabate **PA** 91 Oc 120
27035 Villa Biscossi **PV** 34 Ie 78
25069 Villa Carcina **BS** 22 Lb 75
72029 Villa Castelli **BR** 81 Sc 105
65010 Villa Celiera **PE** 59 Of 94
25030 Villachiara **BS** 22 Kf 76
09039 Villacidro **MD** 112 Ie 112
55030 Villa Collemandina **LU** 45 Lc 84
20020 Villa Cortese **MI** 20 If 75
24030 Villa d'Adda **BG** 21 Kc 74
24018 Villa d'Almé **BG** 21 Kd 74
15020 Villadeati **AL** 33 Ib 78
13060 Villa del Bosco **BI** 20 Ib 75
35020 Villa del Bosco **PD** 25 Na 77
35010 Villa del Conte **PD** 25 Mf 75
81030 Villa di Briano **CE** 70 Pa 102
23029 Villa di Chiavenna **SO** 11 Kc 70
24020 Villa di Sério **BG** 22 Ke 74
23030 Villa di Tirano **SO** 12 La 71
24020 Villa d'Ogna **BG** 12 Kf 73
45010 Villadose **RO** 39 Mf 78
28844 Villadóssola **VB** 10 Ib 72
35040 Villa Estense **PD** 24 Md 77
12020 Villafalletto **CN** 33 Hd 81
18016 Villa Faraldi **IM** 41 Ia 85
54028 Villafranca in Lunigiana **MS** 44 Kf 83
14018 Villafranca d'Asti **AT** 33 Ia 79
37069 Villafranca di Verona **VR** 23 Le 76
35010 Villafranca Padovana **PD** 24 Me 75
10068 Villafranca Piemonte **TO** 33 Hd 80
92020 Villafranca Sícula **AG** 96 Ob 123
98049 Villafranca Tirrena **ME** 88 Qc 119
90030 Villafrati **PA** 91 Oc 121
36021 Villaga **VI** 24 Md 76
08049 Villagrande Strisáili **OG** 110 Kd 109
22079 Villa Guárdia **CO** 21 Ka 74
38060 Villa Lagarina **TN** 13 Ma 73
67030 Villalago **AQ** 63 Of 97
03040 Villa Latina **FR** 63 Of 99
93010 Villalba **CL** 92 Oe 122
66020 Villalfonsina **CH** 64 Pd 96
81039 Villa Literno **CE** 70 Pa 102
15050 Villalvérnia **AL** 34 If 80
56040 Villamagna **PI** 49 Lf 88
83050 Villamáina **AV** 71 Qa 103
09020 Villamar **MD** 109 If 111
45030 Villamarzana **RO** 38 Me 78
09010 Villamassárgia **CI** 111 Id 113
42030 Villa Minozzo **RE** 45 Lc 82
15020 Villamiróglio **AL** 33 Ib 78
39040 Villanders = Villandro **BZ** 4 Md 69
39040 Villandro = Villanders **BZ** 4 Md 69
48020 Villanova **RA** 39 Na 82
13877 Villanova Biellese **BI** 20 Ib 76
10070 Villanova Canavese **TO** 19 Hd 77
17038 Villanova d'Albenga **SV** 41 Ia 84
27030 Villanova d'Ardenghi **PV** 35 Ka 77
14019 Villanova d'Asti **AT** 33 Hf 79
83030 Villanova del Battista **AV** 72 Qa 102
45020 Villanova del Ghebbo **RO** 38 Md 78
26818 Villanova del Sillaro **LO** 21 Kc 77
35010 Villanova di Camposampiero **PD** 25 Mf 76
09020 Villanovaforru **CA** 109 If 111
09020 Villanovafranca **MD** 109 If 111
45030 Villanova Marchesana **RO** 39 Mf 79
12089 Villanova Mondovì **CN** 41 He 82
15030 Villanova Monferrato **AL** 34 Ic 77
07019 Villanova Monteleone **SS** 105 Ic 105
12030 Villanova Solaro **CN** 33 Hd 80
29010 Villanova sull'Arda **PC** 36 Kf 78
09084 Villanova Truschedu **OR** 109 Ie 109
08030 Villanova Tulo **NU** 109 Kb 110
27019 Villantério **PV** 21 Kc 77
25089 Villanuova sul Clisi **BS** 23 Lc 75
09010 Villaperúccio **CA** 111 Ie 114
87076 Villapiana **CS** 84 Rc 109
46020 Villa Poma **MN** 38 Ma 78
09040 Villaputzu **CA** 113 Kd 112
10090 Villarbasse **TO** 33 Hc 78
13030 Villarbóit **VC** 20 Ic 76
10040 Villar Dora **TO** 32 Hc 78
10030 Villaréggia **TO** 19 Hf 77
38080 Villa Rendena **TN** 13 Le 72
10050 Villar Focchiardo **TO** 32 Hb 78
80010 Villaricca **NA** 70 Pb 103
15050 Villaromagnano **AL** 34 If 79
94010 Villarosa **EN** 98 Pa 123
10060 Villar Pellice **TO** 32 Ha 80
10069 Villar Perosa **TO** 32 Hb 79
12020 Villar San Costanzo **CN** 32 Hc 82
09040 Villasalto **CA** 113 Kc 112
89018 Villa San Giovanni **RC** 88 Qd 119
01010 Villa San Giovanni in Túscia **VT** 60 Na 95
09010 Villa San Pietro **CA** 112 If 114
14020 Villa San Secondo **AT** 33 Ia 78
20058 Villasanta **MB** 21 Kb 75
03030 Villa Santa Lucia **FR** 69 Oe 99
67020 Villa Santa Lucia degli Abruzzi **AQ** 58 Oe 94
66047 Villa Santa Maria **CH** 64 Pc 97
67020 Villa Sant'Angelo **AQ** 62 Od 95
09080 Villa Sant'António **OR** 109 If 109
33029 Villa Santina **UD** 16 Nf 70
03020 Villa Santo Stéfano **FR** 69 Ob 99
09049 Villasimíus **CA** 113 Kd 114
09034 Villasor **CA** 112 If 112
09010 Villaspeciosa **CA** 112 If 113
10029 Villastellone **TO** 33 He 79
13010 Villata **VC** 20 Ic 76
09080 Villaurbana **OR** 109 Ie 109
67050 Villavallelonga **AQ** 63 Od 97
09090 Villa Verde **OR** 109 Ie 110
36030 Villaverla **VI** 24 Mc 75
26838 Villavesco **LO** 21 Kc 76
33059 Villa Vicentina **UD** 17 Oc 74
11020 Villefranche **AO** 18 Hc 74
11018 Villeneuve **AO** 18 Hb 74
34070 Villesse **GO** 17 Oc 73
67030 Villetta Barrea **AQ** 63 Of 98
28856 Villette **VB** 10 Id 72
46039 Villimpenta **MN** 37 Ma 78
39040 Villnöß = Funès **BZ** 4 Md 69
24060 Villongo **BG** 22 Kf 74
31020 Villorba **TV** 25 Nb 74
24020 Vilminore di Scalve **BG** 12 La 72
20059 Vimercate **MB** 21 Kc 75
20090 Vimodrone **MI** 21 Kb 75
12010 Vinádio **CN** 40 Hb 83
86019 Vinchiaturo **CB** 71 Pd 99
14040 Vínchio **AT** 34 Ib 80
50059 Vinci **FI** 49 Lf 86
10048 Vinovo **TO** 33 Hd 79
39030 Vintl = Vandòies **BZ** 4 Me 68
28060 Vinzáglio **NO** 20 Id 77
12070 Viola **CN** 41 Hf 83
25050 Vione **BS** 13 Lc 71
39049 Vipiteno = Sterzing **BZ** 4 Mc 67
46030 Virgílio **MN** 37 Le 78
10060 Virle Piemonte **TO** 33 Hd 79
25010 Visano **BS** 22 Lc 77
10030 Vische **TO** 19 Hf 76
80030 Visciano **NA** 71 Pd 103
81042 Visciano **CE** 70 Pa 101
33040 Visco **UD** 17 Oc 73
33048 Viscone, Chiòpris- **UD** 17 Oc 73
15010 Visone **AL** 34 Id 81
62039 Visso **MC** 57 Oa 91
27010 Vistarino **PV** 21 Kb 77
10080 Vistrório **TO** 19 He 76
91010 Vita **TP** 90 Ne 121
01100 Viterbo **VT** 56 Na 94
03040 Viticuso **FR** 70 Of 99
33090 Vito d'Àsio **PN** 16 Nf 71
01030 Vitorchiano **VT** 56 Nb 94
97019 Vittória **RG** 100 Pc 127
31029 Vittorio Vèneto **TV** 15 Nb 73
67030 Vittorito **AQ** 63 Oe 96
20010 Vittuone **MI** 21 If 76
82038 Vitulano **BN** 71 Pd 101
81041 Vitulázio **CE** 70 Pb 102
10070 Viù **TO** 18 Hc 77
33099 Vivaro **PN** 16 Ne 72
00020 Vivaro Romano **RM** 62 Oa 96
13886 Viverone **BI** 19 Ia 76
95049 Vizzini **CT** 100 Pe 125
21010 Vizzola Ticino **VA** 20 Ie 75
20070 Vizzolo Predabissi **MI** 21 Kc 76
35030 Vò **PD** 24 Md 77
36040 Vò **VI** 24 Mc 76
25079 Vobarno **BS** 23 Lc 75
16010 Vóbbia **GE** 35 Ka 81
13020 Vocca **VC** 10 Ib 73
32040 Vodo Cadore **BL** 15 Nb 70
39050 Völs am Schlern = Fiè allo Sciliar **BZ** 4 Mc 69
39010 Vöran = Verano **BZ** 3 Mb 69
27058 Voghera **PV** 35 Ka 79
44019 Voghiera **FE** 38 Me 80
28805 Vogogna **VB** 10 Ib 72
38060 Volano **TN** 13 Ma 73
25077 Volciano, Roè- **BS** 23 Lc 75
80040 Volla **NA** 76 Pc 103
26030 Volongo **CR** 22 Lb 77
31040 Volpago del Montello **TV** 25 Na 74
27047 Volpara **PV** 35 Kb 79
15059 Volpedo **AL** 35 If 79
15050 Volpeglino **AL** 35 If 79
10088 Volpiano **TO** 19 He 77
15060 Voltággio **AL** 34 If 81
32020 Voltago Agordino **BL** 15 Mf 71
46049 Volta Mantovana **MN** 23 Ld 77
56048 Volterra **PI** 49 Lf 88
26034 Voltido **CR** 36 Lb 78
71030 Volturara Áppula **FG** 71 Qa 100
83050 Volturara Irpina **AV** 71 Pf 103
71030 Volturino **FG** 71 Qa 100
10040 Volvera **TO** 33 Hd 79
12020 Vottignasco **CN** 33 Hd 81
98050 Vulcano **ME** 88 II

W

39040 Waidbruck = Ponte Gardena **BZ** 4 Md 69
39035 Welsberg = Monguelfo **BZ** 5 Na 68
39056 Welschnofen = Nova Levante **BZ** 14 Md 70
39030 Wengen = La Valle **BZ** 4 Mf 69
39048 Wolkenstein in Gröden = Selva di Val Gardena **BZ** 4 Me 69

Z

89867 Zaccanópoli **VV** 88 Qf 116
95019 Zafferana Étnea **CT** 94 Qa 122
88050 Zagarise **CZ** 87 Rd 115
00039 Zagarolo **RM** 62 Nf 97
38010 Zambana **TN** 13 Ma 72
89868 Zambrone **VV** 86 Qf 116
24060 Zandobbio **BG** 22 Kf 74
36010 Zanè **VI** 24 Mc 74
24050 Zánica **BG** 22 Ke 75
71030 Zapponeta **FG** 73 Qf 100
27059 Zavattarello **PV** 35 Kb 79
27010 Zeccone **PV** 21 Kb 77
09070 Zeddiani **OR** 108 Id 109
22020 Zélbio **CO** 11 Kb 73
26839 Zelo Buon Pérsico **LO** 21 Kc 76
20080 Zelo Surrigone **MI** 21 If 76
27030 Zeme **PV** 20 Id 77
27049 Zenevredo **PV** 35 Kb 78
31050 Zenson di Piave **TV** 25 Nc 74
29020 Zerba **PC** 35 Kb 80
27017 Zerbo **PV** 35 Kc 78
27020 Zerbolò **PV** 21 Ka 77
09070 Zerfalíu **OR** 108 Ie 109
54029 Zeri **MS** 44 Ke 82
36050 Zermeghedo **VI** 24 Mc 76
31059 Zero Branco **TV** 25 Na 75
37059 Zevio **VR** 24 Ma 76
38030 Ziano di Fiemme **TN** 14 Md 71
29010 Ziano Piacentino **PC** 35 Kc 78
43010 Zibello **PR** 36 La 78
20080 Zíbido-San Giácomo **MI** 21 Ka 76
19020 Zignago **SP** 44 Ke 83
37040 Zimella **VR** 24 Mc 77
13887 Zimone **BI** 19 Ia 76
27030 Zinasco **PV** 35 Ka 78
16030 Zoagli **GE** 43 Kb 82
41059 Zocca **MO** 45 Lf 82
24019 Zogno **BG** 22 Kd 74
40069 Zola Predosa **BO** 38 Mb 82
32010 Zoldo Alto **BL** 15 Na 70
73010 Zollino **LE** 82 Tb 107
25050 Zone **BS** 22 La 74
32010 Zoppè di Cadore **BL** 15 Na 70
33080 Zòppola **PN** 16 Ne 73
36020 Zovencedo **VI** 24 Mc 76
37030 Zovo **VR** 24 Mb 74
13888 Zubiena **BI** 19 Ia 76
17039 Zuccarello **SV** 41 Ia 84
38079 Zuclo **TN** 13 Le 72
36030 Zugliano **VI** 24 Md 74
33020 Zùglio **UD** 6 Oa 70
13848 Zumaglia **BI** 19 Ia 75
87040 Zumpano **CS** 86 Rb 113
83030 Zúngoli **AV** 72 Qb 102
89867 Zungri **VV** 88 Qf 117
41059 Zocca **MO** 45 Lf 82
24019 Zogno **BG** 22 Kd 74
40069 Zola Predosa **BO** 38 Mb 82
32010 Zoldo Alto **BL** 15 Na 70
73010 Zollino **LE** 82 Tb 107
25050 Zone **BS** 22 La 74
32010 Zoppè di Cadore **BL** 15 Na 70
33080 Zòppola **PN** 16 Ne 73
36020 Zovencedo **VI** 24 Mc 76
37030 Zovo **VR** 24 Mb 74
13888 Zubiena **BI** 19 Ia 76
17039 Zuccarello **SV** 41 Ia 84
38079 Zuclo **TN** 13 Le 72
36030 Zugliano **VI** 24 Md 74
33020 Zùglio **UD** 6 Oa 70
13848 Zumaglia **BI** 19 Ia 75
87040 Zumpano **CS** 86 Rb 113
83030 Zúngoli **AV** 72 Qb 102
89867 Zungri **VV** 88 Qf 117

© MAIRDUMONT / Falk Verlag, 73751 Ostfildern
Printed in Germany · 14e / (I) (9)

Das Werk einschließlich aller Teile ist urheberrechtlich geschützt. Jede urheberrechtswidrige Verwertung ist ohne Zustimmung des Verlages unzulässig und strafbar. Dies gilt insbesonders für Vervielfältigungen, Übersetzungen, Nachahmungen, Mikroverfilmung und die Einspeicherung und Verarbeitung in elektronischen Systemen.

Jede Auflage wird stets nach neuesten Unterlagen überarbeitet. Irrtümer können trotzdem nie ganz ausgeschlossen werden. Ihre Informationen nehmen wir jederzeit gern entgegen. Sie erreichen uns über unsere Postanschrift: Falk Verlag, 73751 Ostfildern oder unter der E-Mail-Adresse: **korrekturhinweise@falk.de**

This work including all parts underlies the Copyright Act. No part of this work may be reproduced or transmitted in any form or by any means, electronic or mechanical, including recording, or by any information storage and retrieval system now or hereafter invented, without permission in writing of the publisher.

Every edition is always revised to take into account the latest data. Nevertheless, despite every effort, errors can still occur. Should you become aware of such an error, we would be very pleased to receive the respective information from you. You can contact us at any time at our postal address: Falk Verlag, 73751 Ostfildern or by e-mail: **korrekturhinweise@falk.de**

Tutti i diritti sono riservati. Nessuna parte di quest' opera può essere riprodotta, memorizzata o trasmessa in alcuna forma e con alcun mezzo, elettronico, meccanico, in fotocopia, in disco o in altro modo, senza autorizzazione scritta degli Editori.

Ogni edizione viene sempre elaborata secondi i documenti più recenti. Nonostante ciò non si possono mai escludere completamente degli errori. Volentieri riceviamo le vostre informazioni. Il nostro indirizzo postale: Falk Verlag, 73751 Ostfildern è e-Mail: **korrekturhinweise@falk.de**

132 (I) Viano – Zungri

Piante dei centri urbani · Citypläne · City maps
Planos del centro de las ciudades · Planos de cidades
Plans des centre-villes · Stadcentrumkaarten · Plany centrów miast
Plány středů měst · Citytérképek · Byplaner · Stadskartor
1:20.000

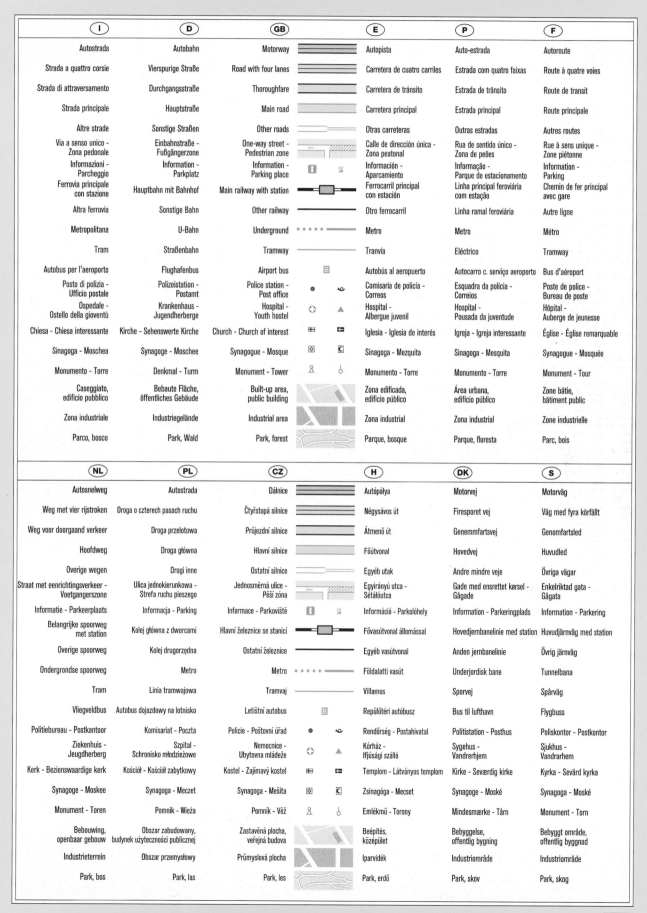

(I)	(D)	(GB)	(E)	(P)	(F)
Autostrada	Autobahn	Motorway	Autopista	Auto-estrada	Autoroute
Strada a quattro corsie	Vierspurige Straße	Road with four lanes	Carretera de cuatro carriles	Estrada com quatro faixas	Route à quatre voies
Strada di attraversamento	Durchgangsstraße	Thoroughfare	Carretera de tránsito	Estrada de trânsito	Route de transit
Strada principale	Hauptstraße	Main road	Carretera principal	Estrada principal	Route principale
Altre strade	Sonstige Straßen	Other roads	Otras carreteras	Outras estradas	Autres routes
Via a senso unico - Zona pedonale	Einbahnstraße - Fußgängerzone	One-way street - Pedestrian zone	Calle de dirección única - Zona peatonal	Rua de sentido único - Zona de peões	Rue à sens unique - Zone piétonne
Informazioni - Parcheggio	Information - Parkplatz	Information - Parking place	Información - Aparcamiento	Informação - Parque de estacionamento	Information - Parking
Ferrovia principale con stazione	Hauptbahn mit Bahnhof	Main railway with station	Ferrocarril principal con estación	Linha principal ferroviária com estação	Chemin de fer principal avec gare
Altra ferrovia	Sonstige Bahn	Other railway	Otro ferrocarril	Linha ramal ferroviária	Autre ligne
Metropolitana	U-Bahn	Underground	Metro	Metro	Métro
Tram	Straßenbahn	Tramway	Tranvía	Eléctrico	Tramway
Autobus per l'aeroporto	Flughafenbus	Airport bus	Autobús al aeropuerto	Autocarro c. serviço aeroporto	Bus d'aéroport
Posto di polizia - Ufficio postale	Polizeistation - Postamt	Police station - Post office	Comisaría de policía - Correos	Esquadra da polícia - Correios	Poste de police - Bureau de poste
Ospedale - Ostello della gioventù	Krankenhaus - Jugendherberge	Hospital - Youth hostel	Hospital - Albergue juvenil	Hospital - Pousada da juventude	Hôpital - Auberge de jeunesse
Chiesa - Chiesa interessante	Kirche - Sehenswerte Kirche	Church - Church of interest	Iglesia - Iglesia de interés	Igreja - Igreja interessante	Église - Église remarquable
Sinagoga - Moschea	Synagoge - Moschee	Synagogue - Mosque	Sinagoga - Mezquita	Sinagoga - Mesquita	Synagogue - Mosquée
Monumento - Torre	Denkmal - Turm	Monument - Tower	Monumento - Torre	Monumento - Torre	Monument - Tour
Caseggiato, edificio pubblico	Bebaute Fläche, öffentliches Gebäude	Built-up area, public building	Zona edificada, edificio público	Área urbana, edifício público	Zone bâtie, bâtiment public
Zona industriale	Industriegelände	Industrial area	Zona industrial	Zona industrial	Zone industrielle
Parco, bosco	Park, Wald	Park, forest	Parque, bosque	Parque, floresta	Parc, bois

(NL)	(PL)	(CZ)	(H)	(DK)	(S)
Autosnelweg	Autostrada	Dálnice	Autópálya	Motorvej	Motorväg
Weg met vier rijstroken	Droga o czterech pasach ruchu	Čtyřstopá silnice	Négysávos út	Firesporet vej	Väg med fyra körfällt
Weg voor doorgaand verkeer	Droga przelotowa	Průjezdní silnice	Átmenő út	Genemmfartsvej	Genomfartsled
Hoofdweg	Droga główna	Hlavní silnice	Főútvonal	Hovedvej	Huvudled
Overige wegen	Drogi inne	Ostatní silnice	Egyéb utak	Andre mindre veje	Övriga vägar
Straat met eenrichtingsverkeer - Voetgangerszone	Ulica jednokierunkowa - Strefa ruchu pieszego	Jednosměrná ulice - Pěší zóna	Egyirányú utca - Sétálóutca	Gade med ensrettet kørsel - Gågade	Enkelriktad gata - Gågata
Informatie - Parkeerplaats	Informacja - Parking	Informace - Parkoviště	Információ - Parkolóhely	Information - Parkeringplads	Information - Parkering
Belangrijke spoorweg met station	Kolej główna z dworcami	Hlavní železnice se stanicí	Fővasútvonal állomással	Hovedjernbanelinie med station	Huvudjärnväg med station
Overige spoorweg	Kolej drugorzędna	Ostatní železnice	Egyéb vasútvonal	Anden jernbanelinie	Övrig järnväg
Ondergrondse spoorweg	Metro	Metro	Földalatti vasút	Underjordisk bane	Tunnelbana
Tram	Linia tramwajowa	Tramvaj	Villamos	Sporvej	Spårväg
Vliegveldbus	Autobus dojazdowy na lotnisko	Letištní autobus	Repülőtéri autóbusz	Bus til lufthavn	Flygbuss
Politiebureau - Postkantoor	Komisariat - Poczta	Policie - Poštovní úřad	Rendőrség - Postahivatal	Politistation - Posthus	Poliskontor - Postkontor
Ziekenhuis - Jeugdherberg	Szpital - Schronisko młodzieżowe	Nemocnice - Ubytovna mládeže	Kórház - Ifjúsági szálló	Sygehus - Vandrerhjem	Sjukhus - Vandrarhem
Kerk - Bezienswaardige kerk	Kościół - Kościół zabytkowy	Kostel - Zajímavý kostel	Templom - Látványos templom	Kirke - Seværdig kirke	Kyrka - Sevärd kyrka
Synagoge - Moskee	Synagoga - Meczet	Synagoga - Mešita	Zsinagóga - Mecset	Synagoge - Moské	Synagoga - Moské
Monument - Toren	Pomnik - Wieża	Pomník - Věž	Emlékmű - Torony	Mindesmærke - Tårn	Monument - Torn
Bebouwing, openbaar gebouw	Obszar zabudowany, budynek użyteczności publicznej	Zastavěná plocha, veřejná budova	Beépítés, középület	Bebyggelse, offentlig bygning	Bebyggt område, offentlig byggnad
Industrieterrein	Obszar przemysłowy	Průmyslová plocha	Iparvidék	Industriområde	Industriområde
Park, bos	Park, las	Park, les	Park, erdő	Park, skov	Park, skog

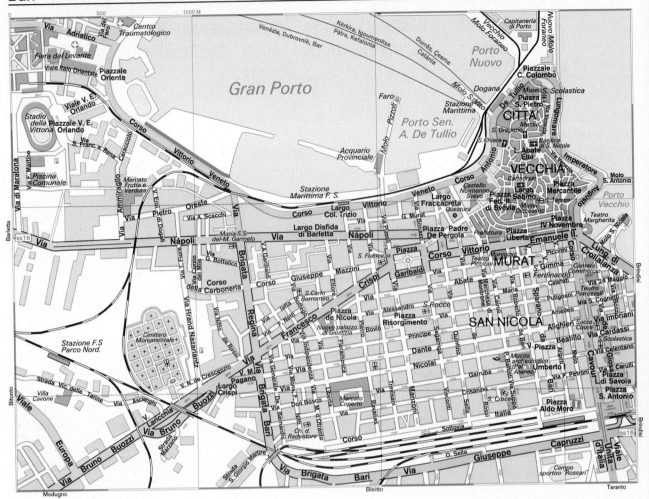

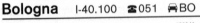

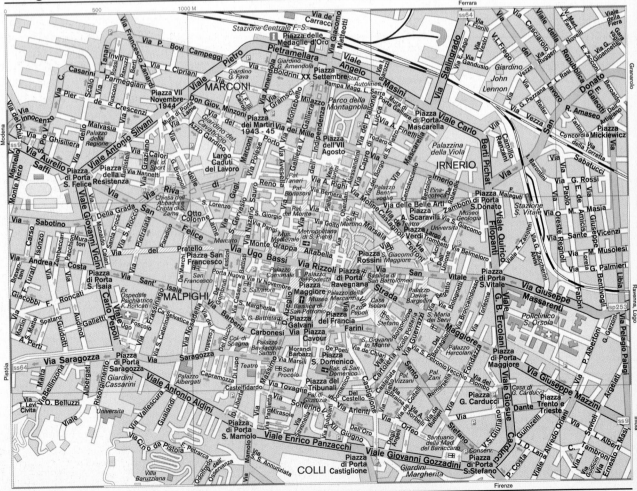

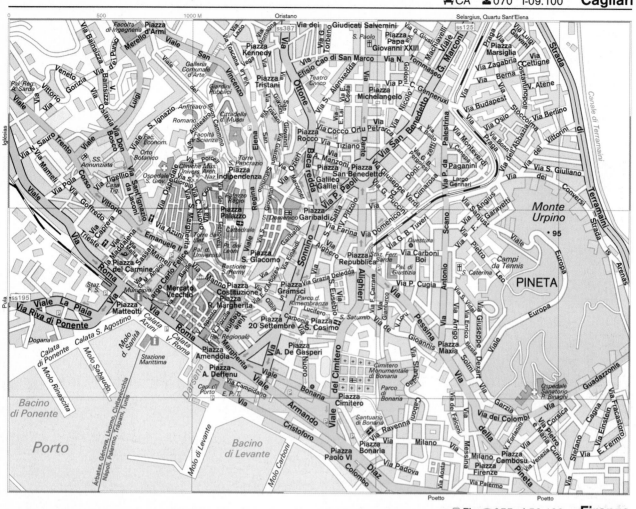

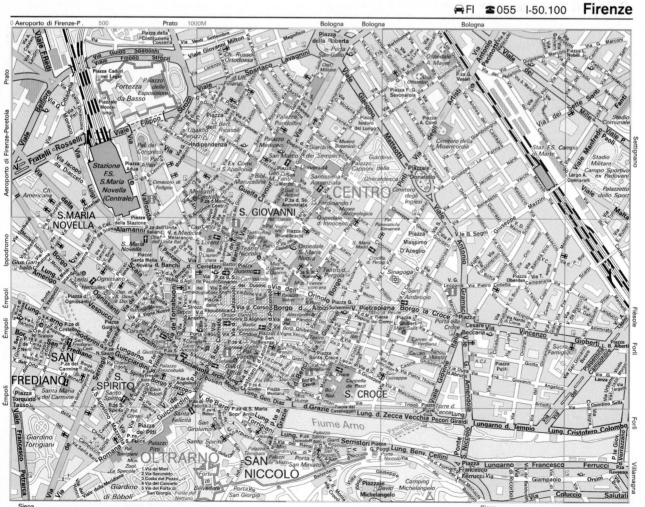

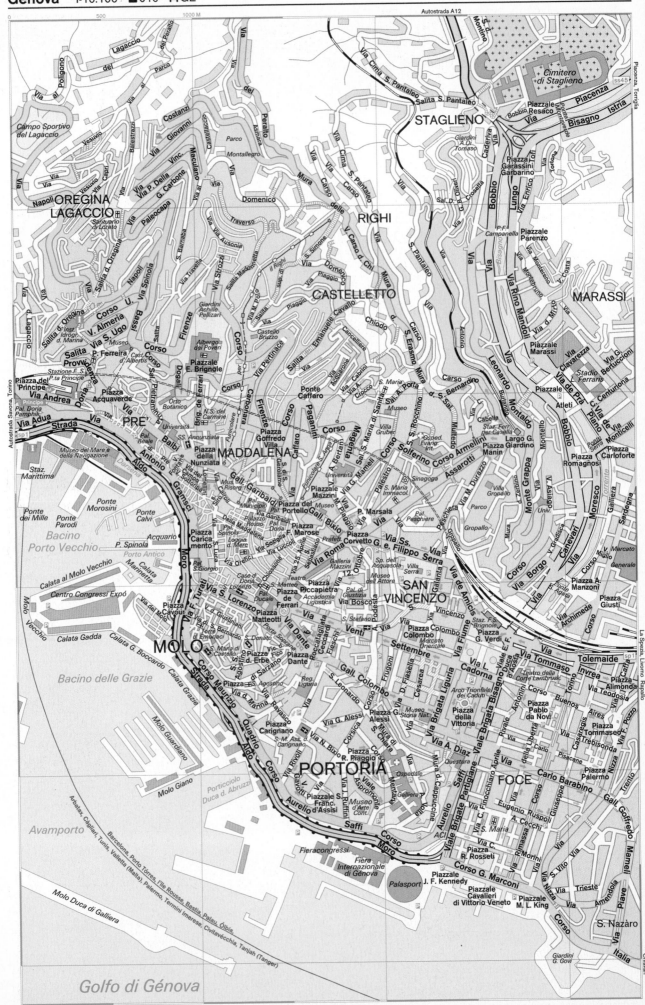

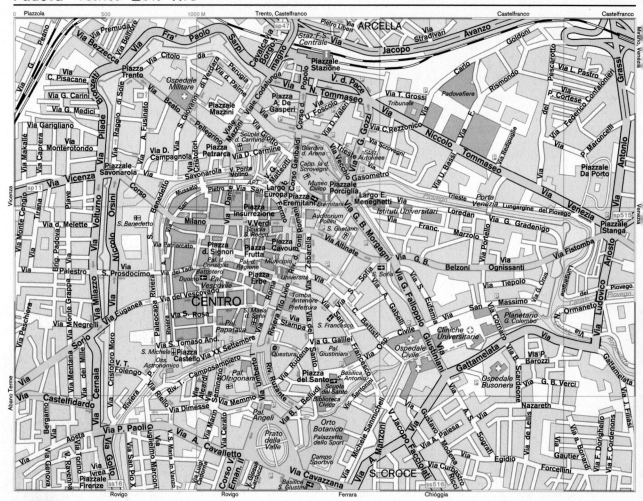

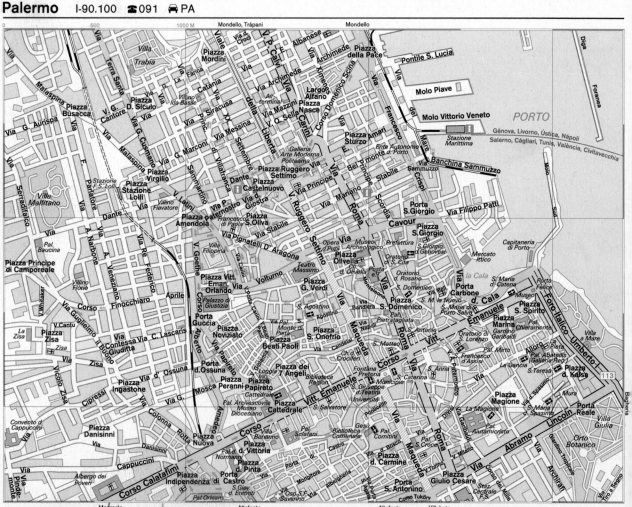

Green Car
Via
Quarto
dei
Mille
11 B.

Tratta
Nv Cuba

Cuba

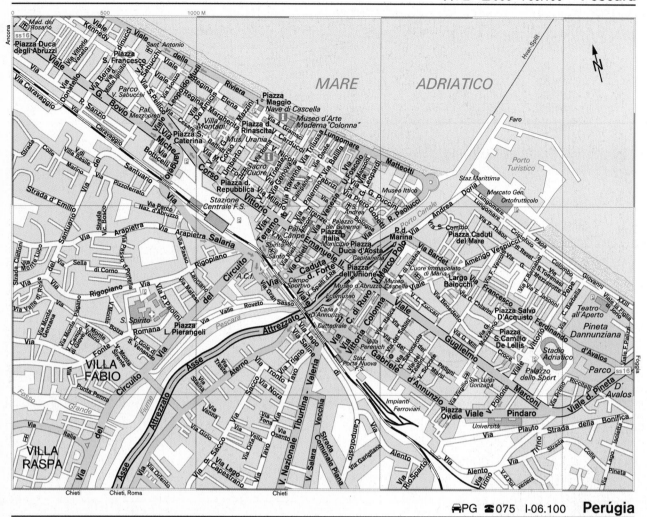

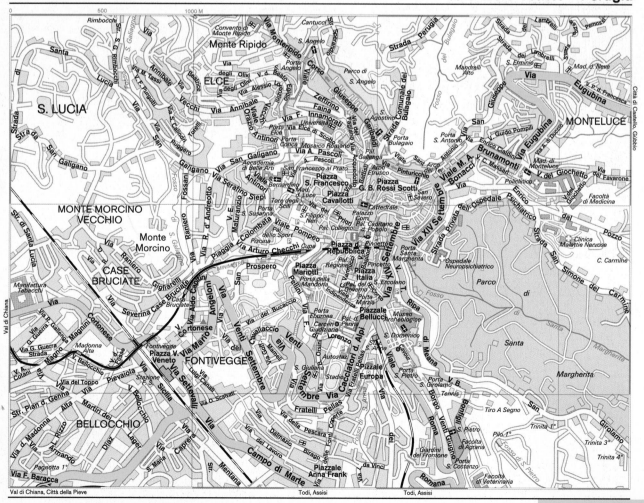

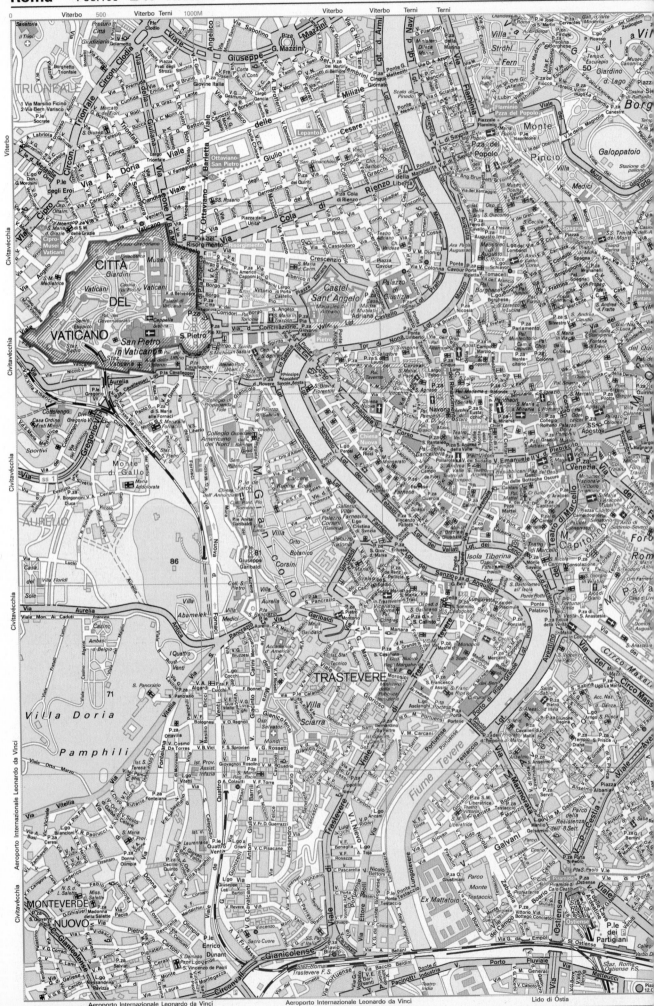

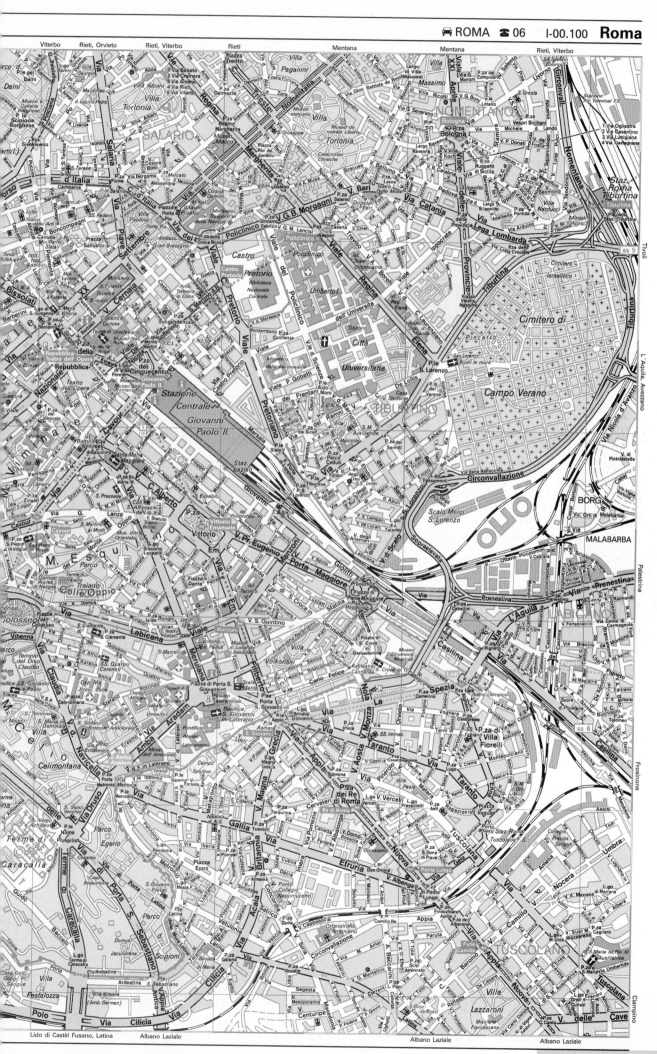

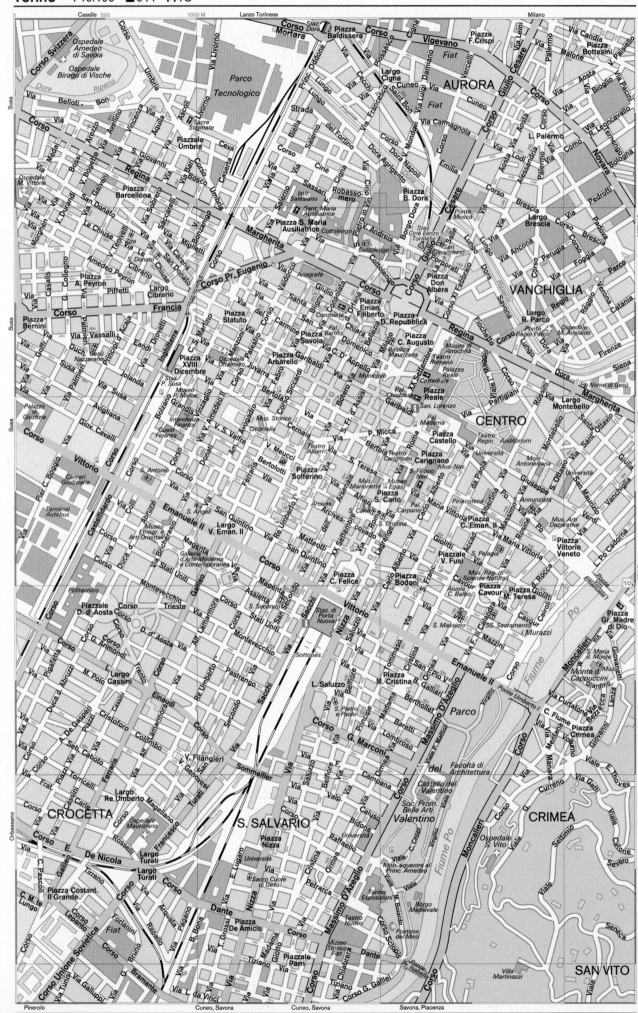

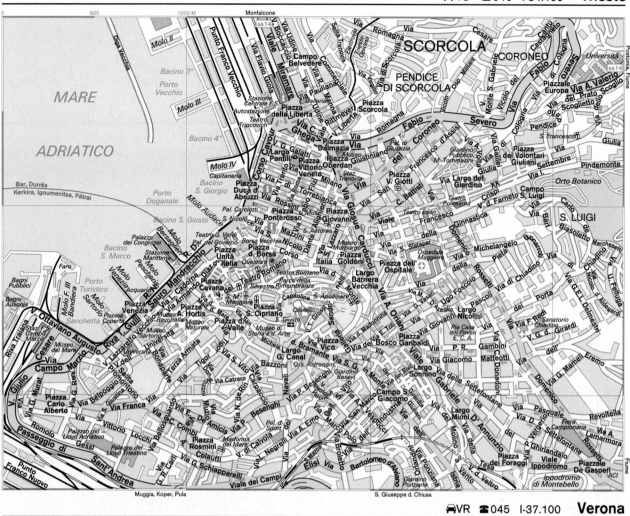

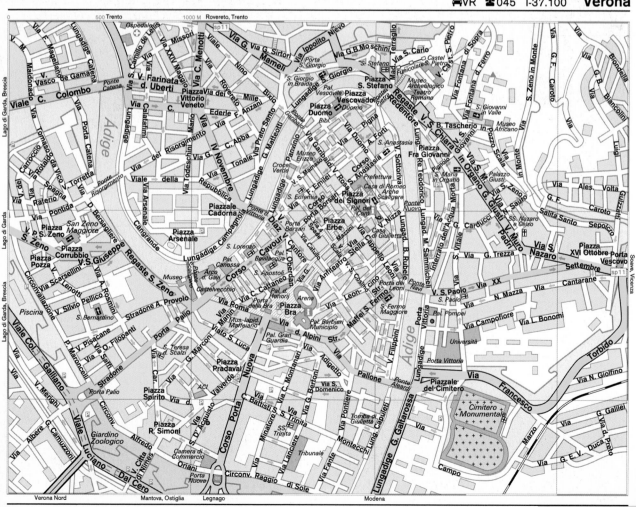

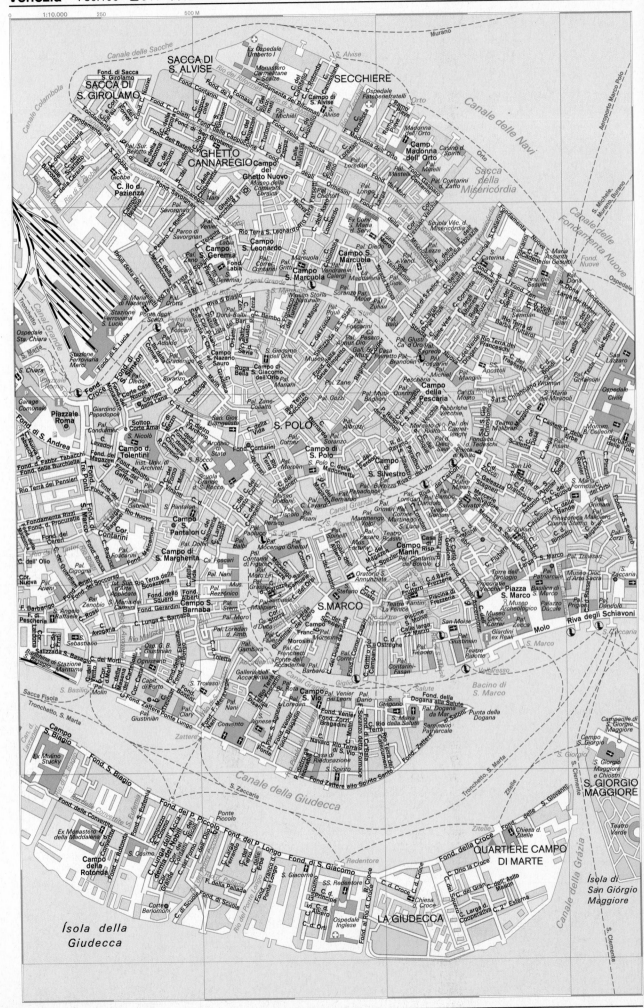